放射線安全管理学
第2版

〈付録〉関係法規・測定機器

〈著 者〉
福士　政広・井上　一雅

医療科学社

[著者略歴]

福士　政広
- 1981 年　東京理科大学化学科卒業
- 1986 年　東京都立医療技術短期大学助手（診療放射線学科）
- 1995 年　東京都立医療技術短期大学講師（診療放射線学科）
- 1997 年　日本大学大学院理工学研究科医療・福祉工学専攻
　　　　　博士後期課程修了　博士（工学）
- 1998 年　東京都立保健科学大学助教授（放射線学科）
- 2002 年　東京都立保健科学大学教授（放射線学科）
- 2005 年　首都大学東京健康福祉学部教授（放射線学科）

井上　一雅
- 2003 年　駒澤短期大学専攻科修了（放射線技術科学専攻）
- 2007 年　国立がん研究センター先端医療開発センター
　　　　　リサーチレジデント（機能診断開発分野）
- 2008 年　首都大学東京大学院保健科学研究科博士後期課程修了
　　　　　博士（保健科学）
- 2009 年　ハーバード大学医学部博士研究員
- 2012 年　首都大学東京健康福祉学部助教（放射線学科）
- 2015 年　首都大学東京健康福祉学部准教授（放射線学科）

改訂版の発行にあたって

　2008年に改訂してから，すでに9年が経過しました。この間に，放射線管理学と密接に関係する「放射性同位元素等による放射線障害防止に関する法律」の改正，ICRPの新勧告や診療放射線技師業務の拡大にともなう法改正など多岐にわたる改正が実施されてきました。また，この間に東北地方太平洋沖地震にともなう津波被害により福島第一原子力発電所事故が発生し，東日本一帯に甚大な被害をもたらしました。それにともない放射線・放射性物質に関連する規制値の強化など放射線安全管理に対し大幅な見直しが図られました。

　そのため，本書も全体的な見直しを図ることとしました。基本的な構成は変わっておりませんが，第1章から第6章では最新の知見データを反映させました。また第7章の「関係法規の概要」の大幅な見直し，付録1．「医療法施行規則の一部を改正する省令の施行等について」（要約）の最新版の追加，付録2．「医療法施行規則の一部を改正する省令の施行について」の一部抜粋とその概要についても最新版の追加を図りました。また，従来の付録4．診療放射線国家試験放射線安全管理学・精選（修飾）問題は市販されている国家試験問題集が多々存在するので今回から省きました。

　なお，前版よりB5版サイズに改め見やすく余白スペースも各所の設けており書き込みができるように従来どおり配慮致しました。本書は診療放射線技師を志す学生諸君はじめ医療で放射線に携わる方々に大いに役立つよう心がけて編集致しました。是非とも本書を参考書・教科書として充分に活用されることを希望致します。

　おわりに，本改訂版の出版にご尽力賜りました医療科学社スタッフの方々に厚く御礼申し上げます。

平成29年2月
著者しるす

初版　はしがき

　近年，科学技術の発展にともない放射線の利用範囲の拡大は著しいものがある。特に現代の医療は放射線なしでは成り立たないといっても良い状態にある。また，同時にわが国は世界唯一の原爆被災国ということもあって放射線被曝に関する問題に対して国民の注目は大きい。そのため，放射線管理に対する正しい知識と理解が必要である。しかし，その領域は広く，すべてを理解するのは大変である。また，放射線管理に関する領域の専門書は比較的多く出版されているが，初心者・学生向けの参考書・教科書となると，なかなか恰好の書物が見あたらない。

　このような現状をふまえ，現に放射線管理学を勉強している診療放射線技師学校生，既に放射線を用いて業とする診療放射線技師，放射線科医および放射線従事者，あるいは放射線の現場に新たに携わる医療関係者等を対象に各項目毎の放射線の管理技術について，これまでの経緯から現状までをわかりやすくまとめることを企画した。

　そこで，放射線の管理技術について各項目毎にわかりやすくまとめ『放射線管理学―診療放射線技師を志す学生のために』を1999年3月に刊行した。しかし，放射線障害防止関係法令の改正が平成12（2000）年10月公布され平成13（2001）年4月から施行された。この改正法令をふまえ『放射線管理学』の内容を一部改正し，『放射線管理学入門―関係法規の概要を含む』と改題した。

　内容は第1章から第7章にわたり，歴史的背景から用語の定義，管理の実際および関係法規の概要にわたり簡潔に記述したつもりである。また，最近導入された個人被曝線量計等に関する記述，X線診療室の遮蔽計算例および技師法を追加し，練習問題として過去10年間の診療放射線技師国家試験問題を系統別に分類し，診療放射線技師を志す学生へ配慮した。

　本書が診療放射線技師学校の学生はじめ，医療放射線従事者の方々の手引き書として少しでも役立つことができれば執筆者の最大の喜びである。

　また，本書の出版にお骨折りいただいた医療科学社の方々に厚くお礼申し上げる。

平成14年4月
著者しるす

放射線安全管理学〈目 次〉

第1章 序 論 ……………………………… 1

1.1 X線の発見と障害 ………………………… 1
1.2 初期の放射線防護活動 …………………… 1

第2章 放射線障害 ……………………… 3

2.1 放射線障害の分類 ………………………… 3
2.2 人体諸臓器への影響 ……………………… 3
 2.2.1 職業被ばく・5
 2.2.2 医療被ばく・5
 2.2.3 原爆被爆・5
 2.2.4 原発事故・5
 2.2.5 公衆被ばく・6
2.3 被ばく線量と障害の程度 ………………… 6
 2.3.1 急性障害・6
 2.3.2 晩発障害・7
 2.3.3 器官（組織）の障害・7
  1）血液像の変化・8
  2）皮膚障害・8
  3）生殖腺障害・9
  4）胎児への影響・9

第3章　ICRP勧告の推移とその概要・11

3.1　1965年までのICRP勧告　……………………・11
3.1.1　1958年ICRP勧告（Publ. 1）・11
3.1.2　1965年ICRP勧告（Publ. 9）・12
3.2　1977年ICRP勧告（Publ. 26）……………………・13
1）確率的影響・13
2）非確率的影響・13
3）放射線防護の体系・13
4）リスク係数・13
5）線量当量限度の勧告値・14
3.3　1990年ICRP勧告（Publ. 60）……………………・14
1）用語等の変更・15
2）線量限度の見直し・16
3.4　2007年ICRP勧告（Publ. 103）……………………・17
1）係数の見直し・17
2）防護原則の適用・17
3）制御可能な被ばく状況・18
4）線量限度の維持・18
5）最適化原則の強化・18
6）環境の放射線防護・18
7）事故時の線量基準・18
3.5　放射線防護における被ばく線量評価　……………・20
3.5.1　ICRUが提唱した線量・21
3.5.2　H_{1cm}の算出法・22
1）X・γ線の場合・22
2）中性子線の場合・22
3）エネルギー不明の場合・23
4）法令に示されている換算係数・23
5）粒子フルエンスあるいは照射線量からの換算係数・23
6）体幹部不均等の場合・25

3.5.3 H_{3mm}, $H_{70\mu m}$ の算出法・26
3.5.4 預託線量・26

第4章 放射線源からの被ばく ……… ・27

4.1 自然放射線源からの被ばく …………………… ・27
4.1.1 自然放射性核種による被ばく・27
4.1.2 宇宙線による被ばく・28
4.1.3 自然放射線源の地域格差・29

4.2 人工放射線源からの被ばく …………………… ・29
4.2.1 フォールアウト（放射性降下物）・29
4.2.2 原子力発電・30
4.2.3 医療放射線・30
4.2.4 医療被ばく・31
4.2.5 日常生活用品・33
　1) 自発光製品・33
　2) 電気・電子機器・34
　3) 煙感知器・34
　4) その他・34

4.3 各種放射線源からの被ばくと危険度の比較 ………… ・35

第5章 放射線源の安全取扱い ……… ・37

5.1 安全取扱いの原則 …………………………… ・37
5.2 外部被ばくと内部被ばくの防護 ……………… ・37
5.3 各種放射線源の安全取扱い …………………… ・39
5.3.1 X線装置・40

  5.3.2　診療用高エネルギー放射線発生装置・41
  5.3.3　診療用放射線照射装置・42
  5.3.4　診療用放射線照射器具・43
  5.3.5　放射性同位元素装備診療機器・45
  5.3.6　診療用放射性同位元素・45

5.4　放射線の遮蔽 ……………………………………… ・47
  1）α 線・47
  2）β 線・48
  3）X 線，γ 線・48
  4）中性子線・50

5.5　汚染除去と廃棄物処理 ……………………………… ・51
  5.5.1　汚染除去・51
  1）汚染の種類・51
  2）除染の方法・51
  3）汚染表面密度の測定・51
  4）除染係数，除染率，除染指数・53
  5）除染と表面密度・54
  6）除染時の注意事項・54
  5.5.2　廃棄物処理・54
  1）気体廃棄物処理・54
  2）液体廃棄物処理・55
  3）固体廃棄物処理・55
  4）陽電子断層撮影診療用 RI またはそれらの RI 汚染物処理・64

第6章　放射線管理の実際 ……………… ・65

6.1　放射線管理の組織・機構 …………………………… ・65
  6.1.1　放射線管理安全施策面の組織・65
  6.1.2　放射線管理実務面の組織・65

6.2 個人の放射線管理 ………………………………… ・66
　6.2.1　医学的健康管理・66
　　1) 健康診断の項目・66
　　2) 実施時期による健康診断の分類・66
　6.2.2　物理的被ばく管理・67
　　1) 外部被ばくモニタリング・67
　　2) 内部被ばくモニタリング・69
6.3 環境の放射線管理 ………………………………… ・69
　6.3.1　管理区域の設定・70
　6.3.2　作業環境管理・70
　6.3.3　一般環境管理・72
6.4 異常時の対策・措置 ……………………………… ・73
　6.4.1　放射線事故の分類・73
　　1) 事故の規模による分類・73
　　2) 事故の特質による分類・73
　6.4.2　放射線事故の発生原因・73
　6.4.3　事故防止対策・73
　　1) 紛失・盗難事故・73
　　2) 被ばく事故・74
　　3) 汚染事故・74
　　4) 火災・爆発事故・74
　　5) 地震・74
　6.4.4　異常時の措置・74

第7章　関係法規の概要 ……………………… ・75

7.1 診療放射線技師法（昭和26年6月11日法律第226号） … ・76
　7.1.1　同施行令（昭和28年12月8日政令第385号）・80
　7.1.2　同施行規則（昭和26年8月9日厚生省令第33号）・81

7.2 医療法施行規則（昭和23年11月5日厚生省令第50号） ……・84
    7.2.1　第1節　届出（第24条～第29条）・84
    7.2.2　第2節　X線装置等の防護（第30条～第30条の3）・88
    7.2.3　第3節　X線診療室等の構造設備（第30条の4～第30条の12）・90
    7.2.4　第4節　管理者の義務（第30条の13～30条の25）・95
    7.2.5　第5節　限度（第30条の26，第30条の27）・100
    7.2.6　厚生省告示［放射線診療従事者等が被ばくする線量の測定方法並びに
          実効線量及び等価線量の算定方法（平成12年12月26日厚生省告示第398号）］・102

7.3 電離放射線障害防止規則（昭和47年9月30日労働省令第41号）・103
    7.3.1　第8章　健康診断（第56条～第59条）・103

7.4 放射性同位元素等による放射線障害の防止に関する法律
   （昭和32年6月10日　法律第167号）……………・105
    7.4.1　第3章　許可届出使用者等の義務（第12条の8～第33条）・106
    7.4.2　第4章　放射線取扱主任者（第34条～第38条）・107

参考書・文献 ……………………………・108

付　録 ………………………………・109
    付録1.「医療法施行規則の一部を改正する省令の施行等について」
        （要約）（平成24年）・110
    付録2.「医療法施行規則の一部を改正する省令の施行について」の
        一部抜粋とその概要（平成27年）・118
    付録3. 放射線管理用測定機器・147

索　引 ………………………………・159

放射線安全管理学
第2版

〈付録〉関係法規・測定機器

- 第1章　序　論
- 第2章　放射線障害
- 第3章　ICRP勧告の推移とその概要
- 第4章　放射線源からの被ばく
- 第5章　放射線源の安全取扱い
- 第6章　放射線管理の実際
- 第7章　関係法規の概要
- 付　録

第1章 序論

1.1 X線の発見と障害

　1895年11月に，W.C. RöntgenがX線を発見して間もなくから，皮膚障害の発生が報告されている。例えば，Grubbe（米国）は1896年1月末にX線管の製作およびその実験から手指が皮膚炎にかかり，後年潰瘍へと進行して手指の一部切断手術を受けている。また，Edison（米国）は同年3月，X線の透視実験から眼痛を訴えている。その他，皮膚の慢性潰瘍から発癌になった症例もあり，X線障害事例に関しては19世紀末から20世紀初めにかけていろいろと報告されている。

　当時はX線の発見以外に，A.H. Becquerel（フランス）によるウラン放射能の発見（1896年），Curie夫妻（フランス）によるRaの発見（1898年）など，自然放射線源が相次いで見つかっており放射線との関わりが多くなりはじめた時代でもある。X線およびRaの利用が高まるにつれ，それら放射線による被ばくが増大し，人類に対する障害の発生数がますます多くなってきた。放射線障害者は20世紀に入って年々増加の一途を辿り，被ばくによる障害の危険性が明らかにされてきた。

1.2 初期の放射線防護活動

　X線発見後の約25年間は放射線・放射能の利用面に努力が払われ，放射線障害に対する研究があまり行われなかった時代で，X線量の測定や生物学的作用などの知識が欠けていた。X線被ばくの危険限界を量的に求めようとする試みは古く（1902年）からあったが，遅々として進まなかった。X線防護の重要性が認識され組織的に活動が開始されるようになったのは1920年代になってからである。

　すなわち，欧米では1921年に英国X線およびRa防護委員会（British X-ray and Radium Protection Committee；BXRP）の設立，1922年にフランスRa委員会（Commission de Radiums），米国レントゲン線協会（American Roentgen Ray Society）が相次いで発足した。しかし，人体が被ばくしても危険ではないと推定される線量の具体的数値などは示されなかった。

　国際的には1925年にロンドンで第1回国際放射線医学会議（International Congress of Radiology；ICR）が開催され，この会議の席でDr. Mutscheller（米国）が「X線の危険予防の物理的基準」という演題で耐容線量（Tolerance dose）なる概念を初めて発表した。これは人体がX

線障害を受けることなく，長期間にわたり耐えられるX線量のことである。Dr. Mutschellerは多くのX線従事者を対象に被ばくの調査を行い，また電離箱による放電量を測定し，その割合を皮膚紅斑量*と関係付けている。それによると，従事者が30日間のX線作業で1皮膚紅斑量の1/100を超えて被ばくしなければ安全であるとしている。1皮膚紅斑量を600RとするとDr. Mutschellerの耐容線量は0.2R/日に相当する。

また，当時は放射線の単位，測定法などがいまだ確立されておらず，この会議で初めて国際放射線単位測定委員会（International Commission on Radiation Units and Measurements；ICRU）が設立された。一方，Dr. Mutschellerの発表した耐容線量の概念が公式に提案されたこともあり，第2回のICR（1928年，ストックホルム）で国際X線およびRa防護委員会（International X-ray and Radium Protection Committee；IXRP）の設立が承認された。ここで，第2回ICRUが開催されて単位レントゲン（当時決められた単位記号はrであるが，現在はR）が採択された。

また，第2回IXRP（1931年開催）で耐容線量レベル導入の可能性の討議を経て第3回IXRP（1934年開催）において耐容線量0.2R/日（皮膚線量と解釈）が採択された。第4回IXRP（1937年開催）ではレントゲン単位で表した耐容線量レベルとX線遮蔽物の厚さの関係が示された。

---

*皮膚紅斑量（Haut Erythema Dosis）は線量単位が確立される以前に便宜的に使われた単位で，1皮膚紅斑量は200kV程度のX線による皮膚線量で約600R（Raのγ線で約1200R）に相当する。

第2章　放射線障害

　放射線により人体が受ける障害は，X線が発見された1895年直後から経験しており，その歴史は古い。そして，多くの経験の積み重ねと研究により生体に対する放射線の影響がかなり明らかになってきた。

2.1　放射線障害の分類

　放射線被ばくで人体に現れる影響には，臨床経過などから**身体的影響**（被ばくした個人のみに現れる影響）と**遺伝的影響**（被ばくした個人の子孫にまで影響を及ぼす）に大別される（表2.1）。身体的影響はさらに，**早期効果**（early effects）：数週間以内に現れる影響と**晩発効果**（late effects）：数年，あるいはそれ以上長い潜伏期を経て現れる影響に分けられる。晩発効果の主なものとして，①発癌，②白内障，③不妊などがある。これらのうち，放射線管理上注目されるのは遺伝的影響および発癌の2つである。

　また，放射線防護上から**確率的影響**（Stochastic effect）と**確定的影響**（Deterministic effect）*に分けられている。これは表2.2に示すとおりで，確率的影響には遺伝的影響と発癌が確定的影響には他の身体的影響（例えば眼の水晶体，皮膚の紅斑・脱毛，造血機能の低下，不妊など）がすべて含まれる。この両者の主な違いは，**線量しきい値の有無**および**線量効果関係**にある。すなわち，しきい値（影響が現れる最低線量値）は確定的影響では存在するが，確率的影響では放射線防護の観点から存在しないと仮定している。また，線量効果関係は確定的影響では被ばく線量の増大と共に症状の重篤度が増す関係にあるが，確率的影響では被ばく線量の増大により症状の重篤度ではなく障害発生の確率が増える点で異なる（図2.1）。

2.2　人体諸臓器への影響

　放射線の被ばくによる人体への影響は，実効線量あるいは等価線量の大きさが特に重要であるが，放射線の種類・エネルギー，被ばく部位・その大きさ，組織・臓器の種類，時間的分布などにより，また被ばく者の年齢・性別によっても差がある。今日まで放射線障害について多くの経験例が報告

---

*ICRP1977年勧告では非確率的影響（non-stochastic effect）と呼んだが，1990年勧告で改められた（後述，p.14参照）。

表 2.1　放射線障害の分類

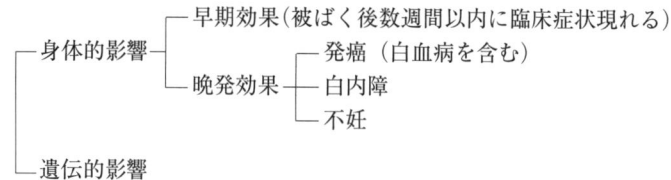

表 2.2　放射線防護の観点からの分類

確率的影響：しきい線量なし——線量の増加で障害の発生確率が増加する 　　　　　　（例：遺伝的影響，発癌）
確定的影響：しきい線量あり——線量の増加で症状の重篤度が増加する 　　　　　　（例：皮膚紅斑，不妊，白内障等）

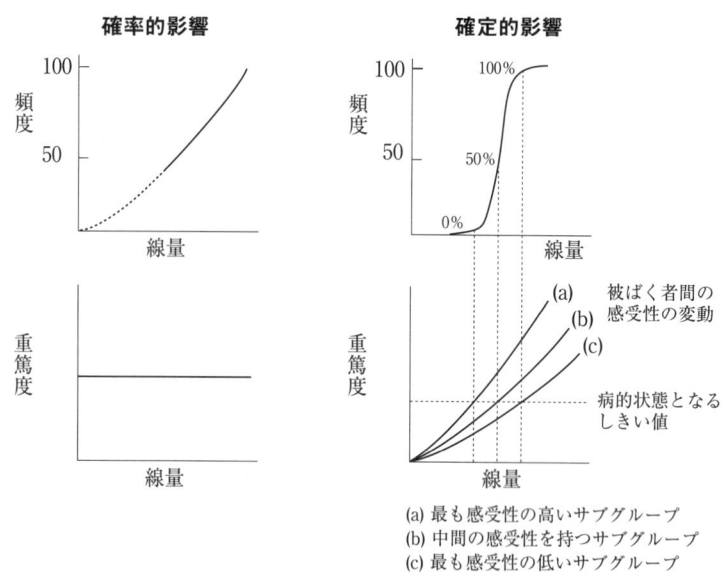

図 2.1　確率的影響および確定的影響の特徴（ICRP Publ.41）

されているが，それらは職業被ばく，医療被ばく，公衆被ばく，原爆被爆，そして原発事故による被ばくに基づくものに分けられる。以下，過去の代表例について簡単に触れる。

2.2.1 職業被ばく

1) 初期の放射線取扱者：X線発見当初，X線の人体への影響をほとんど知らないままX線を利用した結果，多くのX線取扱者に皮膚障害が発生し，それが皮膚癌に進行したりもしている。一方，Raの発見で有名なCurie夫人は過度の被ばくで後年骨髄障害から再生不良性貧血になった。

このような障害例は人工放射線源が大量に使用されるようになってからでも報告されている。

2) 夜光塗料従業員：米国ニュージャージー州の工場で1917年から1924年にかけて時計の文字盤，計器盤に夜光性の塗料（ラジウム含有）を塗る作業に従事する女子従業員（ダイアルペインタ）のなかから，ラジウム中毒が原因で白血球減少を伴う貧血，骨壊疽，骨肉腫などの障害が発生している。

3) 鉱山労働者：19世紀末から20世紀初めにかけてヨーロッパの鉱山で働く採鉱夫のなかに，肺癌による死亡率の増加が認められた。後に，これは高レベルのラドンとその娘核種の吸入によることが判明した。職業被ばくは放射線下で作業者が受ける被ばくに限定される。

2.2.2 医療被ばく

X線およびラジウムは古くから疾病の診断・治療に用いられてきたが，これら以外にトロトラスト（ドイツHeygen社製X線造影剤，二酸化トリウム20～25%含有コロイド）が1930年から1940年代にかけ血管・肝・脾のX線撮影に使用されてきた。これは血管内に注入されると網内系細胞に取り込まれ，ほとんど排泄されないため，肝・脾・骨髄・リンパ節などの組織がα線による被ばくを受け続ける結果，肝線維症，肝腫瘍の発生頻度の増加が認められた。医療被ばくはその人自身の診療の一部として受ける被ばく，あるいは診療中の患者の付き添い，介護する個人が承知の上，自発的に受ける被ばく（職業被ばくを除く）に限定される。

2.2.3 原爆被爆

1945年8月に広島，長崎に原爆が投下され多くの犠牲者が出た。これは爆発の威力による外傷，熱傷に加えて放射能（線）の放出による障害を多くの人に与えた。これはγ線と中性子線の全身被ばくを受けた結果生じた放射線障害で，その後の膨大な調査・研究から急性障害，晩発障害に関する情報が多数報告されている。急性期における線量-効果関係（造血障害，胃腸障害，中枢神経障害），また晩発期に発現をみる疾患として骨髄性白血病，甲状腺癌，乳癌，肺癌などがある。

戦後，世界の各地で核爆発実験が行われてきたが，特に1954年太平洋ビキニ環礁で行われた米国の実験による放射性降下物（fallout）の被災で放射線障害を受けている。

2.2.4 原発事故

原子力発電所における主な事故としては，スリーマイルズ（米国，1979年），チェルノブイリ（旧ソ連，現ウクライナ，1986年）および福島第一原子力発電所（日本，2011年）があるが，なかでも1986年4月26日に起きたチェルノブイリ原子力発電所（旧ソ連）の事故は最悪の事態を招いた。広島，長崎の200倍の放射能が放出され放射能汚染地域が広範囲のため約500万人が被ばくしたとされている。発電所内従業員および消防士の134名が急性放射線症にかかり，うち28名は3か月

以内に死亡した。また，重度汚染地域では小児甲状腺癌の発生が増加しているが，長期的健康被害に関して 2013 年 UNSCEAR 報告では認められないと報告している。わが国では，1999 年 9 月 30 日に茨城県東海村にある核燃料加工会社 JCO で日本の原子力史上初の「臨界事故」が発生し，大量の放射線を浴びた作業員 3 人のうち 2 人が亡くなる惨事となった。

2011 年 3 月 11 日に発生した東北地方太平洋沖地震にともなう津波の影響で福島第一原子力発電所の原子炉の全制御棒が挿入し緊急停止し能動的冷却装置が水没・故障して，その後燃料の破損，炉心融解が進み放射性物質が放出された。1 号機の核燃料はほぼ全量が溶融落下し圧力容器から格納容器へ漏れ出た。2 号機では 7 割以上が溶融落下し，落下した燃料の大部分が圧力容器内に留まっている。また，3 号機では 1 号機同様に圧力容器の底を突き抜け格納容器へ落下したと見られる。福島第一原子力発電所事故による大気への放射性物質の放出量は放射性ヨウ素換算値で約 900 PBq でチェルノブイリ原子力発電所事故の 5200 PBq と比較して約 6 分の 1 の放出量であった。

放射線，放射性物質による急性放射線で死亡した関係者はいなかった。長期的な影響に関しては今後の調査がまたれる。

2.2.5　公衆被ばく

公衆被ばくは職業被ばく，医療被ばく以外のすべての被ばくを含む。公衆被ばくのうち，自然放射線による被ばくが最も大きく人工放射線による被ばくはこれよりも少ない。しかし，これらの管理された放射線による被ばくに注意を払うべきは当然である。

2.3　被ばく線量と障害の程度

ヒトの放射線障害を急性障害と晩発障害に分けた場合，**急性障害**は主として短時間に大量の全身被ばくを受けた場合に生ずる。しかし，晩発障害は被ばく時から症状発現までの期間が長年月にわたるため線量とその臨床症状の因果関係を明確にさせることに難がある。すなわち，放射線で起こる自覚的・他覚的症状（障害）は他の原因でも起こり得るため放射線に特有な症状とはなり得ない。それゆえ，ある疾病（症状）が放射線により生じた晩発障害と認めるためには被ばくと非被ばくの各集団について障害の発生率を統計的に比較し確かめねばならない。個人が被ばくした場合は被ばく状況，急性期症状，経過年月など総合的にみて判定すべきである。

2.3.1　急性障害

表 2.3 に X・γ 線の 1 回全身被ばくにおける線量と臨床症状の関係を示す。あくまでも推量で個人差・被ばく状況などにより多少の違いはある。典型的な急性障害は**前駆期**，**潜伏期**，**発症期**の 3 期に分けられる。すなわち，前駆期は被ばく後，吐き気，嘔吐が始まり，これが 1〜2 日続く期間。潜伏期はその後症状が消失し，これが数日〜数週続く期間。そして発症期は潜伏期の後，症状が現れ持続する期間である。いずれの期間も被ばく状況が大いに関係し低線量（2 Gy 前後〜）では約 2

表 2.3　急性障害の分類（X, γ線1回全身被ばく）

被ばく線量	臨床症状	備考
250 mGy	ほとんど臨床症状なし	
500 〃	リンパ球の一時的減少	軽い前駆症状
1 Gy	吐き気，嘔吐，全身倦怠，リンパ球著減（危険限界量）	
1.5 〃	放射線宿酔 50%，一過性吐き気，嘔吐	軽度の急性放射線症
2 〃	長期白血球減少（死亡率 5%）	軽度の造血障害
4 〃	死亡 30 日間に 50%（半数致死線量 $LD_{50,30}$）	高度の造血障害
6 〃	死亡 14 日間に 90%	
7 〃	死亡 100%（100% 致死線量），胃腸症状数時間以内に出現	著明な急性放射線症
20 〃	その後数日間治まるが，突然再発，約1週間内で死亡	胃腸障害が支配的
数 10 〃	数時間で死亡	中枢神経障害
1000 〃	照射中に死亡（分子死）	生体高分子変成と不活性化

週後に脱毛，線量の増加につれ造血障害から感染症，出血傾向となり，さらに高線量となるとともに胃腸障害，中枢神経障害へとつながる。

2.3.2　晩発障害

既述のとおり，放射線によって引き起こされる晩発障害は他の原因でも生ずるので特に潜伏期が長い場合はそれを区別することが難しくなる。現在，晩発障害とみなされる疾患として白血病，甲状腺癌，乳癌，肺癌，骨腫瘍，その他の癌（皮膚・肝など），白内障，不妊などがある（表 2.1）。放射線被ばくと白血病発生の因果関係は多くの事実から明らかになっている。しかし，白血病の誘発と被ばく線量との関係については明らかでなく，ましてや線量と発生確率の間に直線関係があるのか否かは確かでない。放射線防護上はしきい値がなく直線比例関係が存在すると仮定して扱っている（図 2.1）。他の組織についても放射線被ばくにより症状の誘発が有意に増えていることが報告されている。

2.3.3　器官（組織）の障害

器官（組織）の放射線感受性* は細胞再生系（活発な細胞分裂を行う細胞を含み，たえず細胞の置き換わりをしている）と非再生系（成体では細胞分裂をしなくなった細胞の集まり）に大別されるが一般に前者は感受性が高く，後者は感受性が低い。すなわち，造血組織（リンパ節・骨髄・脾臓・胸腺），生殖腺などは高く，次いで上皮組織（腸・皮膚），眼が，そして肝臓・血管・結合組織・脂肪組織・筋肉・神経組織は低い部類に含まれる。放射線感受性を細胞レベルの形態学的観察で比較すると表 2.4 に示すとおりである。非再生系組織でも胎児期は発生途上で，いまだ細胞分裂を行っ

---

* 古くは 1906 年に報告された Bergonie-Tribondeau の法則がある。これによれば「細胞の放射線感受性は，その細胞の分裂能力の大きさに比例し，分化の程度に逆比例する」としている。

表 2.4 細胞の放射線感受性

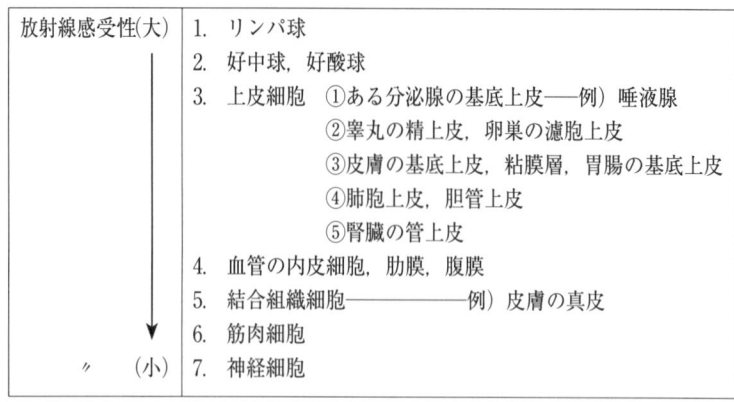

ているので，この時期の（特に胚組織の）被ばくは深刻な障害をもたらすので注意が必要である。なお，感覚器官（眼・耳・鼻など）は神経系と同じで，一般に放射線感受性は低い。水晶体は混濁して白内障になる晩発障害のひとつであるが感受性の高い組織でもある。以下に主なる器官・組織の放射線障害について述べる。

1) 血液像の変化

イ) 白血球：放射線被ばくにより白血球数は減少するが，白血球の種類により放射線感受性ならびに変化の時間的推移が異なる。

◇リンパ球：感受性が最も高い。減少が早く始まり回復も早い。ルーチン検査でリンパ球の減少を検出できる最低線量は全身の急性被ばくで 250 mGy 程度。250 mGy～1 Gy 照射で 24 時間以内に減少が認められる。1 Gy 以上照射では著しく減少する。リンパ組織で芽球よりも末梢血球の方が感受性が大きい（ベルゴニー・トリボンドーの法則の例外）。

◇顆粒球：2～3 Gy 照射では直後にいったん上昇するが，その後減少する。減少はリンパ球より遅れて現れ回復もリンパ球より遅く約 1 か月後になる。白血球中最も数が多いので好中球数（顆粒球数の相当部分）の変化は白血球数の変化として現れやすい。

ロ) 赤血球：減少は白血球よりも遅く回復も遅い。赤血球の母細胞と他の血球の母細胞の放射線感受性はあまり違わないが，末梢血液中での赤血球の寿命（120 日）が長いため末梢血液中での変化として現れにくい。また，末梢血液中の赤血球そのものは放射線感受性が低く，それ自体を変化させるには数 10 Gy の照射が必要である。

ハ) 血小板：1 Gy の全身急性被ばくで巨核球が減少，末梢血液中の血小板は 7～8 日後に減少，回復は約 1 か月後に始まる。減少は好中球に続いて始まり回復も好中球より遅れる。血小板の減少は出血性傾向を示す。

2) 皮膚障害

細胞再生系の組織では，外部被ばくで必ず皮膚が照射されるので障害を受けやすい。肉眼的に観察できる組織であり障害の程度を把握できる。皮膚線量とその症状の関係を表 2.5 に示す。大線量

表 2.5　皮膚線量と臨床症状の関係

線量	症状
1～3 Gy	3週後，脱毛（一過性），落屑，軽度の紅斑
5～12 Gy	2週後，充血，腫脹，紅斑，脱毛，一部は乾性皮膚炎となる。
12～18 Gy	1週後，水泡から湿性皮膚炎（ただれ形成），潰瘍に進む。永久脱毛
20 Gy 以上	3～5日後，進行性びらんから潰瘍形成

表 2.6　慢性皮膚障害の症状

期別	症状
第1期	表皮の萎縮
第2期	角質の増殖
第3期	潰瘍形成
第4期	癌の発生

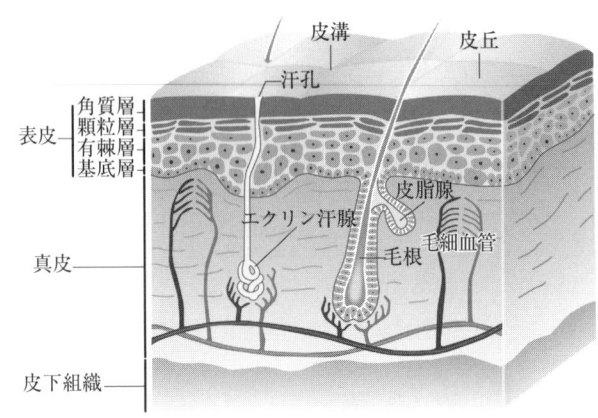

図 2.2　皮膚の断面図（基底層 30～100 μm：平均 70 μm）

被ばくの場合，慢性皮膚障害（表 2.6）では潰瘍から癌へと移行する。皮膚の放射線感受性が高い基底上皮細胞層は，表皮の最深層（30～100 μm，平均 70 μm 厚）にあり，皮膚の線量評価で問題とする部位である（図 2.2）。脱毛についての放射線感受性は，部位で差があり頭髪が最も高く，まつげが最も低い。

3）生殖腺障害

放射線による身体的障害としての生殖腺障害に不妊がある。放射線感受性は生殖細胞の中では精母細胞，精原細胞の一部および若い卵母細胞が高い。

　　精子形成：精原細胞→精母細胞→精子細胞→精子

　　卵子形成：卵原細胞→卵母細胞→卵子

不妊が起こる原因は細胞学的に男女差がある。しかし，不妊の程度はほぼ同じであるといわれている。表 2.7 に急性被ばく時の生殖腺線量と不妊の程度の関係を示す。慢性被ばくの場合はこの表にある線量よりもっと多い線量を被ばくしないと現れない。

4）胎児への影響

妊娠中の女性が放射線に被ばくした場合，胎児への影響が特に問題となる。胎児は母体内での発

表 2.7 生殖腺線量(1回被ばく)と不妊の程度(男女共同程度)

生殖腺線量 (Gy)	不妊の程度
1.5	ごく短期間の生殖力の低下。
2.5	1〜2年の一時的不妊。
5.0	多くの人に永久的不妊,他は相当期間の不妊。
8.0	生殖力回復の見込みがない。

表 2.8 胎児への放射線影響としきい値

時期	受精後の日数	出現する影響	しきい値
着床前期	〜9日	胚死亡	0.1 Sv
器官形成期	2〜8週	奇形の発生	0.1 Sv
胎児期	8〜15週	精神発達遅滞	0.2 Sv
	8〜40週	発育遅滞	0.15 Sv
		発癌	(0.02 Sv^{-1})*
		遺伝的影響	(0.01 Sv^{-1})*

* ( ) 内はリスク係数

育時期により着床前期(受精〜9日),器官形成期(2週〜8週),そして胎児期(8週〜出生)に分けられるが,被ばくした時期により出現する影響が異なる(表2.8)。胚死亡は受精卵が子宮壁着床前に死亡するもので,結果的に流産というかたちになるが妊娠と気付かないまま過ぎてしまうことが多い。また,受精後2〜8週経過した時期は個々の組織・臓器の分化が始まっており,奇形発生の可能性がある。発育旺盛な胎児期に被ばくすると発育遅滞の影響が現れる可能性があり,特に8〜15週の胎児期前半での被ばくは精神発達に遅れが生ずるといわれている。また,胎児期の被ばくで確率的影響としての発癌と遺伝的影響をもたらすリスクは若年集団の場合に同じとされている。なお,妊娠可能年齢の女性の排卵・受精は月経予定日の約2週(12〜16日)前に行われるため,通常月経開始後10日間は受精卵が存在する可能性は低い。したがって,仮にこの時期に女性が放射線被ばくを受けても,胎児が放射線被ばくすることにはならない。胎児に対する被ばくを避ける意味からX線検査など放射線被ばくを伴う検査は月経開始日から10日以内に行うことが提唱されている。これを「10日規則」(10 days rule)という。しかし,放射線被ばくによる胎児への影響が現れるのは受精して2週以降であり着床前の流産を除けば「10日規則」はあまり意味を持たないともいわれている。

第3章 ICRP勧告の推移とその概要

3.1 1965年までのICRP勧告

1.2で1937年までのIXRPの活動について簡単に触れたが,その後第二次世界大戦に突入して委員会活動は中断された。1950年に戦後初めての会合がロンドンで開催された。

第5回IXRP (1950年) では,名称をICRP (International Commission on Radiological Protection) に耐容線量を最大許容線量 (Maximum Permissible Dose) に,そして0.2 R/日を0.3 R/週 [≒ 0.2 R/d・(5 d/W)・(1/3)] にそれぞれ改めた。また,11種の放射性核種について身体内最大許容量についても勧告した。

第6回ICRP (1953年) では,専門委員会Ⅰ~Ⅴまでの検討結果の報告が1954年勧告として刊行される。決定器官 (Critical organ)* を取り入れ,古くは皮膚・造血器官が新たに生殖腺・水晶体が加わる。身体的障害のみで遺伝的障害については触れていない。

3.1.1 1958年ICRP勧告 (Publ. 1)

許容線量のさらに厳しい必要性を強調。許容線量の定義が「長期にわたって蓄積されるか,または1回の被ばくによるか,いずれにせよ現在の知識に照らして重い身体的障害または遺伝的障害の起こる確率が無視できるような線量である。また,もっと頻繁に起こるようなどんな影響も被ばくした個人および専門医が許容不能とは考えないようなとるに足らない性質のものにまで制限するような線量」に改められた。これにより,最大許容線量を,

①遺伝的障害を考慮した蓄積(積算)線量の導入:

基本公式 $D = 5(N-18)$ rem, N:年齢,

一定の割合で被ばくする場合 5 rem/年 (0.3 R/W=15 rem/年の1/3) にする。

②1回被ばく線量の制限値として:

連続した13週間における蓄積線量を3 remとした。なお,自然放射線による被ばくと医療被ばくは最大許容線量から除かれる。

1958年勧告は1959年修正,1962年改訂 (Publ. 6) という形で刊行されているが基本的な考え方

---

* 複数の器官が同時に照射された場合,最も障害を受けやすい,あるいは身体に対して重大な障害を生ずると考えられる器官に注目して,これを決定器官(組織)という。

表 3.1　1962 年 ICRP 勧告（No.6）における最大許容線量

被ばくする個人のカテゴリー	生殖腺および造血臓器[*1]	皮膚・甲状腺および骨	その他の器官[*2]	手・前腕・足およびくるぶし
A. 職業上被ばくする個人	D＝5(N-18) rem および 3 rem/13W（平均 5 rem/年）生殖可能年令の婦人の腹部 1.3 rem/13W 妊婦：妊娠とわかった後，胎児に 1 rem	8 rem/13W および 30 rem/年	4 rem/13W および 15 rem/年	20 rem/13W および 75 rem/年
B. 直接には放射線に従事しない成人	1.5 rem/年	3 rem/年	1.5 rem/年	7.5 rem/年
C. 集団全般の構成員	0.5 rem/年	3 rem/年[*3]	1.5 rem/年	7.5 rem/年

[*1] 造血臓器は赤色骨髄のみ，脾，リンパ組織はその他の器官（1964 年）。
[*2] 水晶体も[*1]からその他の器官へ。
[*3] 16 歳までの小児の甲状腺は 1.5 rem/年（1964 年）。

に大きな変更はない。参考のため，表 3.1 に 1962 年勧告の最大許容線量の概要を示す。なお，皮膚は 1958 年，水晶体は 1962 年にそれぞれ決定器官から除外された。また，この年から ICRP 刊行物に通し番号が付けられることになった。

3.1.2　1965 年 ICRP 勧告（Publ. 9）

　放射線防護の目的は「放射線の急性効果を防止し，かつ晩発性効果の危険を容認できるレベルにまで制限することである」とし，これを基本原則に個人に対する身体的影響と集団全般に対する遺伝的影響を制限するよう個人に対する最大許容線量と公衆の構成員に対する線量限度＊が勧告された（表 3.2）。なお，線量（Dose）という語が線量当量（Dose Equivalent）の意味で便宜上使われている。

＊「最大許容線量」は使用範囲を制限し，制御できる被ばく源による放射線作業者の被ばくだけに限定，公衆の個々の構成員および集団の被ばくに対しては「線量限度」を用いる。

表 3.2　1965 年 ICRP 勧告の年線量当量限度について

臓器または組織	作業中に被ばくする成人についての最大許容線量	公衆の構成員についての線量限度
生殖腺・赤色骨髄 （および均等被ばくにあっては全身）	5 rem/年	0.5 rem/年
皮膚・甲状腺・骨	30 rem/年	3 rem/年（16 歳までの子供の甲状腺：1.5 rem/年）
手・前腕・足およびくるぶし	75 rem/年	7.5 rem/年
すべての他の臓器	15 rem/年	1.5 rem/年

計画特別被ばく：1 回に年限度の 2 倍，一生に年限度の 5 倍まで。
生殖能力ある婦人の腹部：1.3 rem/13W，妊娠と診断されて出産までの期間に 1 rem 以下。

3.2　1977 年 ICRP 勧告（Publ. 26）

　1965 年の勧告以後，12 年間勧告らしきものはなかったが 1977 年に刊行され，これまでと異なる考え方の大幅な変更が示された。すなわち，2.1 で説明のとおり，放射線防護の対象となる有害な影響を確率的影響（stochastic effect）と非確率的影響（non-stochastic effect）とに分けて扱い，放射線防護の目的を「非確率的な有害な影響を防止し，また確率的影響の確率を容認できるレベルにまで制限すること。さらに，放射線被ばくを伴う行為が確実に正当とされるようにすること」としている。

1) 確率的影響
　その重篤度ではなく，その影響の起こる確率（頻度）がしきい値のない線量の関数と見なされる影響―――遺伝的影響，発癌

2) 非確率的影響
　その影響の重篤度が線量の大きさとともに変わるもので，しきい値の有り得るような影響―――白内障，皮膚紅斑，血液失調症，受胎能力の減退など

3) 放射線防護の体系（線量制限体系）
　◇行為の正当化（Justification）［いかなる行為も，その導入が正味でプラスの利益を生むものでなければ採用してはならない］
　◇防護の最適化（Optimization）［すべての被ばくは，経済的及び社会的な要因を考慮に入れながら合理的に達成できる限り低く保たなければならない］
　◇個人の線量当量限度（Dose Equivalent limits）［個人に対する線量当量は，委員会がそれぞれの状況に応じて勧告する限度を超えてはならない］

4) リスク係数（被ばく単位線量当量当たり誘発する遺伝的障害，発癌の頻度）
　今回は従来からの決定器官の考え方を改め，照射されたすべての組織・器官の被ばくに起因する総リスクを考慮に入れるようリスク係数（表 3.3）の考えを導入した。

表3.3 確率的影響におけるリスク係数・荷重係数（ICRP, 1977年）

組織	効果	リスク係数 (Sv^{-1})	荷重係数 W_T
生殖腺	子と孫の2世代に現れる遺伝的疾患	4×10^{-3}	0.25
乳房	乳癌	2.5×10^{-3}	0.15
赤色骨髄	白血病	2×10^{-3}	0.12
肺	肺癌	2×10^{-3}	0.12
甲状腺	甲状腺癌	0.5×10^{-3}	0.03
骨表面	骨腫瘍	0.5×10^{-3}	0.03
残りの組織	その他の癌	5×10^{-3}	0.30
計		1.65×10^{-2}	1.00

表3.4 1977年ICRP勧告の年線量当量限度について

		職業人	公衆の個々の構成員
確率的影響	実効線量当量 全身均等被ばく	50 mSv $H_E{}^{*1}=\sum_T w_T\cdot H_T \leq 50$ mSv	5 mSv（→ 1 mSv*3）
	不均等被ばく	$H_{wb.L}$（≤ 50 mSv）	$\sum_T w_T\cdot H_T \leq 5$ mSv
非確率的影響	組織線量当量 眼の水晶体	150 mSv*2	50 mSv（→ 15 mSv*4）
	皮膚	500 mSv	50 mSv
	水晶体以外の組織	500 mSv	50 mSv

*1 1980年ブライトン声明で実効線量当量に。
*2 同じく声明で300 mSv → 150 mSvに修正。
*3 1985年パリ声明で生涯の平均年線量当量を1 mSvとした。
*4 1990年勧告で職業人の1/10に改めた。

5）線量当量限度の勧告値

　確率的影響と非確率的影響について，作業者と公衆の個々の構成員に対する線量当量限度を表3.4にまとめておく。なお，ここに使用されている単位記号は線量当量がSv（シーベルト），吸収線量はGy（グレイ）である。

3.3　1990年ICRP勧告（Publ. 60）

　1977年勧告から13年経過して刊行されたもので，新しい概念の導入，用語の変更，線量限度の見直しなどが行われている。
　放射線防護の体系のうち，特に防護の最適化の過程で考慮される線量の制限値として，**線量拘束**

表 3.5　放射線荷重係数（1990 年勧告）

放射線の種類とエネルギー範囲	放射線荷重係数 W_R
光子，すべてのエネルギー	1
電子および μ 粒子，すべてのエネルギー*	1
中性子，エネルギーが 10 keV	5
〃　　　10 keV 以上 100 keV まで	10
〃　　　100 keV を超え 2 MeV まで	20
〃　　　2 MeV を超え 20 MeV まで	10
〃　　　20 MeV を超えるもの	5
反跳陽子以外の陽子，エネルギーが 2 MeV を超えるもの	5
α 粒子，核分裂片，重原子核	20

* DNA に結合した原子から放出されるオージェ電子を除く。

値（dose constraint）の概念を取り入れた。すなわち，線量限度を超えることはなく個人が被ばくする可能性のある行為，または線源の数（種類）などを考慮して線量限度の一部を割当てる。線量拘束値は防護の最適化の過程の中で個人線量に対する拘束条件として機能する。

1) 用語等の変更
　①線量当量（dose equivalent：H）
　　　　　⟶　等価線量（equivalent dose：H_T）
　　$H = D \cdot Q \cdot N \ [Sv]$　⟶　$H_T = \sum_R W_R \cdot D_{T,R} \ [Sv]$
　　ただし，D；吸収線量，Q；線質係数，N；その他の修正係数，W_R；放射線荷重係数，$D_{T,R}$；組織 T の吸収線量
　②実効線量当量（effective dose equivalent：H_E）
　　　　　⟶　実効線量（effective dose：E）
　　$H_E = \sum W_T \cdot H$　⟶　$E = \sum_T W_T \cdot H_T = \sum_R W_R \sum_T W_T \cdot D_{T,R}$
　　　　　　　　　　　　　　　　　　　　$= \sum_T W_T \sum_R W_R \cdot D_{T,R}$
　　ただし，W_T；組織荷重係数
　③非確率的影響（non-stochastic effect）
　　　　　⟶　確定的影響（deterministic effect）
　④線質係数（quality factor：Q）
　　　　　⟶　放射線荷重係数（radiation weighting factor：W_R，表 3.5 参照）
　⑤荷重係数（weighting factor：W T）
　　　　　⟶　組織荷重係数（tissue weighting factor：W_T，表 3.6 参照）
　⑥リスク係数（risk factor）
　　　　　⟶　名目確率係数（nominal probability coefficient）
　⑦その他：預託線量当量
　　　　　⟶　預託等価線量

表 3.6　組織荷重係数（1990年勧告）

組織・臓器	組織荷重係数 W_T
生殖腺	0.20
骨髄（赤色）	0.12
結　腸	0.12*
肺	0.12
胃	0.12
膀　胱	0.05
乳　房	0.05
肝　臓	0.05
食　道	0.05
甲状腺	0.05
皮　膚	0.01
骨表面	0.01
残りの組織・臓器	0.05

*この係数は大腸下部に適用される。

表 3.7　放射線加重係数（2007年勧告）

放射線の種類とエネルギー範囲	放射線加重係数 W_R
光子，すべてのエネルギー	1
電子および μ 粒子，すべてのエネルギー	1
中性子エネルギー：En	
$E_n < 1\,\text{MeV}$	$2.5+18.2e^{-[\ln(E_n)]^2/6}$
$1\,\text{MeV} \leq E_n \leq 50\,\text{MeV}$	$5.0+17.0e^{-[\ln(2E_n)]^2/6}$
$E_n > 50\,\text{MeV}$	$2.5+3.25e^{-[\ln(0.04E_n)]^2/6}$
陽子および荷電パイオン，すべてのエネルギー	2
α 粒子，核分裂片，重原子核	20

　　集団実効線量当量
　　　　――→　集団実効線量　など

2）線量限度の見直し
　①作業者の線量限度
　　・実効線量限度：20 mSv/年（決められた5年間の平均）
　　　　　　　　　　ただし，50 mSv/年を超えないこと。
　　・等価線量限度
　　　眼の水晶体：150 mSv/年
　　　皮膚：500 mSv/年
　　　手先および足先：500 mSv/年
　②女性の限度・原則として女性に対する特別な線量限度は勧告しない。
　　　　　　　・妊娠女性の線量限度（腹部表面）：2 mSv/妊娠期間
　　　　　　　・妊娠女性の年摂取限度：年摂取限度（ALI）の1/20
　③緊急時被ばく・実効線量：約 0.5 Sv 以下
　　　　　　　・皮膚の等価線量（人命救助は例外）：約 5 Sv 以下
　④公衆の線量限度
　　・実効線量限度：1 mSv/年（特別な状況下では5年間の平均が年当たり1 mSvを超えないことを条件として，より高い実効線量が許容される）
　　・等価線量限度
　　　眼の水晶体：15 mSv/年
　　　皮膚：50 mSv/年

表 3.8 組織加重係数（2007 年勧告）

組織・臓器	組織加重係数 W_T
乳房	0.12
骨髄（赤色）	0.12
結腸	0.12
肺	0.12
胃	0.12
生殖腺	0.08
甲状腺	0.04
食道	0.04
肝臓	0.04
膀胱	0.04
骨表面	0.01
皮膚	0.01
脳	0.01
唾液腺	0.01
残りの組織臓器(14)*	0.12

*14 臓器（副腎，胸郭外気道，胆嚢，心臓，腎臓，リンパ節，筋肉，口腔粘膜，膵臓，前立腺（♂），小腸，脾臓，胸腺及び子宮／子宮頸（♀））の平均線量に対して0.12 を与える。

表 3.9 がんと遺伝的影響に関する損害リスク係数（$10^{-2}Sv^{-1}$）

被ばくした集団	がん 1990	がん 2007	遺伝的影響 1990	遺伝的影響 2007	合計 1990	合計 2007
全体	6.0	5.5	1.3	0.2	7.3	6.0
成人	4.8	4.1	0.8	0.1	5.6	4.0

　以上，1990 年勧告のあらましであるが名目確率係数についてはこれまで致死癌のリスクのみであった。しかし，今回は治癒癌・遺伝的障害のリスクも考慮された。また，公衆の線量限度では眼の水晶体が 15 mSv/年に下げられた。医療被ばくは従来どおり線量限度には適用されない。自然放射線からの被ばくも放射線防護対象ではなかったが，ジェット機，宇宙飛行，特定場所でのラドン，特定の微量自然放射性核種を含む物質の取扱いに限り職業被ばくの一部に含めることを勧告している。

3.4　2007 年 ICRP 勧告（Publ. 103）

　1990 年勧告から 17 年経過して刊行された最も新しい勧告である。その主要な特徴と 1990 年勧告からの変更点を以下に示す。

1）係数の見直し

　放射線加重係数（radiation weighting factor：W_R・表 3.7）と組織加重係数（tissue weighting factor：W_T・表 3.8）が生物学，物理学の最新の科学的知見に基づいて見直された。同様に放射線による損害リスク係数（表 3.9）も見直された。

2）防護原則の適用

　正当化（justification），防護の最適化（optimization），線量限度（dose equivalent limits）の基

本3原則を変えず,放射線被ばくをもたらす有益な行為を制限することなく,人と環境に対して適切な防護原則をどのように適用するかを明示した.

①正当化「いかなる行為も,その導入が正味でプラスの利益を生むものでなければ採用してはならない」正当化の判断の責任は,広義の意味で社会の総合的利益を保証するため,通常,個人ではなく,政府あるいは規制当局に委ねられる.しかしながら,正当性の判断は事業者と政府以外の多くの関係者が関与して,適切な社会的プロセスを通じて行われる.

②防護の最適化「すべての被ばくは,経済的及び社会的な要因を考慮に入れながら合理的に達成できる限り,低く保たなければならない」

③線量限度「医療被ばくを除く,すべての計画被ばく状況では個人の被ばくは線量限度を超えてはならない」

3) 制御可能な被ばく状況

行為と介入という作業の観点からなる防護手法区分から,計画被ばく状況,緊急時被ばく状況,現存被ばく状況というすべての制御可能な被ばく状況へ,正当化,防護の最適化,線量限度の基本3原則を適用した.

①計画被ばく状況(planned exposure situation)

計画的に線源を導入,あるいは操業する状況,廃止措置,放射性廃棄物の処分,土地の復旧を含む.

②緊急時被ばく状況(emergency exposure situation)

計画された状況からの不測の事態により,また悪意の行為から生じた予期せぬ状況.

③現存被ばく状況(exiting exposure situation)

自然バックグラウンドや過去の行為の残留物を含む管理の開始時に既に存在する被ばく状況,あるいは長期被ばく状況.

4) 線量限度の維持

計画被ばく状況で,すべての制御された線源から受ける実効線量(effective dose)と等価線量(equivalent dose)に対して,個人の線量限度(表3.10)を維持した.線量限度は計画被ばく状況で規制当局が許容する最大線量である.

5) 最適化原則の強化

防護の最適化原則を強化した.線量とリスクに対する制約をすべての被ばく状況に同じように適用(表3.11)する.故に,計画被ばく状況に対して,線量およびリスク拘束値,緊急時被ばく状況と現存被ばく状況に対しては,参考レベル(表3.12)を適用し,線量を制限した.

6) 環境の放射線防護

1990年勧告では取り入れられていなかったが,新たに環境の放射線防護のための枠組みを新設した.人以外の生物種を対象として,放射線被ばくと反応の関係,その影響の線量を科学的に評価する明確な評価の枠組みを開発する必要性を求めた.

7) 事故時の線量基準

公衆が受ける放射線量は,国際放射線防護委員会(ICRP)が2007年に勧告をしており,その中

表 3.10 計画被ばく状況での線量限度 [*1]

限度の種類	職業被ばく限度	公衆被ばく限度
実効線量	決められた 5 年間の平均値として年間 20 mSv [*4]	年間 1 mSv [*5]
年間等価線量		
眼の水晶体	5 年平均 20 mSv かつ 50 mSv/y を超えない	15 mSv
皮膚[*2, *3]	500 mSv	50 mSv
手と足	500 mSv	50 mSv

表 3.11 ICRP 放射線防護体系での線量拘束,参考レベル,線量限度の利用

被ばくの状況／種類	職業	公衆	医療
計画	限度拘束	限度拘束	参考
緊急	参考	参考	−
現存	参考	参考	−

[*1] 特定の期間における外部被ばくの実効線量と,その期間に体内に摂取された放射性核種による預託実効線量が線量との和に対する実効線量の限度である。成人の場合の預託線量は,摂取後 50 年間の預託実効線量,子供の場合は 70 歳までの線量として計算された預託実効線量である。
[*2] 実効線量の制限は,皮膚の確率的影響に対して十分な防護を与える。
[*3] 被ばく面積は関係なく,皮膚の 1 cm^2 当たりの平均値。
[*4] いかなる 1 年についても 50 mSv を超えてはならない。妊娠女性の職業被ばくに対して追加の制限がある。
[*5] 特別な状況では,5 年間の平均が 1 mSv を超えないという条件の下で,1 年間当たりより高い実効線量が許容される。

表 3.12 拘束値と参考レベルの枠(バンド)と適用例

枠(バンド) (予想実効線量 mSv) (急性または年線量)	適用例
20〜100 1〜20 1 未満	放射線事故など非常時に設定する参考レベル(予想または残余線量) ・計画被ばく状況での職業被ばく拘束値 ・家屋内でのラドンに対する参考レベル ・非常状況での避難参考レベル 計画状況での公衆被ばくに設定する拘束値

で公衆に対する放射線量の指標を 3 つの範囲で設定している。緊急時は 20〜100 mSv,緊急事故後の復旧時は年間 1〜20 mSv,平常時は年間 1 mSv 以下としている。

図 3.1 に事故時における放射線防護の線量基準の考え方を示す。

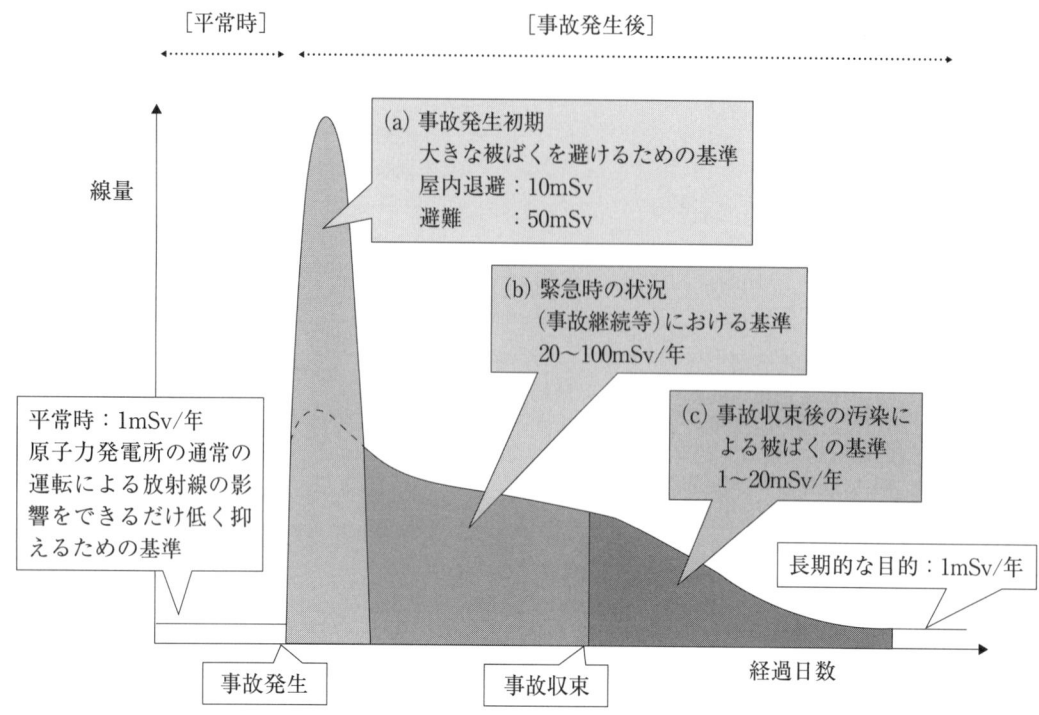

図3.1　事故時の放射線防護の線量基準

3.5 放射線防護における被ばく線量評価

　1977年ICRP勧告以降，確率的影響に対しては実効線量（E）を確定的影響に対しては等価線量（H_T）を適用するが，これらの線量を実測することは現実には難しい。放射線管理面では加算性のある実用的線量が要求される。ICRUは放射線防護上，実際に測定可能な新しい線量を提唱した。それは空気吸収線量（または粒子フルエンス）から，

　①人体ファントムによる実効線量当量（実効線量のこと）
　②ICRU球による線量当量指標（等価線量のこと）（深部と表層部）
　③ICRU球の深さ（d）＝1cm，3mm，70μmでの各線量当量（等価線量のこと）

を求めるための換算係数の適用である（ここで，実効線量当量は実効線量，線量当量は等価線量に相当する）。これにより，過小評価と極端な過大評価にならないよう実効線量，等価線量（眼，皮膚など）を近似的に算出できるようにした。1977年以前の最大許容線量は，例えばX（γ）線の場合，照射線量（R）≒吸収線量（rad）＝線量当量（rem），すなわち，1R≒1rad＝1rem（cgs単位系）で換算が容易であったが，SI単位系の導入により，このように簡単な換算はできなくなった。つま

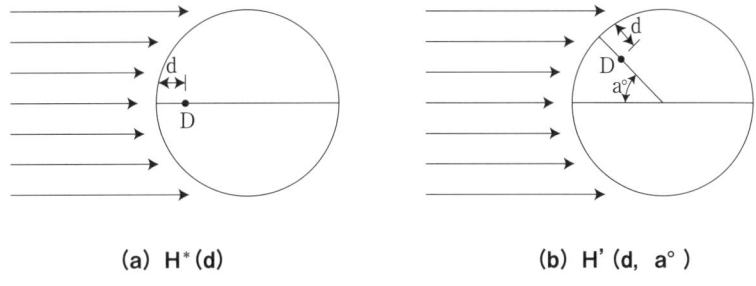

(a) H*(d)　　　　　**(b) H'(d, a°)**

図 3.2　周辺線量当量と方向性線量当量の計算モデル

り，1R＝2.58×10⁻⁴ C/kg（または1 C/kg＝3,876 R）だからである。

3.5.1　ICRU が提唱した線量

◇環境モニタリング

　　周辺線量当量（ambient D.E.）：H*(d)

　　方向性線量当量（directional D.E.）：H'(d)

◇個人モニタリング

　　個人線量当量（透過性）：Hp(d)

　　個人線量当量（表層性）：Hs(d)の測定に係る実用線量を提唱した。ここに，

(a) 周辺線量当量 H*(d)：

　放射線場のある点における H*(d) は ICRU 球の整列場方向の半径上の深さdで整列・拡張場*により生ずる線量当量であり（図3.2-a），X・γ線，中性子線などの強透過性放射線ではd＝1 cm とする。

(b) 方向性線量当量 H'(d)：

　放射線場の任意の点における H'(d) は ICRU 球の特定方向の半径上の深さdで拡張場により生ずる線量当量であり（図3.2-b），β線など弱透過性放射線では d＝70 μm とする。

(c) 個人線量当量（透過性）Hp(d)：

　X・γ線，中性子線のような透過性放射線に対する人体の深さdでの軟組織の線量当量である。通常，d＝1 cm とする。

(d) 個人線量当量（表層性）Hs(d)：

　β線など弱透過性放射線に対する人体の深さdでの軟組織の線量当量で皮膚に対してはd＝70 μm，眼の水晶体では d＝3 mm とする。

---

* 放射線場のある点の線量とは「あらゆる方向からの放射線に起因する線量の総和を指すが，通常これらの放射線がすべて一方向（例えば前方）からくるものと解釈する。」——整列場。「この点の線量が頭頂から足先まで等しく照射されると解釈する。」——拡張場。

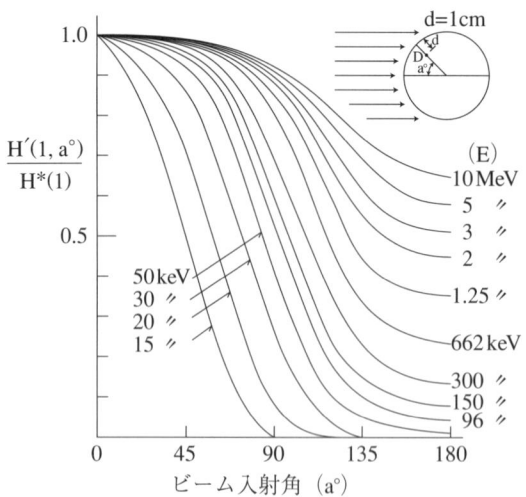

図 3.3 ICRU 球の深さ 1 cm における入射角 a° と H′(1, a°)/H*(1) の関係

　1 cm 線量当量（H_{1cm}），3 mm 線量当量（H_{3mm}），70 μm 線量当量（$H_{70\mu m}$）は「人体（またはファントム）表面からの各深さにおける線量当量」であるが，線量が計算可能でなければならない。そのため，計算が比較的容易な ICRU 球（直径 30 cm，密度 1 g/cm³ の組織等価な理想球で，その元素組成は重量％で酸素 76.2％，炭素 11.1％，水素 10.1％，窒素 2.6％である）を受容体として選ぶ。

　H*(d) はビームの入射角（a°）に影響されないが H′(d) はビーム入射角（a°）の関数で厳密には H′(d, a°) と記す。すなわち，H*(d) は H′(d, 0°) に等しい。光子エネルギーをパラメータとして ICRU 球の深さ d＝1 cm における入射角 a° と H′(1, a°)/H*(1) の関係を示すと図3.3のようになるが，この図から明らかなとおりすべての入射角で H*(1)≧H′(1, a°) であることがわかる。

　自由空間中での照射線量（C/kg）が等しくても光子エネルギーが異なれば ICRU 球内での光子の減弱，散乱の影響を受け H*(1) は当然変化する。H_{1cm} は外部被ばくによる線量当量を①日常的，②簡便，かつ③安全側に評価するために導入したもので，これを実効線量（E）とする。光子エネルギー 30 keV 以下では H_{1cm} よりも H_{3mm}，$H_{70\mu m}$ が重要となる。H_{1cm} は厚さ 1 cm の組織による吸収が大きく影響し線量当量が小さいからである。

3.5.2　H_{1cm} の算出法

1）X・γ線の場合：
　自由空間中の空気吸収線量（D_{air}）と光子エネルギー（E_X）に応じた換算係数 $f_{D1cm}(E_X)$ の積で求める。

2）中性子線の場合：
　自由空間中の粒子フルエンス（Φ_{air}）と中性子エネルギー（E_n）に応じた換算係数 f の積で求める。

表 3.13 自由空気中の空気カーマが 1 Gy である場合の実効線量

X 線または γ 線の エネルギー (MeV)	実効線量 (Sv)	X 線または γ 線の エネルギー (MeV)	実効線量 (Sv)
0.010	0.00653	0.300	1.093
0.015	0.0402	0.400	1.056
0.020	0.122	0.500	1.036
0.030	0.416	0.600	1.024
0.040	0.788	0.800	1.010
0.050	1.106	1.000	1.003
0.060	1.308	2.000	0.992
0.070	1.407	4.000	0.993
0.080	1.433	6.000	0.993
0.100	1.394	8.000	0.991
0.150	1.256	10.000	0.990
0.200	1.173		

備考:該当値がないときは,補間法によって計算する。前後(AP)方向照射。

3) エネルギー不明の場合:

H_{1cm} を安全側に評価できる換算係数(最大数値)を用いる。

4) 法令に示されている換算係数:

X・γ 線については 10 keV から 10 MeV までの光子エネルギーに対し自由空気中の空気カーマが 1 Gy である場合の実効線量の値が Sv 単位で(表 3.13),また中性子線については 0.025 eV から 20 MeV までのエネルギーに対し,自由空気中の中性子フルエンスが 1 cm^2 当たり 10^{12} 個である場合の実効線量の値が,同様に Sv 単位で与えられている(表 3.14)。いずれも照射条件は前後(AP)方向で以前の 1 cm 線量当量の値とは少し差がある。

5) 粒子フルエンスあるいは照射線量からの換算係数:

法令に示されている表は空気カーマ(Gy)から実効線量(Sv)を求めるための換算係数であり粒子フルエンス(cm^{-2})または照射線量(C/kg あるいは R)から実効線量[H_{1cm}(Sv)]を算出するときは利用できない。これらの場合は別に導かれる換算係数である。すなわち,粒子フルエンスに対しては $f_{\Phi 1cm}$,照射線量に対しては f_{X1cm}(C/kg 単位から)または f_{R1cm}(R 単位から)が利用できる。

① 粒子フルエンスからは, $H_{1cm} = \Phi \ (cm^{-2}) \cdot f_{\Phi 1cm} \ (Sv \cdot cm^2)$ (3・1)

② 照射線量(SI 単位)からは,

$H_{1cm} = X \ (C \cdot kg^{-1}) \cdot f_{X1cm} \ (Sv \cdot C^{-1} \cdot kg)$ (3・2)

③ 照射線量(補助単位)からは,

$H_{1cm} = R \ (R) \cdot f_{R1cm} \ (Sv \cdot R^{-1})$ (3・3)

表 3.14 空気中の中性子フルエンスが 1 cm² 当たり 10¹² 個である場合の実効線量

中性子のエネルギー	実効線量 (Sv)	中性子のエネルギー	実効線量 (Sv)
0.001 eV	5.24	150 keV	80.2
0.010 〃	6.55	200 〃	99.0
0.025 〃	7.60	300 〃	133
0.10 〃	9.95	500 〃	188
0.20 〃	11.2	700 〃	231
0.50 〃	12.8	900 〃	267
1.0 〃	13.8	1.0 MeV	282
2.0 〃	14.5	1.2 〃	310
5.0 〃	15.0	2.0 〃	383
10 〃	15.1	3.0 〃	432
20 〃	15.1	4.0 〃	458
50 〃	14.8	5.0 〃	474
100 〃	14.6	6.0 〃	483
200 〃	14.4	7.0 〃	490
500 〃	14.2	8.0 〃	494
1.0 keV	14.2	9.0 〃	497
2.0 〃	14.4	10 〃	499
5.0 〃	15.7	12 〃	499
10 〃	18.3	14 〃	496
20 〃	23.8	15 〃	494
30 〃	29.0	16 〃	491
50 〃	38.5	18 〃	486
70 〃	47.2	20 〃	480
100 〃	59.8		

備考:該当値がないときは,補間法によって計算する。前後(AP)方向照射。

④空気衝突カーマからは, $H_{1cm} = D_{air} (Gy) \cdot f_{D1cm} (Sv \cdot Gy^{-1})$ (3・4)

により計算される。なお,それぞれの換算係数との関係は次式から求められる。

$$\Phi \cdot f_{\Phi 1cm} = X \cdot f_{X 1cm} \quad (3 \cdot 5)$$

より, $f_{X1cm} = \dfrac{\Phi}{X} \cdot f_{\Phi 1cm} = \dfrac{D_{air}}{E \cdot (\mu_{en}/\rho) \cdot X} \cdot f_{\Phi 1cm} = \dfrac{X \cdot (W/e)}{E \cdot (\mu_{en}/\rho) \cdot X} \cdot f_{\Phi 1cm}$

$= \dfrac{33.97 (J \cdot C^{-1})}{E(MeV) \cdot 1.602 \times 10^{-13} (J \cdot MeV^{-1}) \cdot (\mu_{en}/\rho) \cdot 10^3 (cm^2 \cdot kg^{-1})} \cdot f_{\Phi 1cm}$

$= \dfrac{2.120 \times 10^{11} (C^{-1})}{E \cdot (\mu_{en}/\rho)(cm^2 \cdot kg^{-1})} \cdot f_{\Phi 1cm} \ (Sv \cdot cm^2)$

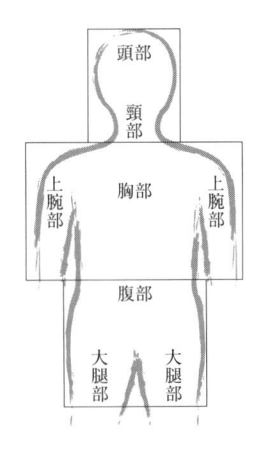

図 3.4 体幹部を被ばく部位により 3 区分とした各部位

$$= \frac{2.120 \times 10^{11}}{E \cdot (\mu_{en}/\rho)} \cdot f_{\Phi 1cm} \; (Sv \cdot C^{-1} \cdot kg) \tag{3・6}$$

$$X \cdot f_{R1cm} = R \cdot f_{R1cm} \tag{3・7}$$

より，$f_{R1cm} = \dfrac{X}{R} \cdot f_{X1cm} = \dfrac{X(C \cdot kg^{-1})}{3,876X(R)} \cdot f_{X1cm}(Sv \cdot C^{-1} \cdot kg) = \dfrac{f_{X1cm}}{3,876}(Sv \cdot R^{-1})$ (3・8)

$$X \cdot f_{X1cm} = D_{air} \cdot f_{D1cm} \tag{3・9}$$

より，$f_{D1cm} = \dfrac{X}{D_{air}} \cdot f_{X1cm} = \dfrac{X(C \cdot kg^{-1})}{33.97X(J \cdot kg^{-1})} \cdot f_{X1cm}(Sv \cdot C^{-1} \cdot kg) = \dfrac{f_{X1cm}}{33.97}(Sv \cdot Gy^{-1})$

(3・10)

または，式 (3・8) と式 (3・10) より，

$$f_{R1cm} = \frac{f_{X1cm}}{3,876} = \frac{33.97 f_{D1cm}}{3,876} = 8.76 \times 10^{-3} f_{D1cm} \; (Sv \cdot R^{-1}) \tag{3・11}$$

ここに，W：33.97±0.05 eV，e：1.602×10^{-19}C（素電荷），E：X線エネルギー（MeV），μ_{en}/ρ：質量エネルギー吸収係数（cm^2/g）である。

6) 体幹部不均等の場合：

X・γ線などによる均等被ばくの場合は自由空間中で測定した線量に換算係数を乗ずればH$_{1cm}$を算出できるが，不均等被ばくの場合は図3.4に示すとおり，体幹部を3部位に区分し，それぞれに含まれる臓器・組織が占める割合を医学的に推定し，組織加重係数から部分加重係数を決めている。すなわち，外部被ばくによる実効線量（H$_E$）は，

$$H_E = 0.08H_a + 0.44H_b + 0.45H_c + 0.03H_m \tag{3・12}$$

により求まる。ここに，H$_a$，H$_b$，H$_c$およびH$_m$はそれぞれ頭・頸部，胸・上腕部，腹・大腿部およ

表 3.15　主な核種の実効線量係数（mSv/Bq）ICRP．Pub72 抜粋

核種	半減期	実効線量係数 (mSv/Bq) 吸入摂取した場合	実効線量係数 (mSv/Bq) 経口摂取した場合
^{239}Pu	2.4万年	2.5×10^{-7}	1.2×10^{-4}
^{137}Cs	30 年	1.3×10^{-8}	3.9×10^{-8}
^{131}I	8 日	2.2×10^{-8}	7.4×10^{-9}
^{90}Sr	28.7 年	2.8×10^{-8}	1.6×10^{-7}

表 3.16　放射性セシウムの食品基準

食品群	基準値（単位：Bq/kg）
一般食品	100
乳児用食品	50
牛乳	50
飲料水	10

び最大線量となる部位の H_{1cm} である。

3.5.3　H_{3mm}，$H_{70\mu m}$ の算出法

　組織の等価線量について眼の水晶体は H_{3mm}，皮膚は $H_{70\mu m}$ その他の組織はすべて H_{1cm} であり X・γ線の場合は表 3.13 の換算係数を使用する。H_{3mm}，$H_{70\mu m}$ は体幹部均等被ばくの場合，胸部（または腹部）に装着した個人モニタから得た値とし不均等被ばくの場合は 3 区分のうち，最も多く放射線を受ける恐れのある部位に装着した個人モニタの値とする。中性子線の場合の換算係数は省略するが H_{1cm} と同様に算出される。β線の場合は眼の水晶体，皮膚の被ばくが重要となる。眼の場合は β線の最大飛程が小さいため，眼鏡の着用などで防護は容易にできる。

3.5.4　預託線量

　預託線量は放射性物質を摂取後，体内からなくなるまでの総被ばく線量を体内摂取時に被ばくしたものと見なす線量として定義される。実効線量（全身に換算した被ばくの影響）で評価するときは預託実効線量という。内部被ばくでは，放射線源が体内に存在する限り被ばくが継続するので，被ばく期間が特定されていなければ放射線作業従事者の就業期間を 50 年として，放射性物質摂取後 50 年間に受ける実効線量を使用する。なお，ICRP の 1990 年勧告の法制度化以降，預託実効線量当量は預託実効線量に統一されている（表 3.15, 16）。

　預託線量の計算

　預託線量（mSv）= 飲食物摂取量（kg/日）× 摂取日数 × 実効線量係数（mSv/Bq）× 放射性核種の濃度（Bq/kg）

第4章　放射線源からの被ばく

4.1　自然放射線源からの被ばく

　自然放射線とは，地殻中または大気中に存在する放射性核種からの放射線，あるいは地球以外の遥か彼方から地上に飛来する宇宙線などを指す。地球上で人間が生活し始めてから今日まで，人類はずっと自然放射線による被ばくを受けている。これらの被ばくには宇宙線，地殻中からの放射線などによる体外被ばくと食物・空気を通して体内に摂取される自然放射性核種からの放射線による体内被ばくとがある。

　国連科学委員会（UNSCEAR）2000年報告によると世界中の人類が自然放射線源から受ける1人当たり平均年間被ばく線量（実効線量）は，体外被ばく 0.87 mSv，体内被ばく 1.55 mSv の合計 2.4 mSv となっている（表4.1）。1977年以前の UNSCEAR 報告では1人当たりの年線量が 0.78〜0.92 mGy（生殖腺〜赤色骨髄）と約1/2の低値になっているが，これは吸収線量と実効線量の違いで計算法が改められたためである。

4.1.1　自然放射性核種による被ばく

　自然界に存在する放射性核種は原子番号81（タリウム：Tl）から92（ウラニウム：U）までの間に多く存在し，現在3つの系列崩壊が認められている。すなわち，ウラン-ラジウム系列（$4n+2$ 系列ともいう。^{238}U，半減期 4.47×10^9 年），トリウム系列（$4n$ 系列ともいう。^{232}Th，半減期 1.41×10^{10} 年），アクチニウム系列（$4n+3$ 系列ともいう。^{235}U，半減期 7.04×10^8 年）で，いずれも非常に長半減期の核種を祖先に持ち，鉛の安定核種で終わっている。$4n+1$ 系列が欠けているが，現在は超ウラン元素が人工的に作られネプツニウム系列として確認されている。この他，系列崩壊をとらない単独の放射性核種として，いずれも長半減期の ^{40}K，^{87}Rb，^{115}In，^{187}Re など十数核種がある（表4.2）。これら自然放射性核種は地球誕生と共に土壌・岩石・鉱石中に存在しており，それらを利用して加工された建築材（コンクリート，鉄材など），その他多くの製品中には自然放射性核種が広く分散している。すなわち，人間生活の重要部分を構成する家屋をはじめ，生活環境から人間は絶えず放射線を受けている。これらによる1人当たり年間被ばく線量（実効線量）は大地放射線による体外被ばく 0.48 mSv，体内被ばく 1.55 mSv と体内被ばく線量の方が3倍高いが，これは ^{222}Rn（および ^{220}Rn）の肺への寄与が特に大きいためである。また，自然界に存在するカリウムには，0.0117% の放射性核種 ^{40}K が含まれている。成人の場合，約 4 kBq（旧 0.1 μCi）が全身に摂取されていると仮

表4.1 自然放射線源からの1人当たり年平均実効線量（UNSCEAR2008改編）

被ばく線量		年間実効線量（mSv）	
		平均	典型的な範囲
宇宙線	直接電離成分と光子成分	0.28	
	中性子成分	0.10	
	宇宙線生成放射性核種	0.01	
	宇宙線および宇宙生成 合計	0.39	0.3 – 1.0
外部地殻放射線	屋外	0.07	
	屋内	0.41	
	外部地殻放射線 合計	0.48	0.3 – 1.0
吸入	ウラン，トリウム系列	0.006	
	ラドン	1.15	
	トロン	0.1	
	吸入 合計	1.26	0.2 – 10
経口摂取	^{40}K	0.17	
	ウラン，トリウム系列	0.12	
	経口摂取 合計	0.29	0.2 – 1.0
合計		2.4	1.0 – 13

表4.2 系列崩壊しない主な自然放射性核種

核種	同位体存在比	半減期	崩壊形式
^{40}K	0.0118%	1.28×10^9	β^- （89%），EC（11%）
^{87}Rb	27.83	4.8×10^{10}	β^-
^{113}Cd	12.2	9×10^{15}	β^-
^{115}In	95.7	5.1×10^{14}	β^-
^{138}La	0.089	1.1×10^{11}	β^- （32.1%），EC（67.9%）
^{144}Nd	23.8	2.1×10^{15}	α
^{147}Sm	15.1	1.06×10^{11}	α
^{176}Lu	2.61	3.6×10^{10}	β^-
^{187}Re	62.6	4×10^{10}	β^-
^{190}Pt	0.013	6×10^{11}	α

定して，これによる体内被ばくは約 0.18 mSv になる。

4.1.2 宇宙線による被ばく

　地球大気圏外の宇宙空間から高速の陽子，軽い原子核など（一次宇宙線）が大気上層部に飛んできて大気中の重い原子核との衝突・反応により二次宇宙線（π，μ 中間子，ニュートリノ，制動X線，光子，電子など）を生成する。この二次宇宙線は絶えず地上に降り注いでいるが，その強度は地球の緯度や高度によって異なり極地域および高所の方が大きい。地球が粒子をはじく力（Cut-off rigidity）は，地球磁場の形状に対応して極地方ほど低く，赤道に近いほど高くなる。そのため地磁気緯度の高いところでは宇宙線が進入し易いため宇宙放射線の線量率が高くなり，地磁気緯度の低

いところは低くなる。一般には，中緯度（約50°），海面上（平地）での被ばく線量が用いられる。2008年のUNSCEAR報告（表4.1）では宇宙線による体外被ばくの実効線量は1人当たり年間0.39 mSv（地表面）である。高所では二次宇宙線の大気による減弱が小さく防護効果は下がる。例えば，12,000 m上空では平地に比べ100倍近い高線量になることが知られている。特に，航空機の乗務員で飛行回数が多いと年間3 mSvに達することもあるという。一般乗客には心配ないが，例えば日本・欧州間1往復による被ばく線量は0.07 mSv程度である。また，宇宙線と大気中元素との相互作用により生成される放射性核種として ^{3}H, ^{7}Be, ^{14}C, ^{22}Naなどが挙げられるが，これらは人体に取り込まれ体内被ばくの一因になる。

4.1.3 自然放射線源の地域格差

地殻中に存在する自然放射性核種は地球上の場所により異なり，そのため被ばく線量に地域差が認められる。1988年UNSCEAR報告では自然放射性核種による体外被ばく線量は1人当たり平均年間0.4 mSvであるが，世界の一部地域［アメリカ（Denver），インド（Kerala, Madras地方），イラン（Ra-msar），イタリア，ブラジル（Guarapuava），中国（陽江）など］では4〜25倍も線量率の高いことが知られている。また，日本列島には特に高線量率の地域はないが，関東地方と関西地方を比べると前者がローム層であるのに対し後者は花崗岩のため10〜30%程度高いことが認められている。

4.2　人工放射線源からの被ばく

人工放射線源については多くの種類があるが，そのうち一般公衆の放射線被ばくと関わりがあるいくつかの線源について以下に説明する。

4.2.1　フォールアウト（放射性降下物）

1945年以来，今日まで多くの核実験が行われてきたが，フォールアウトは核爆発が原因で生ずる放射性核分裂片が大気圏内まで吹き上げられ，時間の経過と共に大気中より地表あるいは海上に降下してくるものである。空気中で塵埃と共に浮遊している放射性核種の吸入摂取，あるいは食品（野菜・果物・牛乳・食肉・魚介類など）中に含まれる放射性核種の経口摂取による体内被ばく，そして地表に付着したフォールアウトあるいは土壌中に浸み込んだ放射性核種からの体外被ばくをそれぞれ受ける。フォールアウトには多くの放射性核種が含まれているが，被ばくの点で重要な核種は体内被ばくでは長半減期核種の ^{14}C, ^{90}Sr, ^{137}Cs, ^{131}I など，体外被ばくでは ^{95}Zr, ^{95}Nb, ^{137}Cs である。これらによる被ばく線量は線量預託（dose commitment）*によって評価される。

---

*人類集団に放射線被ばくを与えるある事象が起きたとき，その被ばくが長期にわたる場合，それを等価線量預託Hcとして次式で定義される。Hc = ∫H(t)dt，これはある被ばく集団における1人当たりの平均等価線量率H(t)の無限大時間積分値に相当する。核爆発実験に由来するリスク推定に導入された概念である。

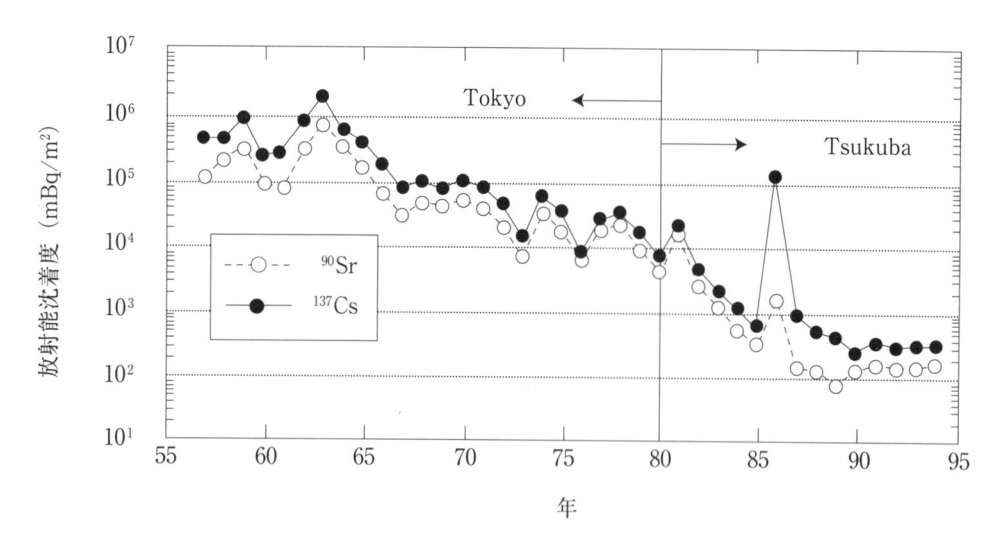

図4.1 気象研究所（高円寺・つくば）で測定した放射能沈着度の年次変化
（Technical Reports of the MRI. No.37, 1999 より引用）

図4.1に気象研究所における1955年から1999年までの^{90}Sr, ^{137}Csのフォールアウト量を示した。大気圏内での核爆発実験が繰り返されていた1960年代まで高く，その後減少に転じていたがチェルノブイリ原発事故で一時的に高くなっている状況が示されている。

4.2.2 原子力発電

原子力発電所は，世界で現在400基以上が設置され，わが国でもその約10%が設置されている。かつては総消費電力量のうち約40%を原子力発電に依存していた。原子力発電に伴い微量の放射性物質が一般環境に放出されることが懸念される。すなわち，原子力発電は核燃料サイクルに従って行われ，それぞれの段階で差はあるが環境への放射性物質の放出が起こる。大部分の核種は短半減期で発電所周辺の地域住民が被ばく対象と考えられるが，当然のこと長半減期核種も含まれており，それらが環境中に散逸し広い地域に汚染がおよぶ場合は，世界中の人々が被ばくを受けることになる。原子力発電により公衆が被ばくした場合，その集団実効線量預託（人・Sv）を算出しているが，それによると今後100年以内に100万kW・年当たり約20人・Svであり，さらに10,000年までではおおよそ500人・Svの集団実効線量預託になると推定されている。なお，これらの結果から求めた年間1人当たりの平均被ばく線量のレベルは自然放射線による被ばく線量の1%程度と予想している（表4.3）。

4.2.3 医療放射線

放射線の医療面への利用は，X線が発見された19世紀末から今日までずっと続いており人類の健康保持・向上に多大な貢献を果たしてきた。臨床医学のうち，放射線を中心とする医学に放射線

表 4.3　原子力平和利用による 1 人当たりの年間線量（μSv）（UNSCEAR2008 改編）

	局所的成分	
核燃料サイクルとエネルギー生産	採鉱と精錬	25
	燃料製造	0.2
	原子炉運転	0.1
	再処理	2
他の利用	放射性廃棄物の輸送	<0.1
	副産物	0.2
	地域成分	
核燃料サイクルとエネルギー生産	燃料製造	<0.01
	原子炉運転	<0.01
	再処理	0.002
	固体廃棄物処理と地球規模成分	
核燃料サイクルとエネルギー生産	地球規模に拡散した放射性核種	0.2
他の利用	放射性廃棄物の処分	<0.01

医学(Radiology)がある。放射線医学は X 線診断学(X-ray Diagnosis)，放射線治療学(Radiotherapy)，核医学（Nuclear Medicine）の 3 部門からなるが，医療放射線は歴史的にみると，やはりこの順で進展してきたものである。X 線検査では各種診断装置が開発され使用されてきた。また，放射線治療は古くから行われており，主として X 線，Ra が使用された時代から高エネルギー放射線発生装置，^{60}Co，^{137}Cs，^{192}Ir など密封線源による治療が，そして核医学は放射性核種（以下 RI と記す）を診療に利用しており，戦後急速に伸びてきた部門で患者に RI を投与するインビボ（in vivo）検査と RI 試料を測定するインビトロ（in vitro）検査がある。これら医療放射線による患者の被ばくが他の放射線による被ばくと大いに異なる点は，被検者がそれらの被ばくを伴う医療行為を受けることで，疾病の診断・治療がなされ直接本人の利益につながることにある。

　医療被ばくは放射性医薬品を患者に投与する核医学診療を除き，体外被ばくがほとんどで診療科目によって被ばく線量（率）にかなりの差があり，かつ線量の不均等分布が大きいことである。医療被ばくでは各個人の被ばく線量の他に，集団線量としての寄与が重要視されている。全世界での集団線量への寄与を比較した場合，自然放射線による寄与が最大であるが，これを除くと次に大きいのは医療放射線である（表 4.4，4.5）。

　また，診断機器の増加と診断回数の増加や世界的な医療レベルの向上により医療被ばくは増加傾向を示している。被ばくの健康影響が発がんだけでなく，心臓・脳血管障害や白内障などの非がん影響が問題となりつつあり，小児の医療被ばく増加も叫ばれ放射線診断の正当化，診断技法の適正化が必要である。ただし，低線量や分割被ばくと非がん影響に関する科学的知見は未だ乏しい状況下にある。

4.2.4　医療被ばく

　医療被ばくの原則は，放射線検査で個々の患者に対して「正当化」と「最適化」がなされていなければならない。正当化は被ばくによるリスクより利益が大きい場合にのみ検査を行う。最適化は

表 4.4 年平均実効線量の評価（UNSCEAR2008 改編）

| 被ばく種別 | 年当たり実効線量当量（mSv） ||
	世界人口に対する1人当たり平均値	被ばく個人の代表値
自然放射線	2.4	1－13
医療被ばく（治療を除く）	0.6	0－数十
職業被ばく	0.005	～0－20
チェルノブイリ事故	0.002	0.3－1
核燃料サイクル（公衆被ばく）	0.0002	ある原子炉施設から1kmの決定グループでは0.02 mSv まで
大気中核実験	0.005	実験場の周辺では依然いくらか高い線量（平均は、1963年のピークから下降している）
計	0.6	実質的に0から数十 mSv

表 4.5 放射線診断による線量の推移（UNSCEAR2008 改編）

調査年	検査の回数（万回）	集団線量（man Sv）	1人当たりの平均線量（mSv）
1988	138000	1 800 000	0.35
1993	160000	1 600 000	0.3
2000	191000	2 300 000	0.4
2008	310000	4 000 000	0.4

図 4.2 グロー放電管外観

図 4.3 煙感知器外観

被ばく線量の低減と画像情報の維持・向上を図ることであり，この最適化を達成するためのツールとして，診断参考レベル（diagnostic reference level：DRL）が提唱されている。DRL の概念が提唱されたのは ICRP Publication 73 のときであるが，現在では多くの国際機関や国々がその導入を推奨している。

日本では，医療被ばく研究情報ネットワーク（Japan Network for Research and Information on

表 4.6　日常生活用品に使用されている放射性核種・数量

製品名	核種	放射能
アナログ時計針・文字盤	^{147}Pm	2.4〜7.4 MBq（65〜200 μCi）
デジタル時計液晶表示	^{3}H	37〜925 MBq（1〜25 mCi）
蛍光灯スタータ	^{85}Kr	0.37〜370 kBq（0.01〜10 μCi）
電気器具のトリガー管	^{147}Pm	111 kBq（3 μCi）
過電圧保護装置	^{232}Th	222 Bq（6 nCi）
静電防止器	^{210}Po	1.85〜18.5 MBq（50〜500 μCi）
煙感知器	^{241}Am	0.037〜3.7 MBq（1〜100 μCi）
陶磁器・ガラス製品中の顔料，義歯	Th	10〜20 wt%
	U	< 30 wt%

表 4.7　日常生活用品等による公衆被ばく（安全側評価）

製品	年実効線量（μSv/y）
^{147}Pm を含む腕時計	0.3
^{3}H を含む腕時計	10
煙探知機	0.07
ウラン釉薬の壁タイル	< 1
地質標本	100
カメラのレンズ	200 − 300
タバコ中の ^{210}Po	10

Medical Exposures：J-RIME）において 2015 年 6 月に DRL が策定された。

　DRL の数値の設定は，国や地域毎にアンケート調査や標準ファントムに対する代表的な線量に基づき，その線量分布の 75 パーセンタイル値を設定することが多い。ただし，最適が進んでいる検査種ではこの限りではない。

4.2.5　日常生活用品

　身近な生活用品の中には夜光時計，蛍光灯グロー放電管（図 4.2），煙感知器（図 4.3）など，放射性核種を取り入れた製品がある。これらの装置・器具には人体に対する被ばくが無視できる程度の放射性物質が使用されている。もちろん，使用状態での放射線安全性は確保されているが，火災，地震などの事故，あるいは破損による廃棄後の環境汚染が心配となる。現在利用されている製品の一部と使用放射性核種および放射能量を（表 4.6，4.7）に示す。

1）自発光製品

　放射線の蛍光作用を利用したもので，暗闇の中での照明，目印などに使用されている。放射性発光塗料・塗装は，時計，計器盤，コンパス，標識類に用いられ，放射性核種として戦前は ^{226}Ra（半減期 1,620 年，α 崩壊 4.60 MeV，4.79 MeV）がもっぱら使用されたが，現在は ^{3}H（半減期 12.3 年，β^{-}線 Max.18.6 keV），^{147}Pm（半減期 2.62 年，β^{-}線 Max.225 keV）が使用されている。放射能は使

表 4.8　各種放射線源による全世界での線量預託

被ばく線源による年当たり被ばく	全世界での線量預託(日)
自然放射線	365
医療放射線	70
核爆発実験（1951-1976）	30
放射線放出消費物品	3
原発による電力生産	0.6
民間航空飛行	0.4
火力発電による電力生産	0.07
燐酸肥料生産量使用	0.04

1 mGy/年として算出

用核種により 400 kBq から 1.8 GBq とかなりの幅があるが, ^{3}H の製品は比較的大量使用されている。いずれも低エネルギー β 線放出核種であり，使用者が放射線障害になる危険性はない。むしろ，かかる製品を取り扱う製造者側の方が多数の製品に触れる機会が多いので問題である。発光時計に 2 MBq の ^{147}Pm がある場合，制動 X 線の放出によるガラス表面での漏洩線量は 0.5 μSv/h 程度とされている。

2) 電気・電子機器

蛍光灯のグロー放電管，表示用放電管，電子管，過電圧保護装置などに使用されている。放射性核種は ^{63}Ni（半減期 100 年，β^-線），^{85}Kr（半減期 10.7 年，β^-線 687 keV），^{147}Pm（前記），^{232}Th（半減期 1.41×10^{10} 年，α 崩壊 4.01 MeV，3.95 MeV）などで，それらの放射能量は 370 Bq〜370 kBq 程度で，1) の自発光製品の使用量よりは小さい。蛍光灯に使用されるグロー放電管には 4 kBq 程度の ^{147}Pm が塗布されているが，これによる 1 m の地点における年間被ばく線量は 8 nSv 程度と小さい。

3) 煙感知器

火災などで発生する煙をいち早く検知する器具に ^{241}Am（半減期 433 年，α 崩壊 5.49 MeV）が使われている。放射能が数 10 kBq で α 線の電離作用を利用しているが，低エネルギー γ 線，X 線を放出しているので，それによる被ばくがわずかに考えられる。公共の施設や多くのビルの室内に広く取付けられており，それらが解体，廃棄，焼却などで処理された場合，環境への汚染もあり得る。

4) その他

以上の他，作業中発生する静電気を除去するための装置（^{210}Po, ^{241}Am など使用），あるいは陶磁器，ガラス製品などの上薬（Th, U）にも放射性核種が使用されている。

4.3 各種放射線源からの被ばくと危険度の比較

　上記各種線源からの放射線被ばくは体外被ばくと体内被ばくが含まれており，線量預託（dose commitment）の形で推定した結果が国連科学委員会（UNSCEAR，1977年）から報告されている（表4.8）。世界での集団線量を自然放射線被ばくと同じ線量預託となる日数で比較しているが，これによると，自然放射線に次いで大きいのが医療放射線である。核実験が数多く行われた1950年代から1970年代の平均した1年については3番目にあるが，それ以降はかなり低い。

　これら放射線源からの被ばくは低線量の領域に相当する。話が少しずれるが，ここで**放射線ホルミシス**（radiation hormesis）について触れておく。ホルミシスという言葉は一般には「あるものを大量に与えると有害な作用をもたらすが，小量の場合は逆にプラスの刺激効果を与えること」を意味するもので，ホルモンと同語源からきている。したがって，放射線照射の場合も高線量では障害が著しく現れるのに対し，低線量では特異的な反応をもたらし，また低線量での（前）照射に引き続き高線量の照射を与えた場合，その障害の程度が軽減されるなど，これまでの常識では理解できない新しい現象が見出されているという。すなわち，低線量（数cGy程度）の放射線照射により引き起こされる反応は生体が進化の過程で獲得してきた重要な防御反応と考えられている。現在，ICRPが勧告する放射線防護の最適化はALARA（as low as reasonably achievable）に基づいており「どんなに少量の放射線も生体に悪影響を持たらす確率を有する」とされているが，これは高線量領域で得た線量-効果関係のデータをそのまま低線量領域に外挿したもので，低線量領域と高線量領域で起こる障害が同質であるとの仮定の上に立っている。低線量での被ばくに関する生物学的データはまだ十分ではなく今後の研究に委ねるしかない。

　また，真偽が定かではないが「長時間，低線量放射線を照射する方が，高線量放射線を瞬間放射するよりたやすく細胞膜を破壊する」というペトカウ効果と呼ばれる学説も存在する。

第5章　放射線源の安全取扱い

5.1　安全取扱いの原則

　放射線被ばくには，体外に位置する放射線源からの外部被ばくと体内に取り込まれたRIによる内部被ばくとがある。これらの被ばくをできるだけ少なく抑えるには作業者自身ならびに管理者による注意，努力が必要である。放射線防護の方法は各放射線施設の規模・使用内容によって多少の違いはあるが，基本的には作業従事者，管理区域立入り者，その他周辺にいる人々に対し安全が確保されるよう管理することである。また，満足できる放射線防護とは，取扱い管理の対象となる放射線源の性質とその使用法を十分理解することである。

　放射線防護のための基本的事項として3Cの原則がある。これは，①放射線源をできるだけ狭い空間に閉じこめる（Contain），②必要最小限に放射線を取り出して使用する（Confine），③放出放射線を十分制御して使用する（Control）ことである。

　さらに，外部被ばくの防護に対しては，①距離（Distance），②遮蔽（Shield），③時間（Time）の3原則により放射線被ばくを軽減させることが可能である。

　また，内部被ばくの防護に対しては3D，2Cの原則がある。3Dは，①希釈（Dilution）②分散（Dispersion）③除去（Decontamination）であり，2Cは，①閉じこめ（Containment）②集結（Concentration）である。空気中あるいは水中のRI濃度を限度以下のレベルに希釈処理することなどは3Dの原則の一例であり，また線源を容器内に納める，汚染区域を極力狭い範囲にすることなどは2Cの原則の一例である。

　その他，外部被ばく・内部被ばくの別なく作業上心掛けなければならない事項として室内の清掃，整理・整頓，保守点検，作業協力が挙げられる。

　作業従事者がすべて放射線の取扱いに習熟し，防護の知識を十分有するとは限らない。安全取扱いに未熟な人に対する教育訓練（p.99参照）は重要であり，また作業従事者とは別に放射線防護の専門的知識を有し，かつ取扱いに習熟した防護の責任者（p.101）が必要となる。

5.2　外部被ばくと内部被ばくの防護

　前節で述べたとおり外部被ばくに対する防護は，①距離，②遮蔽，③時間の3原則を適宜取り入れることにより達成できる。

　線源からの距離をとることは放射線を減弱させるので，最も容易な防護の方法である。また，放

図 5.1　距離をとるための用具類

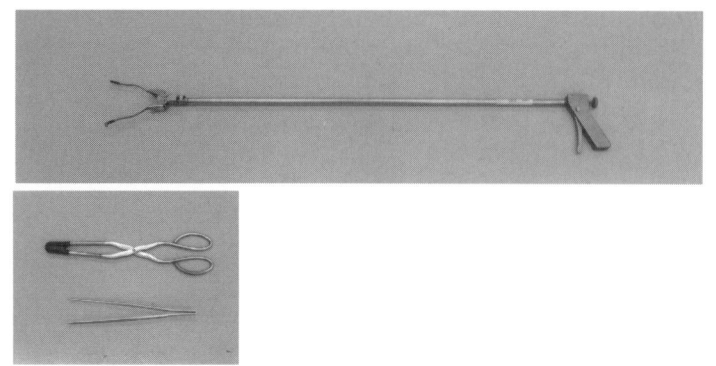

図 5.2　安全ピペッタ

　射線源を取扱う用具としてはピンセット，鉗子，トング（長柄挟み）などが使用される（図 5.1）。
　遮蔽物を使用する場合は利用する放射線の種類，エネルギー等によって考慮しなければならない。α 線の場合は 1 mm 厚以下の物質で，また β 線では 1.0～1.5 cm 厚程度のプラスチック板で十分遮蔽されるので比較的容易に防護できるが，X，γ 線，中性子線については物質中での透過力が大きいので，α 線，β 線より遮蔽能力の優れた物質，例えば，鉛，鉄，コンクリート，パラフィンなどが使用される。
　一定線量率の場所で仕事する場合，被ばく線量はそこでの作業時間に比例するので，できるだけ短時間に作業を終了させるよう努力することになる。しかし，時間を制限して作業することは事故を誘発する恐れもあり，あまり取り入れるべきではない。したがって，①距離と②遮蔽により防護した上で，なおかつ不十分なときにのみ③時間の短縮を考えた方がよい。
　内部被ばくに対する防護は極力 RI 汚染の防止に努めることである。RI が体内に取り込まれる経路として①経口，②経呼吸器，③経皮膚（傷口など）の 3 通りがある。①の経口は汚染器具が口に触れたりピペットを口で操作するなどの場合，②の経呼吸器は室内の汚染空気（RI 付着塵埃，RI ガス）を呼吸する場合，③の経皮膚は皮膚表面から汚染 RI が吸収されたり傷口から血中に入り込む場合が考えられる。したがって，非密封 RI を取扱う作業ではゴム・プラスチック製手袋，安全ピペッタの使用（図 5.2），排気系に連結しているフード，グローブボックス内など閉じた空間の使用（図 5.3），またサーベイメータ，汚染モニタ（図 5.4）などにより随時 RI 汚染の有無をチェックしながら作業を進めるよう心掛けることが大切である。特に，利用する RI が α 線放出核種であったり長半減期核種あるいは大量使用などの場合は，その危険性の程度を考慮することが重要である。

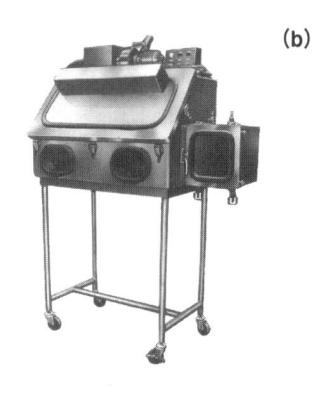

図 5.3 フード (a), グローブボックス (b) の外観

電離箱式
サーベイメータ

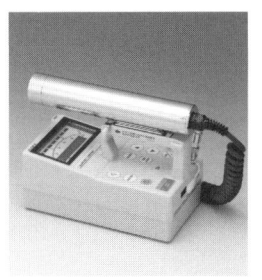

シンチレーション
サーベイメータ

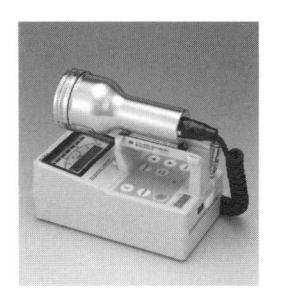

GM サーベイメータ

フロアモニタ

図 5.4 各種サーベイメータ, フロアモニタ

5.3 各種放射線源の安全取扱い

　医療で使用される放射線源は医療法施行規則で規定されており，無制限に使用することはできない。診断領域と治療領域の放射線源に大別した場合，前者での利用が圧倒的に多い。以下，X 線装置，高エネルギー放射線発生装置，密封線源，非密封 RI の順にそれらの安全取扱いについて述べる。

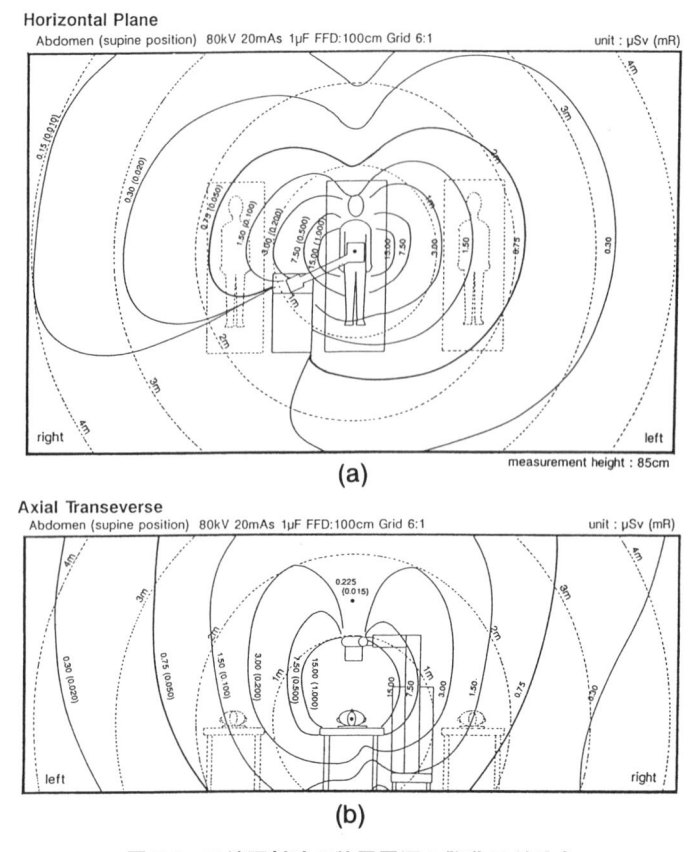

図 5.5　X 線照射時の装置周辺の散乱 X 線分布

5.3.1　X 線装置

　診療用 X 線装置には診断用と治療用がある．後者は深部治療用と表在治療用に分けられるが，深部治療用は現在ほとんど使用されていない．表在治療用は主に皮膚疾患の治療に用いられるが，軟 X 線（管電圧 10～50 kV 程度）のため装置の防護は比較的簡単であり，かつ移動形が多い．この種の装置も現有台数は少なく，現在使用されている X 線装置の大部分が診断用である．

　X 線の場合，放射線源は X 線管ターゲットからの X 線（一次放射線）であるが，これは照射筒からの利用線錐と X 線管容器からの漏洩 X 線である．照射筒および容器は利用線錐以外の X 線量が X 線管焦点から 1 m の距離で，診断用は特別な場合を除き 1.0 mGy/h（旧 0.1 R/h）以下に，治療用は 10 mGy/h（旧 1 R/h）以下に，かつ X 線装置の接触可能表面から 5 cm の距離で 300 mGy/h 以下になるよう遮蔽されているので，X 線管から出る X 線は大部分が利用線錐と見なせる．利用線錐が被検者に照射されると，その身体はじめ周囲の物体（装置構成器材，天井，壁，床など）から散乱 X 線（二次放射線）が生ずる（図 5.5）．放射線診療従事者等の被ばくはこれら散乱 X 線によるものが多い．X 線被ばくを避けるには X 線照射中の室内に入らないことが原則である．一般撮影

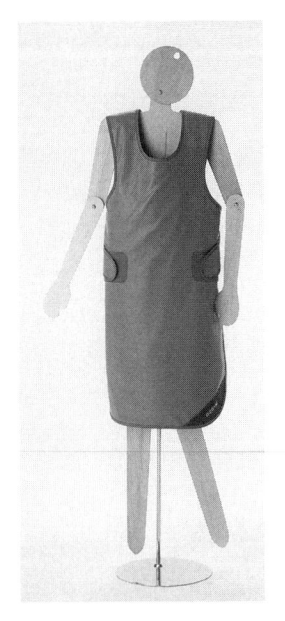

図5.6　X線防護衣・エプロン

ではこの原則は守られる。被検者が乳幼児の場合でも家族に手伝ってもらうとか，乳幼児固定専用保持台を使用するなどして診療従事者等が介護のために室内に留まることはすべきでない。重症患者のいる病室等に赴き，移動型X線装置（ポータブル）でX線撮影を行う場合は，特に防護設備がないので最小限防護衣・エプロン［鉛当量0.25mmPb厚以上］（図5.6）を着用するのは当然であるが，診療放射線技師の被ばくをゼロに抑えることは難しい。診療放射線技師以外の患者家族・介護者等は被検者およびX線管から2m以上離れて「照射中」を明示し，操作するよう心掛けるべきである。2m以上離れることができない場合は，防護衣（鉛当量0.25mm厚以上）等を着用させる必要がある。また，歯科用X線装置の場合据置型（パントモグラフなど）は遮蔽壁を備えた撮影室で使用されるので被ばくは避けられるが，歯科診療室内で使用される移動型の場合は被検者以外の周りの人が散乱X線を受けるので注意が必要である。透視（造影）検査では一般にX線TVが使用されるが，例えば消化管X線検査では通常，操作室から遠隔操作で検査することが多く，術者がX線検査室内にいて照射しながら透視することは限られている。しかし，血管造影，心臓血管カテーテル，脊髄腔造影，経皮経肝胆道造影など，多くの造影検査やIVR（Interventional Radiology）診療は術者が被検者の傍らでX線を照射しながら作業しなければならないので，被ばくを免れることは難しい。このような場合，以下の点に心掛け術者の被ばく線量を極力減らす努力が肝要である。

①防護衣・エプロン等を着用する。
②利用線錐内に身体を曝さない。
③X線の照射時間を短くし無用な透視は避ける。
④高感度の受像管を使用する。
⑤散乱X線の増大を防ぐため照射野をなるべく絞る。

5.3.2　診療用高エネルギー放射線発生装置

外部照射で使用される放射線治療装置は，医療法施行規則では1MeV以上のエネルギーを有する電子線またはX線の発生装置をいい，リニアック（ライナックともいう），ベータトロン，マイクロトロン，サイバーナイフなどがこれに該当する（図5.7）。これらの治療装置はコンクリートの遮蔽画壁を有する治療室内に設置され，また制御盤のある操作室は画壁により防護されているので，放射線照射中に診療放射線従事者等が被ばくする恐れは少ない。防護壁は十分安全率を加味した設計が行われるので，通常はX線の漏洩が無視できる程度である。照射中に治療室出入口扉を開けたりした場合は治療を中断するよう安全装置（インターロック）の取り付けが義務付けられており，

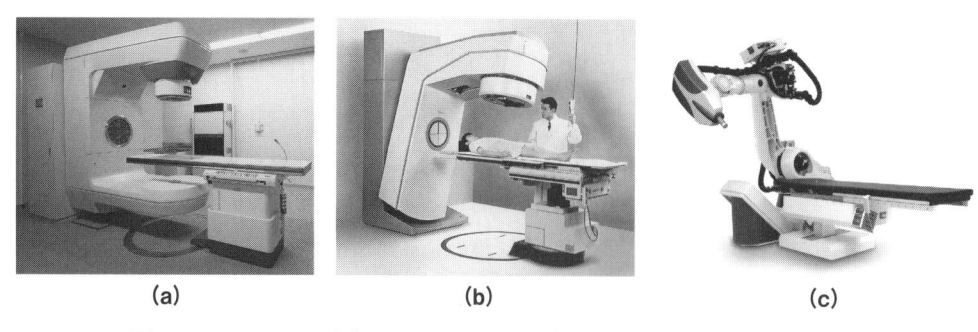

図 5.7 ライナック（a），マイクロトロン（b），サイバーナイフ（c）の外観

誤っての被ばくは避けられる。また，光子エネルギー 7～8 MeV 以上の X 線発生装置の場合は光核反応［(γ, n) 反応］による中性子が放出される。この中性子線が治療室扉外側に漏洩するので，防護扉は散乱 X 線と漏洩中性子線に対する防護を講じたものでなければならない。そのため，出入口扉には X 線用遮蔽材（Fe，Pb など）および中性子線用遮蔽材（水素を多く含むポリエチレン，パラフィンおよび熱中性子を吸収する Cd，B など）が使われる。

5.3.3　診療用放射線照射装置

　この節および次節で述べる診療用放射線照射機器の違いは使用する密封 RI の数量の大きさのみで区分される。前節の発生装置と同様，外部照射の治療装置であるが，下限数量*の 1,000 倍を超える密封 RI 線源を装備する診療用放射線照射装置では，テレコバルトが該当する（図 5.8）。テレセシウムは現在ほとんど使用されていない。一般に，37～111 TBq（旧 1,000～3,000 Ci）程度の ^{60}Co（半減期 5.27 年）密封大線源を装備した照射装置が多いが，10 年経過すると放射能が約 1/4 に減衰するので，この種の装置の使用も年々少なくなっている。特殊な装置としては，ガンマナイフ（^{60}Co 線源を使用：脳腫瘍治療の専用装置）がある。その他，血管内放射線治療線源（密封 RI は ^{32}P，^{90}Y，^{90}Sr/^{90}Y の 3 核種に限る）も使用されている。通常，密封線源は容器の破損，接合不良などが生じない限り汚染の心配はないので，特に外部被ばくだけに注意すればよい。

　非照射時密封 RI 線源は，収納容器に納められ照射口が閉じた（シャッタ閉の）状態にあるとき，収納容器の遮蔽能は線源から 1 m の距離での漏洩放射線量率が 70 μGy/h 以下になるよう，また照射口には適当な二次電子濾過板（Cu，Cd 板など）を設けるよう決められている。収納容器の遮蔽材はタングステン，鉛で構成されているが，非照射時でもわずかな放射線の漏洩が認められ患者体位の固定，照射野の設定などのためヘッド近くで作業するときは被ばくの一因となる。また，100 TBq 以上の密封線源を装備している場合は前節で述べたと同じインターロックの設置が義務付けられている。しかし，一般にはこれより少ない数量でもインターロックは設置されている。この

---

*下限数量とは医療法施行規則第 24 条（2）により別表第 2 に定める RI（核種・化学形毎）の数量を，また，RI とは「別表第 2 に示された RI 毎の数量（Bq）及び濃度（Bq/g）を超えるもの」をいう。^{60}Co：10^{5}Bq，^{137}Cs：^{192}Ir：10^{4}Bq である。

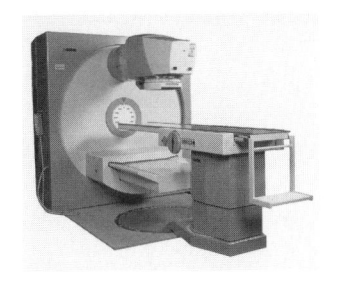

図 5.8　テレコバルト装置外観

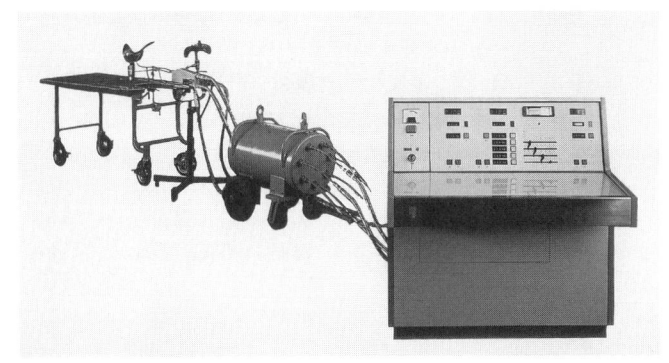

図 5.9　リモートアフターローダーの外観

種の装置にはヘッド固定式とガントリー回転式があるが，多くは回転照射できる装置が望ましいので後者が一般的である。したがって，照射方向によっては遮蔽画壁の厚さ，迷路・出入口への散乱線の寄与を十分考慮しなければならない。このことは 5.3.2 の発生装置の場合でも同様である。

現在，下限数量の 1,000 倍を超える密封線源を装備する照射装置としてリモートアフターローダ（遠隔操作式後充填装置；RALS）がある（図 5.9）。高線量率用線源として密封大線源と次節で述べる密封小線源のちょうど中間の線源（数量 37 GBq〜数 100 GBq 程度で仮に密封中線源とする）が使用されている。使用核種は古くは ^{60}Co が，最近は ^{137}Cs，^{192}Ir など中エネルギー線源のものが多い。腔内照射と組織内照射があるが，腔内照射用がほとんどである。治療中は密封中線源が患者体内に挿入されるので，線源の遮蔽は画壁のみであり十分な防護壁が必要である。遠隔操作で行われるので術者が被ばくする恐れは少ない。ただし，収納容器からの線源出し入れにワイヤを使用している装置が多いので線源の脱落，ワイヤのねじれ・切断などの事故を起こす恐れもあり，ふだんの整備，点検を怠ってはならない。その他，血管内に継続的に挿入して放射線治療を行う照射装置もある。

5.3.4　診療用放射線照射器具

下限数量の 1,000 倍以下の密封 RI を装備している診療用照射機器（次節 5.3.5 を除く）で，密封小線源に相当する。表 5.1 にこれまで使用されてきた放射線照射器具を示す。核種として ^{226}Ra，^{60}Co，^{137}Cs，^{192}Ir，^{125}I，^{198}Au，^{32}P，^{90}Y，^{90}Sr/^{90}Y，^{252}Cf などがあり，形状は針，管，シード（グレイン），セル，ビーズ，ワイヤ（ヘアピン）の他，眼科用アプリケータ，血管内放射線治療などである（図 5.10）。1 個当たりの数量（放射能）は 18.5 MBq から 1110 MBq の範囲が多いが，希に高放射能（4.44 GBq）の器具もある。γ 線放出核種がほとんどであるが，一部 β 線放出核種（^{90}Sr 眼科用，血管内放射線治療用），中性子線放出核種（^{252}Cf）もある。線源の大きさは ^{198}Au グレイン（185 MBq，0.8 mmϕ × 2.5 mm），^{125}I シード（26〜30 MBq，0.8 mmϕ × 4.5 mm チタン製カプセル），^{192}Ir シードのように小さいもの，^{192}Ir ワイヤのように細長いもの，^{60}Co，^{137}Cs の針・管などさまざまである。^{226}Ra 線源は ^{222}Rn ガスによる汚染事故を起こす恐れがあり，1981 年 ICRP から強く廃棄の勧告が出されたため現在は使用されなくなっている。密封線源の患者への使用は医師または歯科医師に限られるが，

表 5.1　密封小線源の種類・特性

核　種	崩壊形式	半減期	γ線エネルギー (MeV)	半価層(cm)* Pb・コンクリート	線源形状
²²⁶Ra	α	1600 年		1.3　7.0	針, 管, セル
⁶⁰Co	β⁻	5.3 年	1.17, 1.33	1.2　6.1	針, 管
¹³⁷Cs**	β⁻	30 年	0.662	0.7　4.9	針, 管
¹⁹²Ir**	β⁻	74 日	0.317, 0.308	0.6　4.1	ヘアピン, ワイヤ, シード
²⁵²Cf	α, SF	2.64 年	0.8(平均) 2.35(n, 平均)	―　―	管, シード
¹⁹⁸Au	β⁻	2.7 日	0.412	1.1　4.1	グレイン
¹²⁵I	EC	60 日	0.035, 0.0275(X)	0.002　0.3	シード
⁹⁰Sr	β⁻	29 年	2.28(β)	―　―	眼科用

*広い線束での値．**RALS 用もあり．

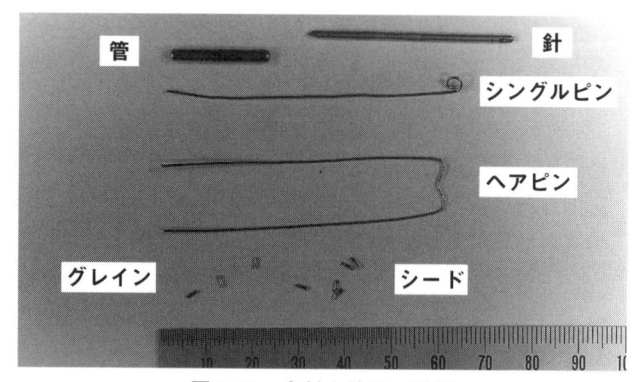

図 5.10　密封小線源の形状

　これは組織内（刺入）照射用と腔内（挿入）照射用に分けられる。前者は線源を遮蔽用具なしで扱うためピンセット，鉗子などを使用して短時間に操作する必要がある。後者は被ばくをできるだけ避けるため，しばしば後充填法（アフターローディングシステム）が採用されている。なお，¹²⁵Iシードまたは¹⁹⁸Auグレインを永久的に組織内挿入した患者は放射線治療病室に収容されるが，その患者の退出基準についての決まり等はこれまでなかった。平成15年3月13日厚労省医薬局安全対策課からの通知により［診療用放射線照射器具を永久的に挿入された患者の退出に関する指針］が示された。その概要は（1）公衆に対しては1mSv/年，介護者に対しては5mSv/1行為，訪問子供については1mSv/1行為をそれぞれ線量の基準として，退出時の放射能と線量率を算出し，表5.2の数値以下に抑えることが示された。その他，核医学撮影装置で吸収補正用外部線源が使用されているが，これも体外照射用線源として扱われる。

表 5.2　診療用放射線照射器具永久挿入患者の退出時における放射能・線量率

診療用放射線照射器具	体内残存放射能 (MBq)	患者体表面から1mの地点における 1cm線量当量率（μSv/h）
^{125}I シード（前立腺に適用）	1,300	1.8
^{198}Au グレイン	700	40.3

5.3.5　放射性同位元素装備診療機器

　下限数量の1倍を超える密封RIを装備している診療用放射線装置で，厚生労働大臣が定めるもの。現在骨塩定量分析装置，ガスクロマトグラフ用エレクトロン・キャプチャ・ディテクタ（ECD），輸血用血液照射装置の3種類が該当する。主な内容は以下に示すとおりである。

a）骨塩定量分析装置

　装備するRI［^{125}I，^{241}Am，または^{153}Gd，数量0.11 TBq以下］，漏洩線量当量［機器非使用時600 nSv/h以下（機器表面），使用時：6 μSv/h以下（at 1 m）］，線源収納容器［耐火構造］，標識［機器本体に付す］

b）ガスクロマトグラフ用ECD

　装備するRI［^{63}Ni，数量740 MBq以下］，漏洩線量当量［600 nSv/h（機器表面）］，線源収納容器［耐火構造］，標識［機器本体に付す］

c）輸血用血液照射装置

　装備するRI［^{137}Cs，数量200 TBq以下］，漏洩線量当量［6 μSv/h以下（at 1 m）］，線源容器［耐火構造］，標識［機器本体に付す］

　上記診療機器のうち，a）は放射線を人体に照射するが，b）とc）は人体に照射するものではなく，放射線診療従事者等であれば取扱うことができる。また，a）とc）はRIに代わってX線を使用した装置が使われている。これらの装置はいずれも密封線源を内蔵しているが，十分遮蔽された容器に収納されているので，機器からの漏洩放射線による被ばくは小さく，当該使用室の構造設備基準に適合する室であれば使用できる。線源と操作ボタン部位が特に切り離されてはいないので，機器表面で線量限度内に収まるよう防護されている。

5.3.6　診療用放射性同位元素

　放射線を放出する医薬品で非密封RIがこれに該当する。現在，医療機関に供給されている核種は多い順に，インビボ（in vivo）検査では^{99m}Tc，^{99}Mo-^{99m}Tc（G），^{201}Tl，^{123}I，^{67}Ga，^{133}Xe，そしてインビトロ（in vitro）検査ではほとんどが^{125}Iで，わずかに^{59}Feが続いている（図5.11）。このように使用核種が限定され，かつ短半減期核種が多いので診療用RI使用施設における放射線防護は比較的容易である。RI医薬品を取扱う際，常に心掛けねばならないことはRI汚染を最小限に抑え，体内摂取を防止し，また体外被ばくにも注意を払うことである。特に，放射性医薬品は手元で取扱うことが多い。例えば，バイアル中のRIの小分け，注射器への取り入れ，患者投与時，その他により手指の局部被ばくを受ける機会が高い。このような場合，当然全身被ばくの恐れもあり，でき

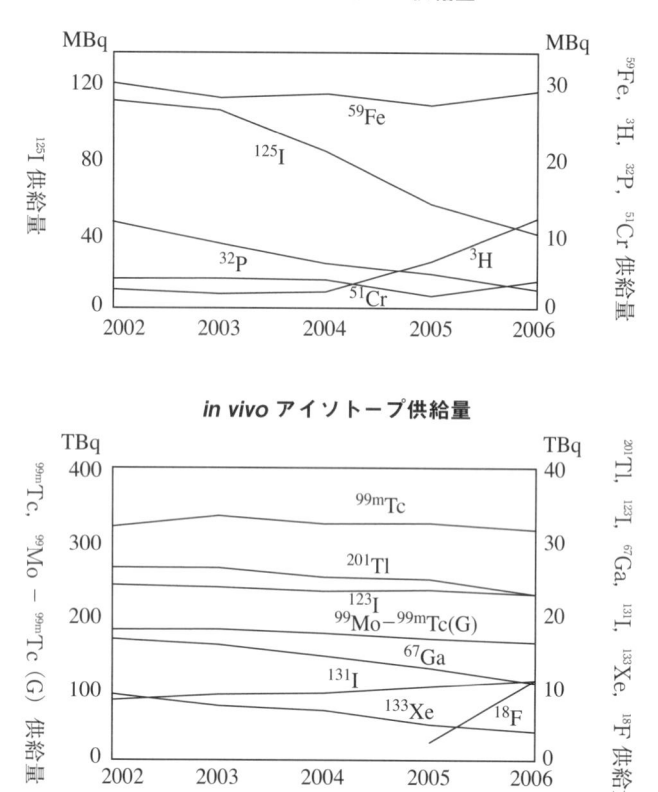

図5.11 日本における診療用RIの年次別供給量

るだけ遮蔽物体を利用することである。すなわち，①RIの小分けなどの準備には卓上用防護衝立を利用する，②RIバイアルは鉛製容器に入れた状態で取扱う，③注射器にはシリンジシールド（図5.12）を使用するなどである。また，最近は病院内に設置された小形サイクロトロンにより生産される超短半減期の陽電子断層撮影診療用RI（^{11}C, ^{13}N, ^{15}O, ^{18}Fなど）とPET装置を使用した横断断層イメージングが盛んに行われている。^{18}Fは放射性医薬品としても市販されている。使用するRI放射能の減衰が速いため，比較的大量の放射能を投与して検査するので，汚染・遮蔽には十分配慮する必要がある。その他，インビトロ検査でピペット操作を行うときは絶対に口で吸うようなことはせず，必ず安全ピペッタ，あるいはマイクロピペッタ（エッペンドルフなどでチップ使用）を利用する（図5.13）。治療用RIを患者に投与する場合は放射能が高いので，特に被ばく防護と汚染防止に努める。前者は遮蔽・距離・時間の3原則，後者は空気中への飛散と表面汚染への対策である。また，治療用RIを投与した患者が管理区域内から退出・帰宅する場合，その安全性に配慮する必要がある。これに関しては厚生労働省から指針が出されている。それによると，^{131}I（甲状腺疾患の治療）と^{89}Sr（前立腺癌，乳癌等の骨転移による疼痛緩和等）について，投与（または体内

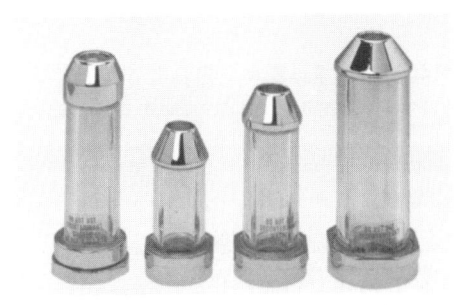

図 5.12　シリンジシールドの外観

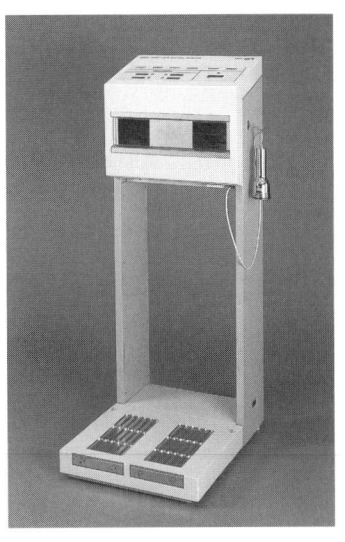

図 5.14　ハンドフットクロスモニタ

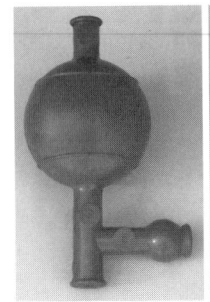

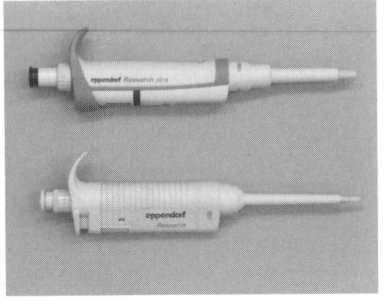

図 5.13　安全ピペッタおよびマイクロピペッタ

残留）放射能が 500 MBq（^{131}I）および 200 MBq（^{89}Sr 最大投与量）以下，患者体表面から 1 m の距離における H_{1cm} 率が 30 μSv/h（^{131}I）以下である。一般的に，RI 汚染が生じた場合は早急に汚染検査と汚染除去（後述 p.47）を行うべきである。作業終了後は RI 取扱い者自身による作業場所の周辺，自分自身の身体表面についての汚染検査を行う必要がある。また，管理区域から退出するときも表面汚染用測定器（ハンドフットクロスモニタ，サーベイメータ類）でチェックする（図 5.14）。

5.4　放射線の遮蔽

　X 線装置，放射線発生装置，RI 装備機器あるいは RI などを使用する作業では，放射線を防護するための遮蔽が必要となる。利用する放射線の種類によって遮蔽の方法も異なるが，透過力の大きい X 線，γ 線および中性子線は特に考慮しなければならない。

1) α 線

　α 線は飛程が短く（エネルギー 10 MeV で空気中約 10 cm，水中ではこの 1/500 程度），遮蔽は容易である。α 線（エネルギー E MeV）の空気中での飛程は $R=0.318E^{3/2}$（cm）から求められる。また，α 線は線スペクトルを示す。

2) β線

β線の場合はエネルギー分布が連続的（連続スペクトル）であるが，物質中での吸収はほぼ指数関数的である。最大エネルギー E（MeV）の β線によるアルミニウム（Al）中での最大飛程 R（g/cm²）は次の実験式から求められる。

$$R = 0.407 E^{1.38} \quad (0.8\,\text{MeV} > E > 0.15\,\text{MeV}) \tag{5·1}$$

$$R = 0.542 E - 0.133 \quad (E > 0.8\,\text{MeV}) \tag{5·2}$$

例えば，最大エネルギー 13 MeV（⁸Li）の β線による Al 中での最大飛程 R は約 7.0 g/cm² と計算されるが，Al の密度 ρ = 2.7 g/cm³ とすると，約 2.6 cm 厚 Al に相当する。放射性医薬品の中で比較的 β線エネルギーの高い ³²P（E = 1.7 MeV）では R = 0.79 g/cm²（Al 厚で約 0.29 cm）となる。この β線を仮に密度 1 程度の透明プラスチック板で遮蔽するなら厚さ 0.8 cm でよいが，安全率を考慮して 1.0～1.5 cm 厚のアクリル板で十分である。このように β線の遮蔽も比較的容易であるが，β線の場合は物質（容器，遮蔽体，空気など）との相互作用により制動放射線（X線）が発生するので，このX線に対する防護を考慮する必要がある。β線のうち β⁺線（ポジトロン）は近くの陰電子と結合して消滅するが，そのとき互いに反対方向に 0.511 MeV の 2 個の消滅放射線が放射される。β⁺線それ自身の遮蔽は β⁻線と同じと考えてよいが，別に 0.511 MeV 光子の遮蔽を考慮しなければならない。また，軌道電子捕獲の場合は特性 X 線に対する考慮が必要となる。電子線の場合は β⁻線と同じく制動放射線に対する遮蔽が重要となる。

3) X線, γ線

X線，γ線は透過力が大きく，物質中での飛程も大きい。遮蔽体内での X，γ線の減弱は主として光電効果，コンプトン散乱，電子対生成のいずれかの相互作用によるが，その過程において電子が解放され，原子・分子の電離，励起が起こる。原子番号の大きい遮蔽体ほど相互作用の起こる確率が高いので遮蔽効果も大きい。遮蔽体内では一次線の吸収の他に，二次的な散乱線が発生するため，X，γ線の減弱過程は複雑である。細い線束のX，γ線の物質中での減弱はほぼ指数関数で表される。すなわち，

$$I = I_0 e^{-\mu x} \tag{5·3}$$

ここに，I：遮蔽体透過後の X，γ線強度，I_0：遮蔽体透過前の X，γ線強度，μ：遮蔽体の線減弱係数（cm⁻¹），x：遮蔽体の厚さ（cm）である。なお，この式は光子が空気中で吸収される割合を含んでいない。線減弱係数 μ は光子エネルギー，物質の種類などで異なる。また，式(5·3)は図 5.15-a に示すような遮蔽体に細い平行線束（narrow beam）が通過した場合に成立するもので，物質中での光子の散乱線は測定器には入らないと考えられる。また，広い線束（broad beam）でも薄い遮蔽体の場合には図 5.15-b に示すとおり物質中での光子散乱が少なく，したがって測定器に達する散乱線が少ないためほぼ式（5·3）で近似される。しかし，厚い遮蔽体の場合（図 5.15-c）は物質中での光子散乱が増大し，散乱線の測定器に入る確率が増すため式（5·3）は成立しなくなる。散乱線が加わった分の補正が必要となる。すなわち，

$$I = I_0 B e^{-\mu x} \tag{5·4}$$

ここに，B：再生係数（build-up factor）である。B は放射線エネルギー，線束の広がり，遮蔽体の

a) 細い線束での減弱

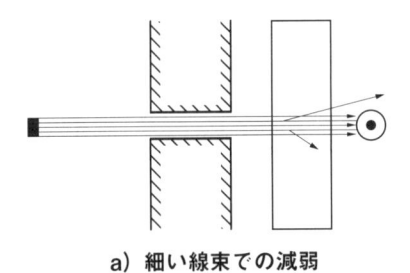

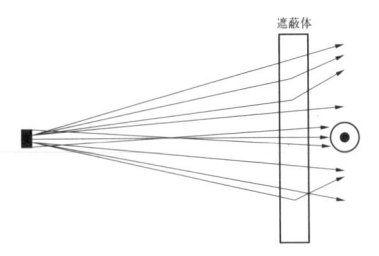

b) 薄い遮蔽体での減弱

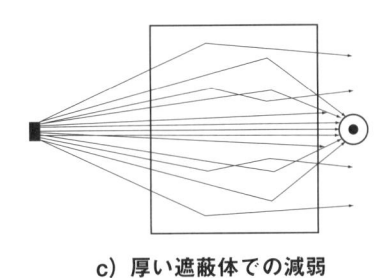

c) 厚い遮蔽体での減弱

図 5.15

厚さなどが関係し，1より大きい値をとる。Bを理論的に算出することは難しいが概ね，

$\mu x < 1$ のときは $B = 1$

$\mu x > 1$ のときは $B = \mu x$ (5・5)

を用いてよい。また，光子エネルギー 2 MeV 以上，あるいは高原子番号の物質（例えば鉛）では全エネルギーにわたり安全側を見込む場合は，

$B = \mu x + 1$ (5・6)

とするとよい。代表的な遮蔽体について X，γ 線の再生係数 B を含めた減弱曲線が発表されている（図 5.16）。

［半価層，1/10 価層，鉛当量］遮蔽体の X，γ 線に対する減弱効果を表す簡便な量として X，γ 線の強度（線量率）を 1/2，あるいは 1/10 に減弱するのに必要な物質の厚さをそれぞれ半価層（half value layer），1/10 価層（tenth value layer）という。

コンクリート (ρ:2.35g/cm³)　　　　　　　　　　鉄 (ρ:7.86g/cm³)

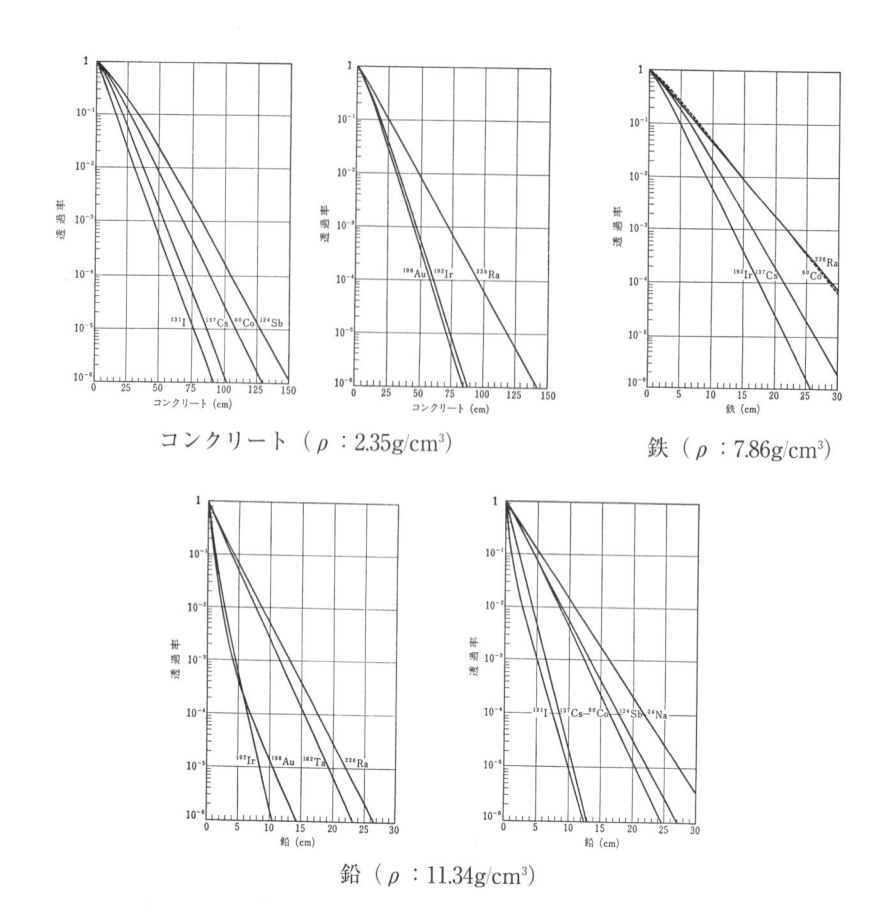

鉛 (ρ:11.34g/cm³)

図 5.16　各種遮蔽体による広い γ 線ビームでの透過率

半価層 $T_{1/2} = 0.693/\mu$

1/10 価層 $T_{1/10} = 2.30/\mu$ 　　　　　　　　　　　　　　　(5・7)

により算出できる。また，X線の場合によく鉛当量が用いられる。これはある遮蔽体と同一の遮蔽能力を持つ鉛の厚さで表し，その遮蔽体の鉛当量という。

［迷路］放射線源からのX，γ線は床・壁面などでの散乱を繰り返し，そのエネルギー，線量率が低下する。迷路は出入口付近での漏洩放射線を減少する目的で設置されるもので，多重散乱により放射線量率を数百分の1以下に下げることができる。

［X線撮影室画壁の遮蔽計算例］X線診療室などの構造設備については，所定の線量以下にすることができる鉛当量，鉛当量の標準値，そして放射線の測定などの事項に関して厚生労働省医薬局長通知が出されているので参考にされるとよい（p.112～付録2.に掲載）。

4）中性子線

中性子線は非荷電粒子であり，高いエネルギーを持たなくても容易に核内に入り込むことができ

る。そのエネルギーにより低速中性子(0～100 eV),中速中性子(0.1～500 keV),高速中性子(0.5 MeV 以上)に分類される。周囲の媒質と熱的平衡状態にある中性子は熱中性子(～0.025 eV)と呼ばれる。一般に,高速中性子を減速させるには鉄,鉛のように重い元素と非弾性散乱(衝突)させる。それにより 0.5 MeV 以下のエネルギーになった中性子は水素のような軽い元素との弾性散乱(衝突)により,さらに遅い中性子になる。この遅い中性子は多くの元素に捕獲される。このように,中性子と物質との相互作用では中性子エネルギーが大いに関係し非弾性散乱では二次的な荷電粒子,あるいは γ 線の放出を伴う。また,弾性散乱に続く軽い元素による捕獲の際,捕獲 γ 線が放出されるので,これら γ 線の遮蔽についても考慮しなければならない。したがって,中性子の減速には水,パラフィン,コンクリートなど水素(H)を多く含む物質(減速材)を使用し,多数回衝突させ熱中性子エネルギーにまで減速させる。減速した中性子は物質中で多くの原子核に捕獲されやすくなる。陽子に捕獲された場合は(n, γ)反応により 2.2 MeV の γ 線を放出する。重水,炭素,ベリリウムなどは捕獲反応を起こす確率の小さい減速材である。また,Cd,B などは熱中性子を吸収しやすく,(n, γ)反応を起こしやすい。

5.5 汚染除去と廃棄物処理

5.5.1 汚染除去

　非密封 RI を取扱う施設では大なり小なり放射能汚染を生ずる。RI 汚染の内容は使用機器・装置類から実験台,床,壁,さらには衣服,履物,身体まで多岐にわたる。

1) 汚染の種類

　同程度の汚染規模でも固体表面の状態により除染の方法,難易度などはおのずと異なる。金属,ガラス,プラスチックなどの非浸透性のものと,木材,繊維,皮膚などの浸透性のものでは明らかに前者の方が除染しやすい。また,汚染は,①とれやすい(非固着性または遊離性)汚染〔loose contamination〕と,②とれにくい(固着性)汚染〔fixed contamination〕,に分けられるが汚染後の経過時間も関係し,①の場合は内部被ばくの,②の場合は外部被ばくの原因にそれぞれつながるので注意を要する。

2) 除染の方法

　除染の方法には,①物理的方法〔特殊フィルタを装備した真空掃除機による除染,高圧蒸気または高圧水の吹き付け,サンドペーパー,ブラシなどによる汚染面の除去〕と②化学的方法〔各種の除染剤,薬品など(表 5.3 参照)を使用〕,があるが,できるだけ表面を傷つけないよう,ソフトからハードへと除染の効果を確かめながら作業を進める。

3) 汚染表面密度の測定

a) スミア法(拭き取り法)

　非固着性汚染の場合はスミア法を用いる。これはスミアろ紙(直径 2.5 cm,東洋濾紙 No.26,No.63)を用いて汚染部分(通常,10×10 cm^2)を拭き取る。スミア試料はカウンタまたはサーベイ

表5.3 放射能汚染の除去法

対象物	除染剤	用　法	備　考
手皮膚	石けん，中性洗剤	温水で2分間洗い，これを3〜4回繰返す。ソフトブラシを用いるとよい。	皮膚に対する作用が少ない。1回3分以上の洗浄は避ける。
	酸化チタン	①ラノリンと練ってペースト状で使用。②粉末散布，水で潤す。	高度の汚染除去に適する。
	クエン酸ナトリウム	24%水溶液で，1回の洗浄を手早く行う。3〜4回繰返す。	皮膚に対する作用が少ない。
衣服類	石けん，中性洗剤	電気洗濯機（RI専用）使用。0.1〜0.5%中性洗剤	30〜40℃温液で洗濯。
	クエン酸	3%温溶液，電気洗濯機使用。	絹・ナイロンに適する。
	シュウ酸	〃	木綿・ビニール・ビスコース等に適す。
ゴム製品	石けん，中性洗剤	溶液にて拭き取り，水洗い。	
	希硝酸	〃	^{14}C, ^{131}I 等には使用不可。
リノリウム	4塩化炭素ケロシン，クエン酸アンモニウム，EDTA，希塩酸	〃	ワックスをかけてある場合は除染が容易。
ガラス磁製器具類	石けん，中性洗剤，クレンザー	汚染物を1%溶液に浸漬，ブラッシング等で擦り，水洗い。	超音波洗浄法併用
	クエン酸，クエン酸アンモニウム，EDTA等	3〜5%温溶液10%3〜5%	〃
	燐酸ナトリウム，弗化アンモニウム	10%温溶液	〃
プラスチック	クロム酸混液，濃塩（硝）酸		^{14}C, ^{131}I 等には使用不可
	石けん，中性洗剤，クエン酸アンモニウム，EDTA，希酸，有機溶媒		超音波洗浄法併用
金属器具類	石けん，中性洗剤，クエン酸ナトリウム，EDTA，希塩酸（ステンレス鋼），黄銅磨き（黄銅）		

メータにより測定する。汚染表面密度 A（dpm/100 cm^2）または A'（Bq/cm^2）は次式により算出できる。

①カウンタによる測定の場合は

$$A = (N_t - N_b)/(10^{-2} \eta F) \quad \text{または}$$

$$A' = [(N_t - N_b)/(10^{-2} \eta F)] \cdot 1/60 \cdot 1/100 = (N_t - N_b)/(60 \eta F)$$

ここに，N_t；全計数率(cpm)，N_b；自然計数率(cpm)，η；計数効率(%)，F；拭き取り効率＝スミア試料に付着した放射能／拭き取り前の表面汚染放射能

② サーベイメータによる測定の場合は，

$A = (N_t - N_b) \cdot K/F$ または，

$A' = [(N_t - N_b)/60] \, K \cdot 1/F \cdot 1/100 = (N_t - N_b) \, K/(6000 \, F)$

ここに，K：換算係数（dpm/cpm）

＝入射窓で覆われた部分の放射能（dpm）／サーベイメータ指示値（cpm）

表面汚染の拭き取り効率（F）は表面の材質・状態，汚染物質の物理化学的性質などにより0.05から0.5程度とかなりの違いがあるので，実験的に求めておくとよい。不明な場合は0.1として計算することもある。

b) サーベイメータ法

固着性汚染の場合はスミア法が難しいのでサーベイメータにより汚染場所，広がりの程度，表面密度等の測定を行う。

$A' = [(N_t - N_b)/60] \, K \cdot 1/S$

ここに，S；サーベイメータの窓面積（cm^2）

c) 表面汚染密度の測定例

［例題1］表面平滑な床面の^{32}Pによる表面汚染についてスミア法を用いて100 cm^{2}を拭き取りカウンタで測定したところ総計数率5200 cpm，自然計数率25 cpmであった。カウンタの計数効率（η）が5%，拭き取り効率（F）が0.2のとき表面汚染密度（A'）はいくらか。

$$A' = \frac{N_t - N_b}{0.01 \eta F} \cdot \frac{1}{60} \cdot \frac{1}{100} = \frac{5200 - 25}{0.01 \times 5 \times 0.2} \cdot \frac{1}{60} \cdot \frac{1}{100} = 86.25 \, \text{Bq/cm}^2 \quad (5.1)$$

［例題2］例題1の表面汚染をサーベイメータ（窓面積 s＝12 cm^2）法で測定したとき総計数率3100 cpm，自然計数率30 cpmであった。換算係数（K）を20とするとき表面汚染密度を求めよ。

$$A' = \frac{N_t - N_b}{60} \cdot K \cdot \frac{1}{s} = \frac{3100 - 30}{60} \cdot 20 \cdot \frac{1}{12} = 85.3 \, \text{Bq/cm}^2 \quad (5.2)$$

4) 除染係数，除染率，除染指数

汚染除去の程度，除染方法の適否を数量的に比較するのに汚染除去係数（除染係数），汚染除去率（除染率），汚染除去指数（除染指数）などが用いられる。すなわち，

除染係数＝除染前のRI濃度または表面密度／除染後のRI濃度または表面密度

除 去 率＝[(除染前のRI濃度または表面密度

－除染後のRI濃度または表面密度)／除染前のRI濃度または表面密度]×100%

除染指数＝log（除染係数）

で表される。

5）除染と表面密度

汚染除去により放射能レベルをゼロにすることが望ましいが，必ずしもそうはならない。法令による管理区域内の表面密度限度が基準となる。この値は，

　　α 線を放出する RI：$4\,\mathrm{Bq/cm^2}$ 以下

　　α 線を放出しない RI：$40\,\mathrm{Bq/cm^2}$ 以下

である。サーベイメータによる実際的な除染の目安はほぼ $100\,\mathrm{cpm/cm^2}$ と見なせばよいが，バックグラウンドのレベルまで下げる努力を払うことである。

6）除染時の注意事項

RI 汚染を起こした場合は次の各注意事項を考慮して除染作業を行う。

①汚染状況確認：サーベイメータ等の測定器を用い，汚染の規模（位置，範囲，程度など）を測定する。
②早期除染：汚染後，早急に除染に着手する。
③汚染拡大防止：汚染面積を広げない方法で作業する。
④湿式操作：粉塵などの汚染では特に体内摂取に注意，必要に応じ保護具，防護衣など着用する。
⑤廃棄物処理：除染作業で生ずる廃棄物の処理を予測しておく。
⑥経済性：除染の手間，労力，時間などの経費を考慮する。

5.5.2　廃棄物処理

非密封 RI を使用した場合，放射性廃棄物が生ずる。これは気体，液体あるいは固体の形で排出されるが，いずれも法令の濃度（または密度）限度以下で排出することが義務づけられている。これにより環境への放射能汚染が抑えられるので，放射性廃棄物の処理は慎重でなければならない。特に，気体，液体は RI 施設から大気中，下水中へ排出され，公衆の被ばくにつながる点で十分な管理が必要である。

1）気体廃棄物処理

RI 施設などから汚染空気を排出する場合，**排気設備**（排風機，排気浄化装置，排気管，排気口など）を設けて室内の空気中 RI 濃度を空気中濃度限度以下に，そして排気口から排出する排気中または空気中 RI 濃度をそれらの濃度限度以下にして，それぞれ排気しなければならない。気体廃棄物の物理的性状は①粉塵（ダスト）付着 RI と②気体（ガス）状 RI に分けられる。排気浄化装置（フィルタ装備）によりダストあるいはガス状 RI を吸着し，排気口から外部への RI の放出を極力避けることができる。フィルタにはプレフィルタ，高性能エアフィルタ，活性炭（チャコール）フィルタなどがある。プレフィルタは前段に設置し大きな塵埃などを吸着する。高性能エアフィルタは AEC フィルタ（アメリカ原子力委員会規格），HEPA フィルタ（High Efficiency Particulate Air Filter）といわれるもので，粒径 $0.3\,\mu\mathrm{m}$ 以上の微粒子を 99.97％ 以上補集する性能を有する。また，沃素あるいはその化合物を含む気体などが大気中に放出される場合は，前記エアフィルタの補集効率を無視しなければならない。この場合はチャコールフィルタを使用する。このフィルタで気体状 RI を 100％ 補集できるとは限らない。無機・有機の化学形，湿度の違いなどが補集効率に大きく影響する。

図 5.17 有機廃液燃焼装置の外観

2) 液体廃棄物処理

　液体廃棄物の処理方法は種々あるが低レベル RI 液，例えば二次洗浄水以降（RI 原液およびその容器の一次洗浄水までは RI 廃液用ポリ容器に保管する）を廃棄する場合は，各事業所に設置される管理・処理用の貯留槽/希釈槽に流しを通じて流入させることが一般的である．しかし，液体中の RI 濃度，排出総量，水質等の程度により放流できない場合は，他の処理方法［蒸発（濃縮）法，イオン交換法，凝集沈澱法（フロキュレーション）など］を考慮する必要がある．高レベル液体を廃棄する場合などそのまま放流することが難しいときは，それらの処理法を選択・併用し，濃縮した無機液体（pH5〜9 の範囲，25 ℓ ポリ瓶に収納）として保管廃棄する．なお，核医学検査で RI を投与した患者の糞尿中に排泄される RI の処理であるが，やはり浄化槽，貯留槽に連結した RI 専用便所を使用し，貯留・希釈して放流することである．また，^{3}H，^{14}C など使用している事業所では，しばしば液体シンチレータの有機廃液（トルエン，キシレンなどを含む RI 試料）が生ずる．この種の有機液体廃棄物は，廃棄業者（日本アイソトープ協会）へ依頼するが，2004 年から RI 協会で集荷を開始した．法令に叶った焼却設備（図 5.17 のような有機廃液燃焼装置が市販されている）を備え，自家焼却処理する．また，焼却に関しては安全指針が決められている．

3) 固体廃棄物処理

　中小の事業所から出る固体廃棄物は次のように分類されている（図 5.18 a〜h）．

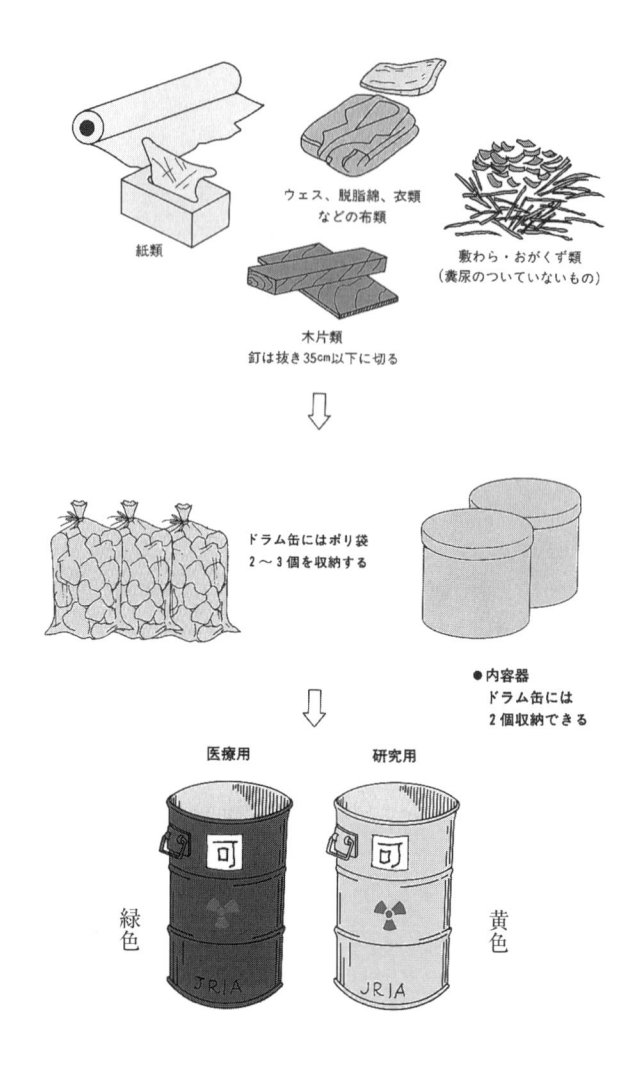

●十分乾燥させる。
●破砕，圧縮等の前処理はしない。
●敷きわら・おがくず等で糞尿を分離できないものは動物に分類。

図 5.18a 固体廃棄物の分類（可燃物）

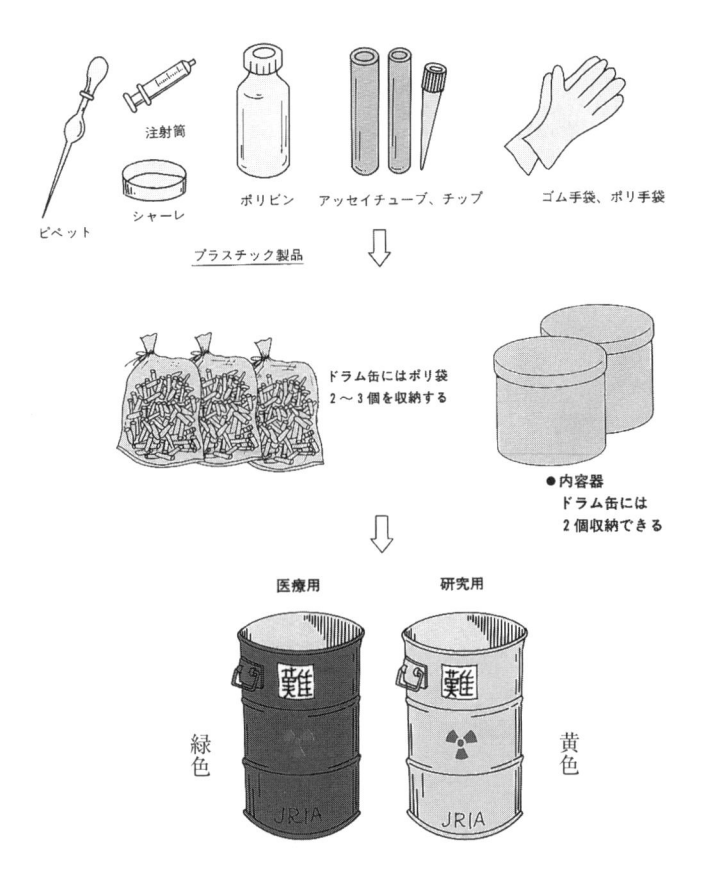

- シリコン，テフロン，塩ビ製品，アルミ箔，鉛加工品が混入すると焼却処理できないので，特に注意して除く。
- ポリバイアル等の中の残液は抜いておく。
- 破砕，圧縮等の前処理はしない。

図5.18b 固体廃棄物の分類（難燃物）

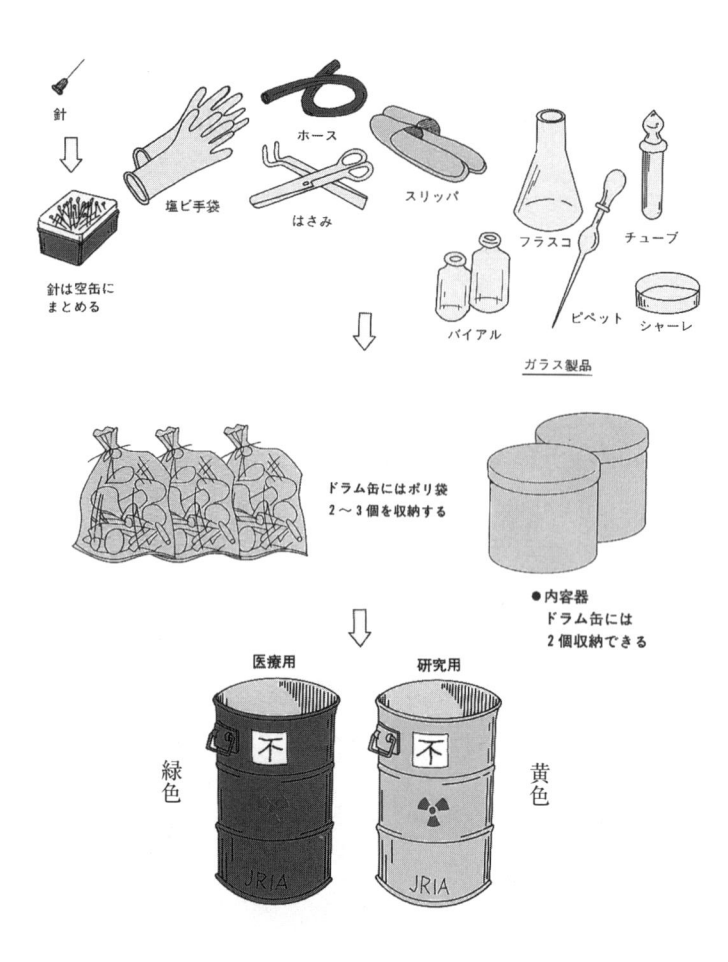

●注射針など感染の恐れのあるものは滅菌する。
●ガラスバイアル等の中の残液は除いておく。
●破砕，圧縮等の前処理はしない。

図 5.18c　固体廃棄物の分類（不燃物）

- 厚手のビニールシートまたはポリ袋に包み破れないように梱包する。
- 時計部分は金属製ペール缶（中子）に封入する。
- ドラム缶込みの重量を天蓋に記入する。

図 5.18d　固体廃棄物の分類（非圧縮性不燃物）

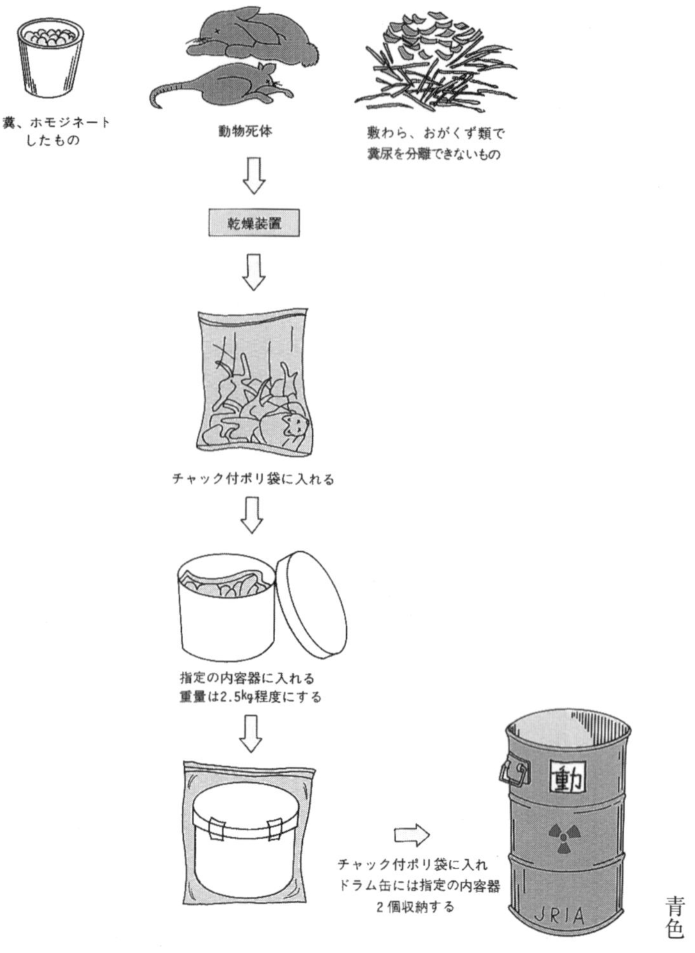

●指定の内容器を使用する。
●十分乾燥させておく。

図 5.18e　固体廃棄物の分類（動物）

第 5 章 放射線源の安全取扱い　61

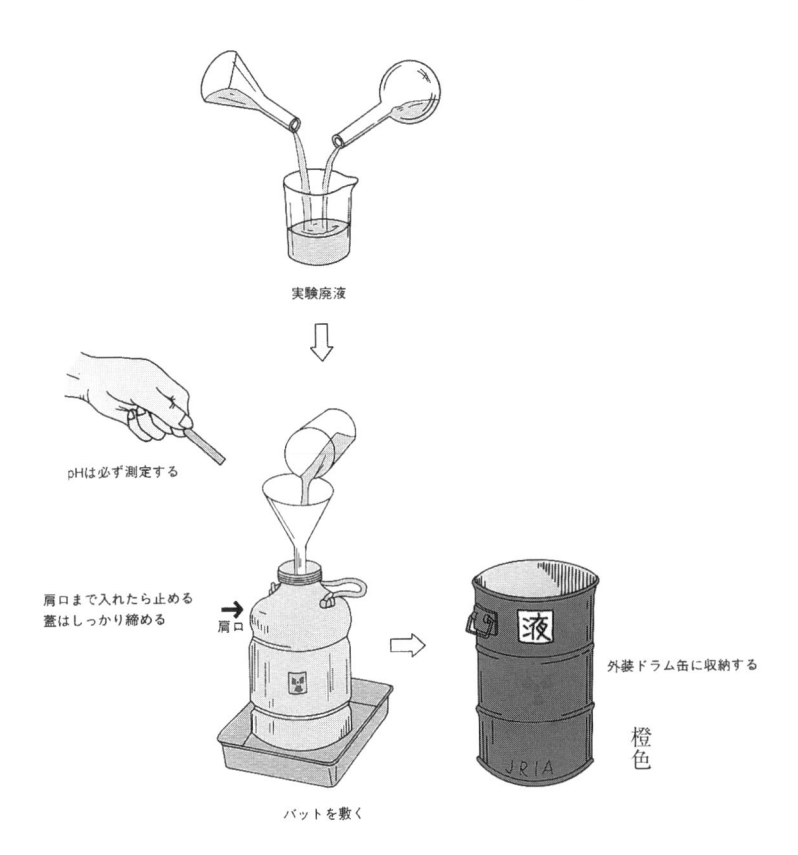

- 指定のポリびんを使用する。
- 高粘度の液体，可燃性液体は収納しない。
- pH 値は 2 以上にする。
- pH 調整にはなるべく塩酸を使用しない。
- 液量はポリびんの肩口までにする。

図 5.18f　液体廃棄物の分類（無機液体）

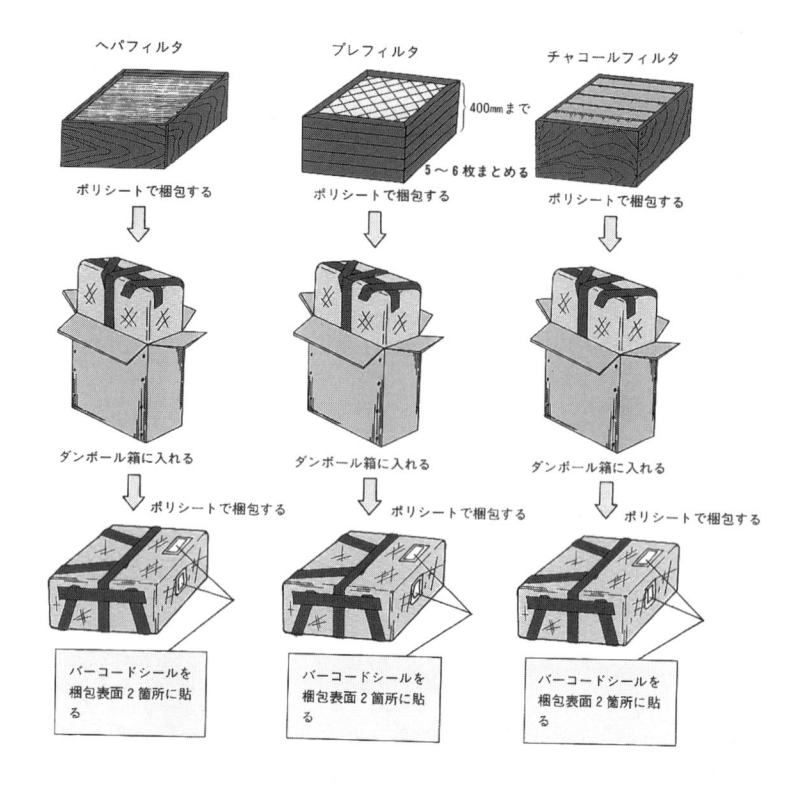

- フィルタはヘパ・プレ・チャコールの3種類がある。
- ヘパフィルタとプレフィルタは区別して梱包する。
- プレフィルタは6枚程度にまとめる。
- フィルタはポリシートで包み，段ボール箱に収納し，さらにポリシートで梱包する。
- ラベルとフィルタ番号シール（バーコードシール）は，「RI廃棄物集荷の案内」と共に発送される。

図5.18g　固体廃棄物の分類（焼却型フィルタ）

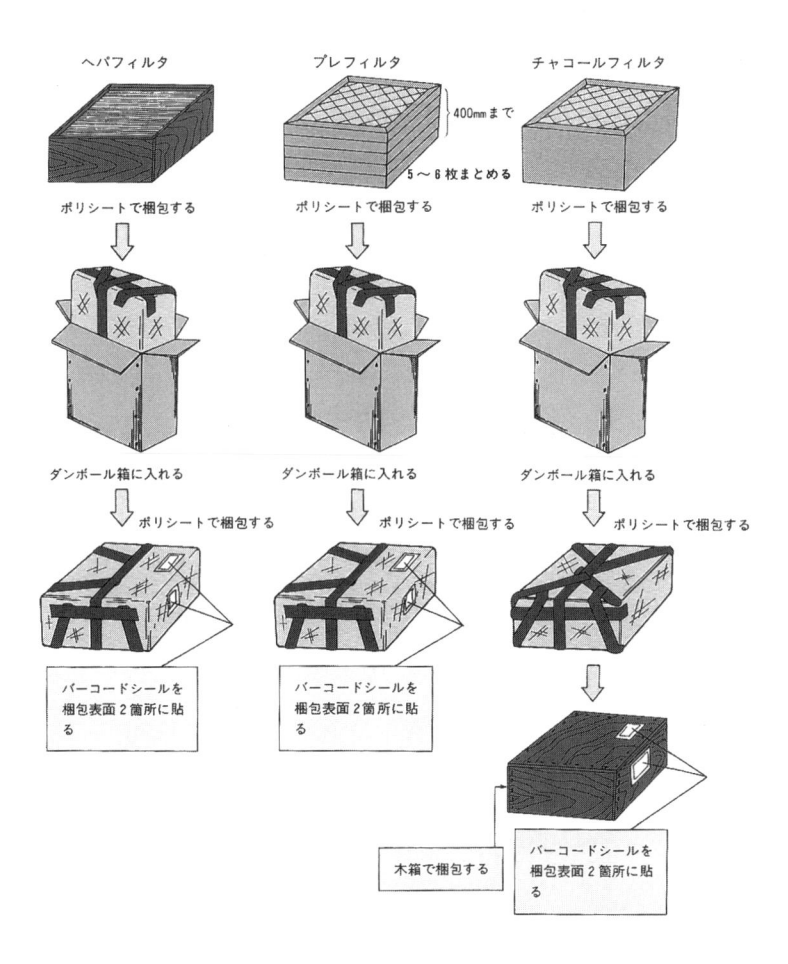

- フィルタはヘパ・プレ・チャコールの3種類がある。
- ヘパフィルタとプレフィルタは区別して梱包する。
- プレフィルタは6枚程度にまとめる。
- フィルタはポリシートで包み，段ボール箱に収納し，さらにポリシートで梱包する。
- チャコールフィルタは，さらに12 mm 以上の板材（ベニヤ材等）で，木箱梱包する。
- ラベルとフィルタ番号シール（バーコードシール）は，「RI廃棄物集荷の案内」と共に発送される。

図 5.18h　固体廃棄物の分類（通常型フィルタ）

①可燃性廃棄物：紙類（ポリろ紙，ティッシュペーパー），布類（ガーゼ，脱脂綿，衣類），木片類，敷藁・おが屑類———（50ℓドラム缶容器に収納）
②難・不燃性廃棄物：プラスチック類（ポリ瓶，ポリチューブ，チップ，ポリ手袋，注射筒など難燃性廃棄物），金属・ゴム・塩ビ・アクリル類（ゴム手袋，ホース，スリッパ，鋏，鉗子，注射針），ガラス・陶器類（バイアル，フラスコ，シャーレ，ピペットなど不燃廃棄物）———（50ℓドラム缶容器に収納）
③特殊不燃物：減容不能なもの（陶器製流し，レンガ・コンクリート屑，鉄骨・パイプ，器械，土砂）———（50ℓドラム缶容器に収納，重量を秤量）
④動物性廃棄物：動物死体，糞，糞・尿付着敷藁，おが屑などを凍結乾燥装置，マイクロ波乾燥装置で乾燥後チャック付ポリ袋に入れ専用の紙製内容器に納める。———（50ℓドラム缶容器に収納）
⑤ヘパタイテス廃棄物：バイアル，チューブ，ビーズ，ろ紙，トレーなどの塩素系，CAEなどの薬剤にて必ず前処置を行う。内容器に納める。———（50ℓドラム缶容器に収納）
⑥スラリー廃棄物：貯留槽の沈澱物，スラッジなど———（20ℓ陶製かめに収納）
⑦フィルタ廃棄物：プレフィルタ，グラスウールフィルタ，高性能（HEPA）フィルタ，チャコールフィルタなどをビニールシート（0.1〜0.15 mm厚）で包み，ダンボール空箱（一辺45 cm以下）で梱包する。

廃棄業者（日本アイソトープ協会）から指定された各容器を借り受け，保管廃棄設備に納めておく。
RI廃棄物は上記の内容に従って分類し，そのつど各廃棄物容器に収納する。廃棄した物品類は廃棄年月日，廃棄者の氏名，物品の種類・数量，核種・数量など，管理上の必要事項を記録する。

4）陽電子断層撮影診療用RIまたはそれらのRI汚染物処理

陽電子断層撮影法（PET）に用いられるRIまたはそれらによる汚染物（注射器，手袋，ろ紙等）については1日最大使用数量が1 TBq（^{18}Fについては5 TBq）以下の場合，当該医療用RI以外のものが混入し，または付着しないよう封および表示をして，当該RIの原子数が1を下回ることが確実な期間（7日間）を超えて管理区域内で保管廃棄すれば，管理区域から持ち出すことができる（平成17年6月1日厚生労働省令第99号及び種類・数量等告示第1条）。

第6章 放射線管理の実際

6.1 放射線管理の組織・機構

　各事業所内での放射線管理業務を円滑に実施するため，①放射線管理組織とその運用，②放射線管理技術面の充実に留意する必要がある。特に，各事業所に適した組織・機構を設けることは放射線管理を円滑に運営する上で重要である。

　放射線管理体制は，事業所の長を最高責任者として放射線安全の基本施策について計画，立案等を行う組織と放射線管理の実務を担当する独立した組織により構成される。また，放射線管理機構は基本的には中央集中管理と責任分担管理の2方式に分けられるが，実際には大規模事業所では前者が，中小規模事業所では後者あるいはこれら2方式の中間的方式をとることが多い。

6.1.1 放射線管理安全施策面の組織

　この組織の構成は事業所の長，各部局の長，放射線取扱主任者などからなる。また，ここでは事業所でのRIなどの使用，管理，障害防止計画など，放射線に係る重要事項について審議する。具体的には以下のような事項について調査・検討し，放射線安全の基本施策の計画を立案する。
　①放射線施設の新・増設，変更，廃止
　②放射線施設の安全管理状況
　③RIなどの使用・管理状況
　④放射線業務従事者などの作業管理状況
　⑤教育訓練に関すること

6.1.2 放射線管理実務面の組織

　管理実務を担当する組織は，放射線施設の規模，作業内容によりおのずと異なる。本来，他の部局には属さない第三者的立場の独立した組織でなければならない。組織の構成は放射線取扱主任者，保健物理学者，管理技術者，現場担当者等からなるが，配置する要員の数は事業所の規模が大いに関係する。医療機関など小規模と思われる事業所での管理機構は責任分担方式が多く，この場合の組織は小人数であり放射線業務従事者自身が放射線管理の直接責任を負わされる形となる。管理実務者（放射線取扱主任者）は放射線管理の統括，業務従事者への助言，技術指導・提供などを行うが，放射線業務従事者に対する教育訓練は十分行う必要がある。

6.2 個人の放射線管理

放射線管理は，個人管理と環境管理に分けられる。また，個人の安全管理は医学的健康管理と物理的被ばく管理とからなる。

医学的健康管理：血液，皮膚，眼などの検査・検診を含む健康診断の実施。医学的監視を行うことで個人の健康状態をチェックする。

物理的被ばく管理：外部被ばくでは放射線測定器を用いて個人の被ばく線量を物理的に測定，被ばく線量レベルを把握し必要に応じて注意を喚起する。内部被ばくでは体内摂取したRIの種類，量を推定し被ばく線量を把握する。

医学的健康管理における血液検査で，一般に変化が認められるのは全身被ばくで250 mSv以上といわれており通常の放射線作業で受ける程度の被ばく，あるいは線量当量限度レベルの被ばくでは血液に変化が現れないので，被ばくによる影響を調べるのにはあまり意味がない。しかし，だからといって健康診断が無意味であるということにはならない。事故，その他で異常被ばくがないとも限らないので医学的監視による放射線障害の早期発見，また一般の健康状態を把握するという点で健康診断を行う意義がある。

6.2.1 医学的健康管理

1) 健康診断の項目

法令の定めによる健康診断の方法は問診および検査または検診とし，問診は医師が口頭で受診者にたずねるもので，①被ばく歴の有無，②被ばく歴を有する者については作業の場所，内容，期間，線量当量，放射線障害の有無，その他放射線による被ばくの状況などについて行う。

検査または検診は，①血液の検査（末梢血液中の赤血球数，白血球数，血色素量またはヘマトクリット値，白血球百分率）と②皮膚および③白内障に関する眼（水晶体）の検診である。

2) 実施時期による健康診断の分類

○就業前健康診断：管理区域に立ち入る者に対し雇入れまたは放射線業務に配置替えの際に受診させる。

○定期健康診断：管理区域に立ち入った後は定期的に受診する。受診の頻度は法令で定められている（障害防止法：1年を超えない期間ごとに行う。電離則：6月以内ごとに1回，皮膚・眼（水晶体）についても6月ごとに1回行う。ただし，血液の検査・皮膚・眼について医師が必要でないと認めれば省略できる）。

○事故時健康診断：事故あるいは緊急作業で以下に示す事態が発生した場合は遅滞なく受診する。
① RIを誤って吸入または経口摂取したとき。
② RIにより表面密度限度を超えて皮膚汚染され，その汚染が容易に除去できないとき。
③ RIにより皮膚創傷面を汚染し，または汚染の恐れがあるとき。
④ 実効線量限度または等価線量限度を超えて被ばくし，または被ばくした恐れがあるとき。

第6章　放射線管理の実際　67

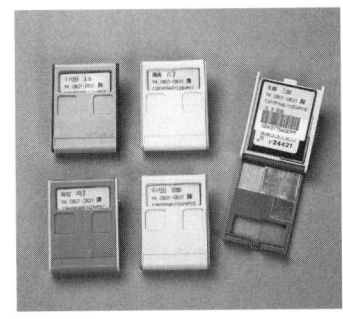

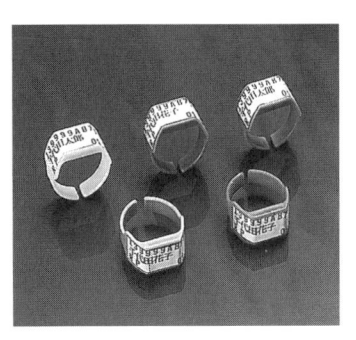

フィルムバッジ　　　　　　直読式ポケット線量計　　　　　　TLD

OSL 線量計

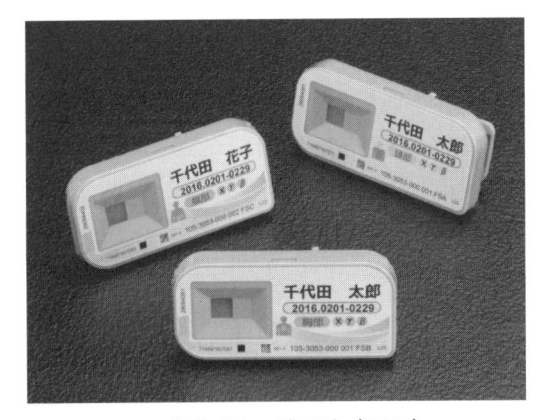

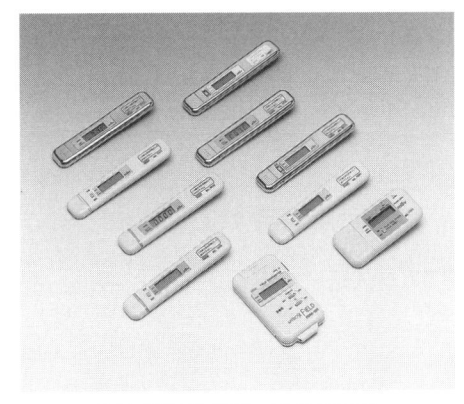

蛍光ガラス線量計（FGD）　　　個人警報線量計・電子線量計

図6.1　個人モニタ用測定器具類

6.2.2　物理的被ばく管理

1）外部被ばくモニタリング

　体外放射線による個人被ばく線量を測定する場合，使用される個人モニタとして次のような測定器具が挙げられる（図6.1）。

表 6.1 個人被ばく線量モニタの種類

モニタ名	検出器部	測定方式	線量測定範囲	備考
蛍光ガラス線量計	蛍光ガラス素子（銀活性リン酸塩ガラス）	励起紫外線による蛍光量測定（オレンジ色の蛍光）	0.1 mSv～10 Sv（γ(X)線, β線） 0.01 mSv～10 Sv（γ(X)線のみ）	繰り返し測定可能。フェーディングが小さい。
OSL線量計	酸化アルミニウム	光刺激ルミネセンスによる蛍光量測定	0.1 mSv～10 Sv（γ(X)線, β線） 0.01 mSv～10 Sv（γ(X)線のみ）	繰り返し測定可能。フェーディングが小さい。
熱ルミネセンス線量計	TLD素子	加熱による蛍光量測定	100μSv～10^3 Sv (LiF) 1μSv～10^2 Sv (CaSO$_4$)	アニーリングにより再使用できる。フェーディングがある。
個人警報線量計（アラームメータ）	電離箱 GM計数管 半導体	電離電流の測定 パルス測定に基づく 〃	0～200 Sv 0～3 mSv 0～10 mSv 10～1 Sv	あらかじめ設定した線量（または線量率）値に達すると警報を発する。
固体飛跡検出器	絶縁性固体	重荷電粒子の固体中の損傷をエッチング	熱中性子から10 MeV速中性子	可視的記録が可能。エネルギー依存性・フェーディングがフィルムに比べ小さい。
フィルムバッジ	バッジフィルム	現像フィルムの濃度計による測定	0.1～100 mSv	着用後結果を得るまでに時間がかかる。
直読式ポケット線量計	電離箱 半導体	充電器使用，内蔵電位計による放電量測定 p-n接合半導体によるパルス測定に基づく	0～1 mSv ～5 mSv ～5 mSv	着用中，随時直読できる。

①蛍光ガラス線量計（FGD）
② OSL線量計
③熱ルミネッセンス線量計（TLD）
④個人警報線量計（アラームメータ）・電子線量計
⑤個体飛跡検出器
⑥フィルムバッジ
⑦直読式ポケット線量計など

　個人モニタの着用部位は原則として胸部（妊娠可能女子の場合は腹部），不均等被ばくでそれ以外の部位（躯幹部分）が最大線量となる恐れのあるときは胸部の他，最大となる恐れのある部位についても装着する。また，線量が最大となる恐れのある部位が躯幹部以外の末梢部（手指など）のときは，その部位についても装着する（法令参照）。透過力の弱い放射線あるいは測定器具による測定が難しいときは，作業環境モニタリングによるデータなどから計算によって求めるしかない。また，個人の外部被ばく線量に用いられている各個人線量計の特徴を表 6.1 に掲げる。

表 6.2　全身計測法とバイオアッセイ法の比較

	全身計測法	バイオアッセイ法
長所	1. 体外から体内RIを直接測定できる。 2. 体内RIの沈着部位をある程度把握できる。 3. 的確な校正により体内RI量の正確な評価が可能である。	1. 排泄物等を測定して体内RIを間接的に推定できる。 2. α, β, γ線等放出するすべての核種に適用できる。 3. 通常の実験設備で測定でき，設備・経費が少なくて済む。
短所	1. 測定対象が主にX, γ線放出核種であること。β線核種は不利である。 2. 測定装置を設備するのに費用がかかる。 3. 被検者は測定装置設置場所まで移動して測定しなければならない。	1. 測定試料の採集・調製が煩雑である。 2. 体内RIの沈着部位を知ることが難しい。 3. RIの体内での代謝知識を必要とし，体内RI量の正確な評価は難しい。

2）内部被ばくモニタリング

非密封RIの体内摂取による体内被ばくに対する個人モニタリングには次の2つの方法がある。

①全身計測法（Whole body counter または Human counter を使用して体外から測定する直接的測定）

②バイオアッセイ法（糞，尿，呼気等人体からの排泄物中に含まれるRIを測定，体内放射能を推定する間接的測定）

内部被ばくによる線量は上記の2つの方法を用いても正確に評価することは難しい。それぞれに長所，短所があるが表6.2に両法を比較しておく。

6.3　環境の放射線管理

環境の放射線管理は，放射線取扱施設内の作業環境および施設周辺の一般環境について放射線量（率）および汚染の状況の測定が行われる。作業環境内では原則として放射線業務従事者が対象となるが，一般環境の場合は施設周辺に住む一般公衆の安全確保が重要となる。しかし，公衆の構成員に対する個人管理は行われないので，事業所境界および事業所内居住区域における放射線量，および外部に放出する排気・排水中のRI濃度レベルの定期的（あるいは連続した）測定により安全を確認するしかない。

6.3.1 管理区域の設定

作業環境内で放射線作業を継続して行っていると線量限度の1/10を超えて被ばくする恐れがあるため，その場所を管理区域として立ち入りを制限し適切な管理を実施するようICRPからの勧告が出されている。わが国の法令では管理区域を次のとおり定めている。

① 外部放射線に係る実効線量が3月間につき1.3 mSvを超える恐れのある場所。
② 空気中のRI濃度は3月間についての平均濃度が別表濃度限度の1/10を超える恐れのある場所。
③ RIによって汚染される物の表面のRIの密度が別表表面密度限度の1/10を超える恐れのある場所。

以上のいずれかに該当する場所が管理区域となる。実際には建物・画壁・扉の外側など明確な仕切を定め，より安全側になるよう管理区域を設定するのが一般的である。この場合，体外被ばくが主となる照射管理区域と，体内被ばくが主となる汚染管理区域とに分けられれば管理しやすい。

6.3.2 作業環境管理

管理区域内でのモニタリングは，そこでの放射線作業の内容により空間線量率，空気中RI濃度，表面RI汚染密度の測定がある。また，管理区域の出入口付近では作業従事者，持出物品（器具，器材など）の表面汚染検査を実施し，表面密度が表面密度限度（α線を放出するRI：4 Bq/cm²，α線を放出しないRI：40 Bq/cm²）の1/10以下であることを確認して管理区域外に出る（または持ち出す）ことができる。作業環境内からの排気は，排気設備（排気管，排気浄化装置，排風機など）を経て排気口より大気中に，排水は排水設備（排水管，貯留槽，希釈槽など）を経て排水口より下水道に，それぞれモニタリングの後放出される。保管廃棄設備で保管する放射性廃棄物を管理区域外に搬出する場合は線量率，表面汚染密度をチェックし，一定限度内であることを確認する。

作業環境モニタリングの場合，X（γ）線の空間線量当量率（H_{1cm}率）の測定に，携帯用では，

① 電離箱式サーベイメータ
② GM計数管式サーベイメータ
③ シンチレーション式サーベイメータ
④ 半導体式サーベイメータ
⑤ 可搬形エリアモニタ

などが，そして中性子線量当量率（H_{1cm}率）の測定には，

⑥ 中性子線用サーベイメータ（レムカウンタ）

が使用される（図6.2）。また，据置形ではX（γ）線用エリアモニタの他，中性子線用エリアモニタがある。空気中RI濃度の測定にはダストモニタ，ガスモニタが使用されるが，これにも可搬式（移動式）と据置形の2種がある。ダストモニタは濾紙式が一般的で，移動濾紙式と固定濾紙式とがあり，またガスモニタは通気形が一般的で，X（γ）線用と，β線用に分けられる。検出器は電離箱あるいはシンチレータが使われている。

表面汚染の測定には前述②，③のサーベイメータ（作業台上面，床面，壁面など），フロアモニ

表 6.3 各放射線と主な対応測定器

対象放射線	測定対象	検出器
α線	放射能	ガスフロー型計数管（GM，比例） シンチレーション検出器（ZnS(Ag)，CsI(Tl)，液体 など） 固体飛跡検出器
α線	エネルギー	表面障壁型Si半導体検出器 グリッド電離箱 ガスフロー型比例計数管 液体シンチレーション検出器
β線	放射能	端窓型GM計数管 ガスフロー型計数管（GM，比例） シンチレーション検出器（液体，プラスチック，アントラセン，スチルベン）
β線	エネルギー	シンチレーション検出器（液体，プラスチック，アントラセン，スチルベン） Si(Li)半導体検出器 ガスフロー型比例計数管
γ線	放射能	シンチレーション検出器（NaI(Tl)，BGO など） ウェル型電離箱（キュリーメータ） 半導体検出器（高純度Ge，Ge(Li)，CdTe など）
γ線	エネルギー	シンチレーション検出器（NaI(Tl)，BGO，CsI(Tl) など） 半導体検出器（高純度Ge，Ge(Li)，CdTe など）
n線	中性子線測定	BF_3 比例計数管 ホウ素被膜比例計数管 ^3He 比例計数管 ロングカウンタ ガス入り反跳比例計数管 対電離箱 LiI(Eu) シンチレーション検出器 ホニャックボタン アルベド型検出器 金箔検出器 核分裂電離箱
X線，γ線	照射線量測定	自由空気電離箱（絶対測定可） 空洞電離箱（指頭型，平行平板型） 熱ルミネセンス線量計（TLD）（電離箱線量計との校正必要） OSL線量計
X線，γ線	吸収線量測定	空洞電離箱（ファーマ型，平行平板型） 外挿電離箱 化学線量計（フリッケ，セリウム：絶対測定可） 熱量計（カロリーメータ：絶対測定可） 熱ルミネセンス線量計（TLD） 蛍光ガラス線量計 OSL線量計

タ（床面），ハンドフットクロスモニタ（身体表面，衣服など）が使用される。

なお，排水中RI濃度の測定には水モニタ（浸漬方式と採水方式）が使用される（表6.3）。

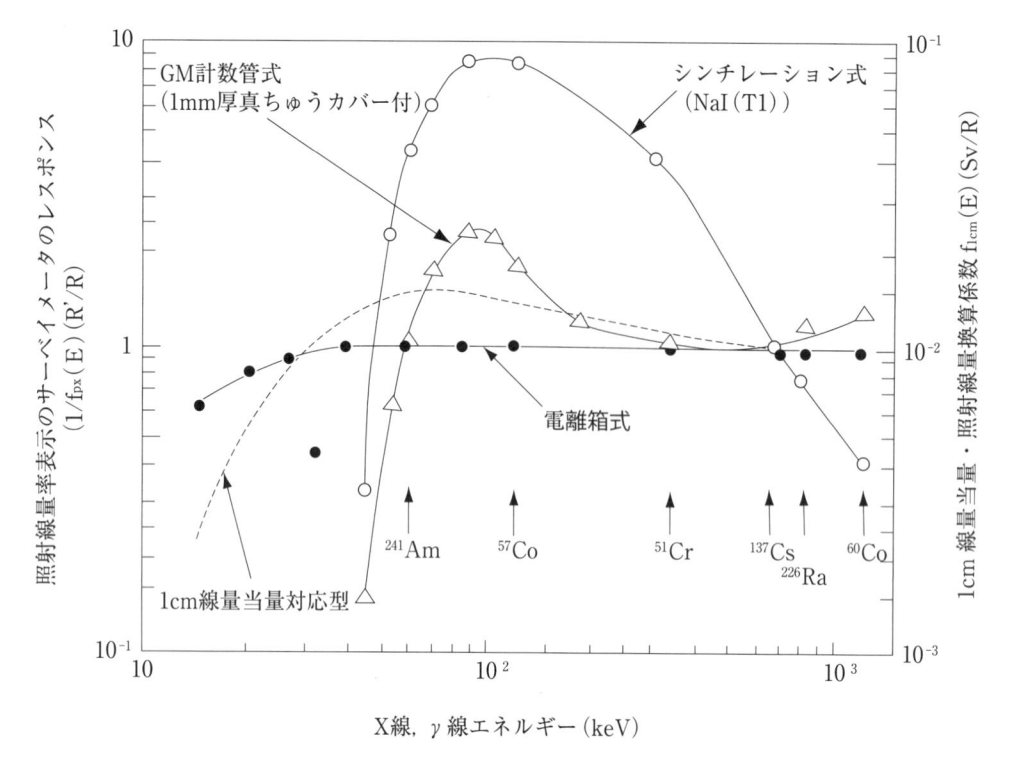

図6.2 サーベイメータのエネルギー特性
(原子力安全研究協会:緊急被ばく医療「地域フォーラム」テキスト-詳細版〈平成20年度版〉第5章 http://www.remnet.jp/lecture/forum/sh05.htm Ⅰ)

6.3.3 一般環境管理

　一般環境では公衆が対象であり,作業環境内での放射線(能)レベルに比べその限度は1/10と低く抑えられている。作業環境内での放射線管理が十分に行われていれば一般環境のモニタリングはほとんど不要とも考えられるが,一般環境は公衆の生活環境でもあり,そこでの健全な生活を維持していくためにも一般環境のモニタリングは必要である。一般環境のモニタリングは,放射線量レベルと放射能レベルの各測定であり作業環境のモニタリングと本質的に変わりはない。ただ,通常はそれらの測定レベルが低いというだけに過ぎない。空間線量当量率(H_{1cm}率)の測定は,事業所の境界,事業所内の居住区域ときには監視区域(管理区域の外側)を含めて行われる。排気・排水中の測定は前節(6.3.2)で述べたとおり,排気口から大気中に放出する前の空気中RI濃度および排水口から下水道へ放流する前の水中RI濃度を各モニタにより,その都度(あるいは連続して)測定する。

　原子力事業などの大規模放射線施設では,自然バックグラウンドレベルを含む放射線モニタリングとしてモニタリングポストを設置し連続監視を行っている。

6.4 異常時の対策・措置

　地震，火災，その他の災害による異常事態あるいは放射線の事故などが発生し放射線障害の起こる恐れがあるときは迅速に対策を講じ，措置しなければならない。放射線管理が十分行われていれば事故などを起こすこともなく安全に作業できるはずであるが，現実には予期せぬ事態が起こり得るので事故を100%未然に防ぐことは難しい。事故の発生をできるだけ避け，また発生した場合にはその被害を最少に抑える対策を講じておく必要がある。

6.4.1　放射線事故の分類
1) 事故の規模による分類
　　①事業所内事故（影響が室内あるいは構内に限定されるもの）
　　②事業所外事故（影響が事業所の境界を超え一般公衆にまで及ぶもの）
2) 事故の特質による分類
　　①体外被ばく事故（知らずに強い放射線源に近づいたり，誤って放射線束内に入るなど，放射線による過大被ばくを受ける場合）
　　②体内被ばく事故（放射性物質の漏れ，こぼれ，あるいは火災，爆発などによる作業環境内の表面，空気，および人を汚染させることによりRIを体内に取り込む場合）
　　③環境汚染事故（RIの輸送中の事故，あるいは地震，火災，爆発，機械的衝撃等により一般環境にRIが放出される場合）

6.4.2　放射線事故の発生原因
　①人間側の要因（身体的・精神的によるもの）と②環境側の要因（物的原因および組織・機構上の欠陥によるもの）に分けられる。
　①では身体的欠陥・能力低下の持ち主，あるいは事故を起こしやすい性格の持ち主などが該当する。これらの人は放射線作業に対する適合性に欠けるので，あらかじめ見極めて措置する必要がある。
　②では機器・装置の設計あるいは製造工程の段階でのミス，技術的水準不足などが，また組織・機構上では教育訓練の不足，取扱い手順・方法の欠陥，整理・整頓，準備不足などが該当する。

6.4.3　事故防止対策
　平素から事故発生の防止に努め，万が一異常事態が発生してもそれによる影響を最小限に抑えるよう対策を立てておかなければならない。事故の種類により，その影響の起こる程度に差があるのでそれぞれの事故を想定して対策を講ずる必要がある。
1) 紛失・盗難事故
　使用，保管，廃棄などRIの取扱いについて定めたルールの厳守。特に，使用後の保管・数量確

認の徹底。また，貯蔵庫，貯蔵室の施錠と鍵の管理を厳格に行う。

2) 被ばく事故

放射線発生装置，放射線照射装置などによる作業では，まず装置の維持（自主点検・検査の実施），安全作業のマニュアル整備，また定められた作業手順を習熟することである。

3) 汚染事故

非密封 RI を取扱う場合は，まずその核種の放出放射線，半減期，物理化学的性質，人体への毒性などに関する知識と理解が必要である。その上で作業前に実験計画の検討・安全性の確認，作業中は汚染拡大防止のための設備（フード，グローブボックスなど），身体汚染・体内摂取防止のための用具（防護衣，ポリ手袋，マスク，ポリエチレンろ紙・シート，トレイなど）の使用，また作業中に出る廃棄物の処理も考慮する。作業後は使用した装置・実験台・流しの表面，その近辺の床面等の汚染検査の実施，また退出時の身体汚染のチェックも行う。汚染が発見された場合は早期除染が必要である。

4) 火災・爆発事故

火災あるいは爆発が起こった場合は，RI が飛散し二次的に被ばく・汚染などの事故を引き起こす。そのため，平時の火災予防訓練により施設の火災防止，障害発生の防止に努めることである。それには近くの消防署への連絡・協力が欠かせない。

5) 地震

地震の規模にもよるが建物・設備の破壊，装置・器具類の転倒，また停電・断水・ガス漏れ・引火などが起こり，火災・爆発などの二次災害をまねく恐れがあり，地震に対して特別な配慮が必要となる。すなわち，老朽化した放射線施設の改修・整備，装置・器具類の転倒防止，化学薬品の落下防止，そして停電・断水の対策である。その他，防災計画の作成，防災訓練の実施なども必要である。

6.4.4　異常時の措置

異常事態が発生した，あるいは発生する恐れのあるとき，取るべき応急措置は以下の4原則が挙げられる。

①安全保持（人命・身体の安全を第一とする）
②通報（付近にいる人，放射線管理担当者・責任者，上司，その他関係者に連絡する）
③影響の拡大防止（汚染の広がりを最少限とし過度の被ばく・吸入摂取を避ける）
④過大評価（事故の危険性を過小に評価しない）

第7章　関係法規の概要

　診療放射線技師として理解しておく必要がある法令は限られており，その主なものを以下に掲げる。

①診療放射線技師法，同施行令，同施行規則
②医療法施行規則
③電離放射線障害防止規則
④放射性同位元素等による放射線障害の防止に関する法律，同施行令，同施行規則，同告示

　これらのうち，①，②，③は厚生労働省，④は原子力規制委員会の所管である。「法律」という語は狭義では立法機関である国会が制定する成文法を指すが，一般には政令，省（府）令，告示など，政府・行政機関が制定する命令を含めた広い意味で使用することが多い。ここでは法律・命令を一括して法令（又は法規）と呼ぶ。「政令」は法律の委任を受けた事項について，内閣が制定する法律施行令，「省（府）令」は法律及び政令の委任を受けた事項，並びにそれらの委任に必要な事項について，各省（府）が制定する法律施行規則，そして「告示」は各省庁が政令，省（府）令に基づき，数量・基準・細目等を定めたものである。従って，一つの条項を理解する場合，法律，同施行令，同施行規則，告示などに，順次目を通す必要がある。また，法律，同施行令，同施行規則などの構成は，通例，目次，本文（章・条・項・号），附則，の順で成文化されている。さらに，法令の公布番号は毎年1月から12月までに制定される法律，政令，各省（府）令，各省（府）告示ごとに，その年の通し番号で付けられている。したがって，一部改正の場合でも，改正分にその年の通し番号が付く。また，改正等による施行期日，経過措置などは附則に定められている。

7.1 診療放射線技師法（昭和26年6月11日法律第226号）

　平成13年12月12日法律第153号による改正の後，現時点での最終改正は平成26年6月25日法律第83号による。第1章総則から第5章罰則まで37条にわたるが，主な項目について，以下にその概要を掲げる。

第1章　総則（第1条，第2条）
《この法律の目的（第1条）》
1. この法律は，診療放射線技師の資格を定めるとともに，その業務が適正に運用されるように規律し，もって医療及び公衆衛生の普及び向上に寄与することを目的とする。

《定義（第2条）》
1. 放射線とは「電磁波又は粒子線で，(1) α線及びβ線，(2) γ線，(3) 1 MeV以上のエネルギーを有する電子線，(4) X線，(5) その他政令で定める電磁波又は粒子線として，①陽子線及び重イオン線，②中性子線（最終改正平成27年政令第138号）」がある。放射線の定義に関しては電離則（第2条第1項）および原子力基本法（政令第4条）にもあるが，それぞれ分類・表現で若干の違いが見られる。
2. 診療放射線技師とは「厚生労働大臣の免許を受け，医師又は歯科医師の指示の下に，放射線を人体に対して照射することを業とする者」となっているが，この場合の照射は「撮影を含むが，照射機器又はRIを人体内に挿入して行うものは除く」とされているので，注意されたい。

第2章　免許（第3条～第16条）
《免許・欠格事由（第3条，第4条）》
　診療放射線技師試験に合格し，厚生労働大臣から免許を受けるが（第3条），次に掲げる者には免許を与えないことがある（第4条）。
1. 心身の障害により診療放射線技師の業務（第24条の2に規定する画像診断装置を用いた検査業務を含む。同条及び第26条第2項を除き，以下同じ。）を適正に行うことができない者（同施行規則第1条によれば，視覚，聴覚，音声機能若しくは言語機能又は精神の機能の障害により診療放射線技師の業務を適正に行うに当たって必要な認知，判断及び意思疎通を適切に行うことができない者となっている。）。
2. 診療放射線技師の業務に関して犯罪又は不正の行為があった者。

《技師籍への登録（第5条～第7条）》
　免許は試験合格者の申請により（第5条），欠格事由に該当する者に対する意見の聴取（第6条），免許に関する事項を厚生労働省の診療放射線技師籍に登録することにより行う（第7条）。

《免許証関係（第8条～第11条）》
1. 免許証の交付：厚生労働大臣から（第8条第1項）．

2. 免許証の再交付：紛失又は破損の場合は申請により（第8条第2項）．
3. 再交付後に紛失免許証が見つかったとき：旧免許証発見後，10日以内に返納（第8条第3項）．
4. 免許の取消し又は業務の停止：いずれかの欠格事由（第4条）が生じたとき，厚生労働大臣はその免許を取消し，又は期間を定めてその業務の停止を命ぜられる（第9条第1項）．
5. 取消処分を受けた者：取消し理由となった事項に該当しなくなったとき，その他その後の事情により再免許を与えるのが適当と認められるときは再免許が与えられる（第9条第3項）．
6. 聴聞等の方法の特例：省略（第10条）
7. 免許証の返納：免許が取消された場合，10日以内に厚生労働大臣に返納（第11条）．

《（第12条〜第15条）》：削除

《政令への委任（第16条）》

　免許の申請，免許証の交付，書換え交付，再交付及び返納並びに技師籍の登録，訂正及び削除に関して必要な事項は政令（最終改正平成27年3月31日政令第138号）で定める．

第3章　試験（第17条〜第23条）

《試験の目的・実施（第17条，第18条）》

　診療放射線技師として必要な知識及び技能について行う（第17条）．

　試験は厚生労働大臣が行う（第18条）．

《試験委員（第19条）》

1. 厚生労働省に診療放射線技師試験委員（以下「試験委員」という．）を置く．
2. 試験委員は厚生労働大臣が任命する．
3. 試験委員に関し必要な事項は政令（第6条）で定める．委員の数は24人以内，任期は2年（ただし，補欠委員の任期は前任者の残任期間），委員は非常勤とする．

《受験資格（第20条）》

次の各号の何れかに該当しなければ試験を受けることができない．
1. 文部科学大臣指定の学校又は厚生労働大臣指定の診療放射線技師養成所で3年以上診療放射線技師として必要な知識・技能の修習を終えたもの．
2. 外国の診療放射線技術に関する学校若しくは養成所を卒業，又は外国で第3条の規定による免許に相当する免許を受けた者で，厚生労働大臣が前号に掲げる者と同等以上の学力・技能を有する者と認めたもの．

《不正行為の禁止（第21条）》

1. 試験委員その他試験に関する事務をつかさどる者は，その事務の施行に当たり厳正を保持し，不正行為がないようにしなければならない．
2. 試験に関し不正行為があった場合は，その不正行為の関係者にその受験を停止させ，又はその試験を無効にできる．この場合，なお，その者に期間を定めて受験を認めないことができる．

《試験手数料（第22条）》

　試験を受ける者は，厚生労働省令（第12条）の定めにより，試験手数料（現時点で11,400円）

を納める。

《政令及び厚生労働省令への委任（第23条）》

　この章に規定するものの他，第20条第1号の学校又は養成所の指定に関し必要な事項は政令（第7条・第8条）で，試験科目・受験手続その他試験に関し必要な事項は厚生労働省令（第10条・第11条）で定める。

第4章　業務等（第24条～第30条）

《禁止行為（第24条）》

　医師，歯科医師又は診療放射線技師でなければ，第2条第2項に規定する業をしてはならない。

《画像診断装置を用いた検査の業務（第24条の2）》

1. 診療放射線技師は第2条第2項の規定に関わらず診療の補助として，医師又は歯科医師の指示の下に，政令第17条で定める下記の画像診断装置を用いた検査業務が行える。
    (1) 磁気共鳴画像診断装置（MRI）
    (2) 超音波診断装置（US）
    (3) 眼底写真撮影装置（散瞳薬被投与者の眼底撮影用のものを除く。）
    (4) 核医学診断装置
2. 検査に関連する行為として，医師又は歯科医師の指示の下に，厚生労働省令第15条の2で定める下記の行為が行える。
    (1) 静脈路に造影剤注入装置を接続する行為（静脈路確保のためのものを除く。），造影剤を投与するために当該造影剤注入装置を操作する行為並びに当該造影剤の投与が終了した後に抜針及び止血を行う行為
    (2) 下部消化管検査のために肛門にカテーテルを挿入する行為並びに当該カテーテルから造影剤及び空気を注入する行為
    (3) 画像誘導放射線治療のために肛門にカテーテルを挿入する行為及び当該カテーテルから空気を吸引する行為

《名称の禁止（第25条）》

　診療放射線技師でなければ，診療放射線技師という名称又はこれに紛らわしい名称を用いてはならない。

《業務上の制限（第26条）》

1. 放射線の人体への照射は医師又は歯科医師の具体的指示を受けなければならない。
2. 病院又は診療所以外の場所で人体への照射業務をしてはならない。ただし，以下の場合はこの限りではい。
    (1) 医師又は歯科医師が診察した患者について，その医師又は歯科医師の指示を受け，出張して1 MeV未満のX線を照射する場合。
    (2) 多数の者の健康診断を一時に行う場合において，胸部X線検査（CT装置を用いた検査を除く。）その他の厚生労働省令で定める検査のため1 MeV未満のX線を照射するとき。

なお，この場合の医師又は歯科医師の立会いなく診療放射線技師が胸部X線検査を実施することが可能である。
　(3) 前号の場合を除き，多数の者の健康診断を一時に行う場合において，医師又は歯科医師の立会いの下に1MeV未満のX線を照射するとき。

《他の医療関係者との連携（第27条）》
　医師・その他医療関係者との緊密な連携を図り，適正医療の確保に努める。

《照射録（第28条）》
　放射線を人体に照射したときは遅滞なく厚生労働省令で定める照射録を作成する（同施行規則第16条）。
　　照射録の内容：(1) 照射を受けた者の氏名，性別及び年齢
　　　　　　　　(2) 照射の年月日
　　　　　　　　(3) 照射の方法（具体的且つ精細に記載）
　　　　　　　　(4) 指示を受けた医師又は歯科医師の氏名，その指示の内容
　作成した照射録は照射を指示した医師又は歯科医師の署名を受ける。

《守秘義務（第29条）》
　正当な理由がなく，その業務上知り得た人の秘密を漏らしてはならない。診療放射線技師を辞めた後においても同様である。

《権限の委任・経過措置（第29条の2・第30条）》
　1. この法律に規定する厚生労働大臣の権限は，厚生労働省令の定めで地方厚生局長に委任できる。
　2. 前項の規定で地方厚生局長に委任された権限は，厚生労働省令により地方厚生局長に委任できる。
　3. この法律の規定に基づき命令を制定し，所定の経過措置を定められる（第30条）。

第5章　罰則（第31条〜第37条）
　1. 次の各号のいずれかの該当者は1年以下の懲役若しくは50万円以下の罰金又はこれらの併科（第31条）。
　　(1) 欠格事由の規定違反者
　　(2) 虚偽又は不正の事実に基づく免許取得者
　2. 試験に関する不正行為者は1年以下の懲役又は50万円の罰金（第32条）
　3. その他業務停止を命ぜられた者等6月以下の懲役若しくは30万円以下の罰金又はこれらの併科（第33条）
　4. 業務上の制限規定違反者は6月以下の懲役若しくは30万円以下の罰金又はこれらの併科（第34条）
　5. 守秘義務違反者は50万円以下の罰金（第35条）
　6. 名称禁止の違反者は30万円以下の罰金（第36条）

7. 次の各号のいづれかの該当者は20万円以下の過料（第37条）
    (1) 免許証の返納違反者
    (2) 照射録の規定違反者

7.1.1　同施行令（昭和28年12月8日政令第385号）

　現時点での最終改正は平成27年3月31日政令第138号による。この施行令では免許の申請，登録事項・その変更・消除，免許証の交付・再交付の申請等必要な事項，画像診断装置並びに学校・養成所の指定等について定めている。

《電磁波又は粒子線（第1条）》
　診療放射線技師法第2条第1項第5号の政令で定める電磁波又は粒子線は，次の通り。
    (1) 陽子線及び重イオン線
    (2) 中性子線

《免許の申請（第1条の2）》
　免許申請書（省令第1条の3第1号書式）と添付書類を住所地の都道府県知事を経由，厚生労働大臣に提出する。

添付書類：
    (1) 戸籍謄本又は戸籍抄本
    (2) 視覚，聴覚，音声機能，言語機能若しくは精神機能の障害に関する医師の診断書

《技師籍への登録事項（第1条の3）》
　診療放射線技師籍には，次に掲げる事項を登録する。
    (1) 登録番号及び登録年月日
    (2) 本籍地都道府県名，氏名，生年月日，性別
    (3) 診療放射線技師試験合格の年月
    (4) 免許取消し又は業務停止の処分に関する事項
    (5) 以上の他，厚生労働大臣が定める事項（同法施行規則第2条：再免許，書換え交付・再交付，登録消除等の場合，その旨並びにその理由等を記述）

《登録事項の変更（第1条の4）》
　上記に変更を生じたときは，30日以内に技師籍訂正の申請を行う。申請書（同施行規則第3条第1号書式の2）と添付書類を住所地の都道府県知事を経由，厚生労働大臣に提出する。

《登録の消除（第2条）》
　申請書（前記）に免許証を添え，同様に厚生労働大臣に提出する。死亡し又は失踪宣告を受けた場合は，その届出義務者が30日以内に，技師籍の登録消除を申請すること。

《免許証書換え交付・再交付の申請・省令への委任（第3条〜第5条）》
　免許証の記載事項に変更を生じたとき，書換え交付を申請できる（第3条）。申請手続きは登録の消除に同じである。再交付の申請も同じであるが，免許証を破損した場合はその破損免許証を添える（第4条）。その他申請書及び免許証の様式等診療放射線技師の免許に関して必要な事項は厚

生労働省令で定める（第5条）。

《試験委員（第6条）》
 1. 診療放射線技師試験委員の数は24人以内とする。
 2. 試験委員の任期は2年とする。ただし，補欠の委員の任期は前任者の残任期間とする。
 3. 委員は非常勤とする。

《学校又は養成所の指定等（第7条～第16条）》：省略

《画像診断装置（第17条）》
　法第24条の2の政令で定める装置は次に掲げる装置とする。
 (1) 磁気共鳴画像診断装置
 (2) 超音波診断装置
 (3) 眼底写真撮影装置（散瞳薬を投与した者の眼底を撮影するためのものを除く。）
 (4) 核医学診断装置

《事務の区分・権限の委任（第18条・第19条）》：省略

7.1.2　同施行規則（昭和26年8月9日厚生省令第33号）

　現時点での最終改正は平成27年2月12日省令第18号による。この施行規則（第1条～第17条）では施行令に定める申請の手続き，書式の他，技師試験の公告（官報），科目（14科目），手続き（受験願書等），試験手数料（平成29年3月31日現在11,400円），合格証書の交付，手数料の納入法（その金額に相当する収入印紙を当該書類に添付），照射録への記載事項，証票等を定めている。

第1章　免許　（第1条～第8条）

《法第4条第1号の厚生労働省令で定める者（第1条）》
　診療放射線技師法第4条第1号の厚生労働省令で定める者は，視覚・聴覚・音声機能若しくは言語機能又は精神の機能障害により診療放射線技師業務を適正に行うに当たり必要な認知・判断及び意思疎通を適切に行うことができない者とする。

《障害を補う手段等の考慮（第1条の2）》
　厚生労働大臣は，診療放射線技師の免許申請を行った者が前条に規定する者に該当すると認められる場合，当該者に免許を与えるか否かを決定するときは，当該者が現に利用している障害を補う手段又は当該者が現に受けている治療等により障害が補われ，又は障害の程度が軽減している状況を考慮しなければならない。

《免許の申請手続（第1条の3）》
 1. 診療放射線技師法施行令第1条の2の免許の申請書は第1号書式（省略）による。
 2. 同施行令第1条の2の規定により，前項の申請書に添付する書類は次の通り。
　 1) 戸籍謄本又は戸籍抄本
　 2) 視覚・聴覚・音声機能若しくは言語機能又は精神の機能障害に関する医師の診断書

《籍の登録事項（第2条）》

同施行令第1条の3第5号の規定により，同条第1～4号までに掲げる事項以外で技師籍に登録する事項は次の通り。
1. 再免許の場合は，その旨
2. 免許証を書換え交付し又は再交付した場合は，その旨並びにその理由及び年月日
3. 登録の消除をした場合は，その旨並びにその理由及び年月日

《技師籍訂正の申請手続（第3条）》
1. 同施行令第1条の4第2項の技師籍訂正の申請書は第1号書式の2による。
2. 前項の申請書には，戸籍謄本又は抄本を添付すること。

《免許証の諸式（第4条）》

技師法第8条第1項の免許証は，第2号書式による。

《免許証の書換え交付の申請（第4条の2）》

同施行令第3条第2項の免許証書換え交付申請書は，第1号書式の2による。

《免許証再交付の申請（第5条）》
1. 同施行令第4条第1項の免許証再交付申請書は，第2号書式の2による。
2. 同施行令第4条第2項の手数料の額は，3,100円とする。

《登録免許税及び手数料の納付（第6条）》
1. 第1条の3第1項又は第3条第1項の申請書には，登録免許税の領収証書又は登録免許税の額に相当する収入印紙をはること。
2. 前条第1項の申請書には，手数料の額に相当する収入印紙をはること。

《（第7条・第8条）》：削除

第2章　試験　（第9条～第15条）

《試験の公告（第9条）》

診療放射線技師試験を施行する期日及び場所並びに受験願書の提出期限は，あらかじめ官報に公告する。

《試験科目（第10条）》

試験の科目は次の通り。
 1) 基礎医学大要　2) 放射線生物学（放射線衛生学を含む。）　3) 放射線物理学
 4) 放射化学　5) 医用工学　6) 診療画像機器学　7) エックス線撮影技術学
 8) 診療画像検査学　9) 画像工学　10) 医用画像情報学　11) 放射線計測学
 12) 核医学検査技術学　13) 放射線治療技術学　14) 放射線安全管理学

《受験の手続（第11条）》

試験を受けようとする者は，受験願書（第3号書式）に次の書類を添えて，これを厚生労働大臣に提出すること。
1. 技師法第20条第1号に該当する者は，修業証明書又は卒業証明書

2. 技師法第20条第2号に該当する者は，外国の診療放射線技術に関する学校若しくは養成所を卒業，又は外国で診療放射線技師免許に相当する免許を受けたことを証する書面
3. 写真（出願前6ヶ月以内に脱帽して正面から撮影した縦6cm×横4cmのもので，裏面に撮影年月日及び氏名を記載すること。）

《試験手数料（第12条）》

技師法第22条の規定による試験手数料は，11,400円とする。

《合格証書（第13条）》

試験に合格した者には合格証書を交付する。

《合格証明書の交付及び手数料（第14条）》

1. 試験に合格した者は，合格証明書の交付を申請できる。
2. 前項の規定により合格証明書の交付申請をする者は，手数料2,950円を納めること。

《手数料の納付方法（第15条）》

第12条の規定による試験手数料又は前条第2項の規定による手数料を納めるには，その金額に相当する収入印紙を願書又は申請書にはること。

第3章　業務等　（第15条の2?第17条）

《診療の補助行為（第15条の2）》

技師法第24条の2第2号に規定する厚生労働省令で定める行為は，次の通り。

(1) 静脈路に造影剤注入装置を接続する行為（静脈路確保のためのものを除く。），造影剤を投与するために当該造影剤注入装置を操作する行為並びに当該造影剤の投与が終了した後に抜針及び止血を行う行為。
(2) 下部消化管検査のために肛門にカテーテルを挿入する行為並びに当該カテーテルから造影剤及び空気を注入する行為。
(3) 画像誘導放射線治療のために肛門にカテーテルを挿入する行為及び当該カテーテルから空気を吸引する行為。

《照射録（第16条）》

技師法第28条第1項に規定する厚生労働省令で定める事項は，次の通り。

(1) 照射を受けた者の氏名，性別及び年齢
(2) 照射の年月日
(3) 照射の方法（具体的にかつ精細に記載すること）
(4) 指示を受けた医師又は歯科医師の氏名及びその指示の内容

《証票（第17条）》

技師法第28条第3項の規定による証票は第4号書式（省略）による。

7.2　医療法施行規則（昭和23年11月5日厚生省令第50号）

　現時点での最終改正は平成28年6月24日省令第117号による。医療法（昭和23年7月30日法律第205号），同施行令（昭和23年10月27日政令第326号）に基づき制定された規則である。
　　第1章　病院，診療所及び助産所の開設
　　第2章　病院，診療所及び助産所の管理
　　第3章　病院，診療所及び助産所の構造設備
　　第4章　診療用放射線の防護，第4章の2　医療計画
　　第5章　医療法人
　　第6章　雑則
　　附則
からなるが，ここでは特に放射線が関係する第4章について説明する。

7.2.1　第1節　届出（第24条～第29条）

《法第15条第3項の厚生労働省令で定める場合（第24条）》——（法第15条3. 病院又は診療所の管理者は，病院又は診療所に診療の用に供するX線装置その他厚生労働省令で定める場合においては厚生労働省令の定める所により，病院又は診療所所在地の都道府県知事に届出なければならない。）
　医療法第15条第3項の厚生労働省令でに定める場合は，次に掲げる場合とする。
(1) 病院又は診療所に，1 MeV以上のエネルギーを有する電子線又はX線の発生装置（以下「診療用高エネルギー放射線発生装置」という。）を備えようとする場合
(2) 病院又は診療所に，診療の用に供する陽子線又は重イオン線を照射する装置（以下「診療用粒子線照射装置」という。）を備えようとする場合
(3) 病院又は診療所に，放射線を放出する同位元素若しくはその化合物又はこれらの含有物で，放射線を放出する同位元素の数量及び濃度が別表第2に定める数量（以下「下限数量」という。）及び濃度を超えるもの（以下「放射性同位元素」：RIと記す。）で，密封されたものを装備している診療用照射機器であり，その装備するRIの数量が下限数量の1000倍を超えるもの（第6号に定める機器を除く。以下「診療用放射線照射装置」という。）を備えようとする場合
(4) 病院又は診療所に，密封RIを装備している診療用照射機器で，その装備するRIの数量が下限数量の1000倍以下のもの（第6号に定める機器を除く。以下「診療用放射線照射器具」という。）を備えようとする場合
(5) 病院又は診療所に，診療用放射線照射器具で，その装備するRIの物理的半減期が30日以下のものを備えようとする場合
(6) 病院又は診療所に，(4)に規定する診療用放射線照射器具を備えている場合
(7) 病院又は診療所に，密封RIを装備している診療用機器のうち，厚生労働大臣が定めるもの（以

下「RI装備診療機器」という。）を備えようとする場合
(8) 病院又は診療所に，医薬品又は医薬品医療機器等法第2条第17項に規定する治験対象とされる薬物（以下この号において「治験薬」という。）であるRIで密封されていないもの(RIであって陽電子放射断層撮影装置による画像診断（以下「陽電子断層撮影診療」という。）に用いるもの（以下「陽電子断層撮影診療用RI」という。）のうち，医薬品又は治験薬を除く。以下「診療用RI」という。）を備えようとする場合又は陽電子断層撮影診療用RIを備えようとする場合
(9) 病院又は診療所に，診療用RI又は陽電子断層撮影診療用RIを備えている場合
(10) 第24条の2 (2)～(5) に掲げる事項を変更した場合
(11) 第25条 (2)～(5)（診療用粒子線照射装置についても準用する。），第26条 (2)～(4)，第27条1. (2)～(4)，に掲げる事項，(4)の場合で第27条1. (3)，(4) 並びに2. (2) に掲げる事項，第27条の2 (2)～(4) 又は第28条1. (3)～(5) に掲げる事項を変更しようとする場合
(12) 病院又は診療所に，X線装置，診療用高エネルギー放射線発生装置，診療用粒子線照射装置，診療用放射線照射装置，診療用放射線照射器具又はRI装備診療機器を備えなくなった場合
(13) 病院又は診療所に，診療用RI又は陽電子断層撮影診療用RIを備えなくなった場合

以上に関する各届出は，病院又は診療所の管理者がそれぞれに掲げる届出事項を記載した届出書を病院又は診療所の所在地の都道府県知事に提出して行う。

《X線装置の届出（第24条の2）》

定格出力の管電圧（波高値）10 kV以上～1 MeV未満の診療用X線装置を備えたときは，10日以内に届出る。

届出事項：
(1) 病院又は診療所の名称及び所在地
(2) X線装置の製作者名・型式及び台数
(3) X線高電圧発生装置の定格出力
(4) X線装置及びX線診療室のX線障害防止に関する構造設備及び予防措置の概要
(5) X線診療に従事する医師，歯科医師，診療放射線（又は診療X線）技師の氏名及びX線診療に関する経歴

《診療用高エネルギー放射線発生装置の届出（第25条）》

第24条 (1) に該当する場合の診療用1 MeV以上の電子線又はX線発生装置を備えようとするときは，あらかじめ届出る。

届出事項：(1) 病院又は診療所の名称及び所在地
(2) 診療用高エネルギー放射線発生装置の製作者名・型式及び台数
(3) 診療用高エネルギー放射線発生装置の定格出力
(4) 診療用高エネルギー放射線発生装置及び同発生装置使用室の放射線障害防止に関する構造設備及び予防措置の概要

(5) 診療用高エネルギー放射線発生装置使用の医師・歯科医師又は診療放射線技師の氏名・放射線診療に関する経歴
　　　(6) 予定使用開始時期

《診療用粒子線照射装置の届出（第25条の2）》
　前条の規定は，診療用粒子線照射装置について準用する。

《診療用放射線照射装置の届出（第26条）》
　第24条（3）に該当する場合の（下限数量の1000倍を超える）密封RIを装備する診療用放射線照射装置（RI装備診療機器を除く）を備えようとするときは，あらかじめ届出る。
　届出事項：
　(1) 病院又は診療所の名称及び所在地
　(2) 診療用放射線照射装置の製作者名・型式及び個数並びに装備するRIの種類及び数量（Bq単位）
　(3) 診療用放射線照射装置，診療用放射線照射装置使用室，貯蔵施設及び運搬容器並びに診療用放射線照射装置により治療中の患者を収容する病室の放射線障害防止に関する構造設備及び予防措置の概要
　(4) 診療用放射線照射装置使用の医師・歯科医師又は診療放射線技師の氏名及び放射線診療に関する経歴
　(5) 予定使用開始時期

《診療用放射線照射器具の届出（第27条）》
　1. 第24条（4）に該当する場合（下限数量の1000倍以下）の密封RIを装備する診療用放射線照射器具を備えようとするときは，あらかじめ届出る。
　届出事項：
　(1) 病院又は診療所の名称及び所在地
　(2) 診療用放射線照射器具の型式及び個数並びに装備するRIの種類及び数量（Bq単位）
　(3) 診療用放射線照射器具使用室・貯蔵施設及び運搬容器並びに治療病室（診療用放射線照射器具で治療中の患者収容用）の放射線障害防止に関する構造設備及び予防措置の概要
　(4) 診療用放射線照射器具使用の医師・歯科医師又は診療放射線技師の氏名及び放射線診療に関する経歴
　(5) 予定使用開始時期

　2. なお，装備するRIの物理的半減期が30日以下の照射器具を備えようとするときは，届出事項：上記（1），（3），（4）の他，
　(1) その年に使用予定の診療用放射線照射器具の型式及び個数並びに装備するRIの種類及び数量（Bq単位）
　(2) RIの種類毎の最大貯蔵予定数量及び1日最大使用予定数量（Bq単位）

　3. 物理的半減期30日以下のRIの照射器具を備えているときは，毎年12月20日までに翌年使用予定の当該診療用放射線照射器具について，1.(1) 及び2.(1) を届出る。

《放射性同位元素装備診療機器の届出（第27条の2）》

第24条（7）に該当する場合，密封RIを装備する診療機器のうち，厚生労働大臣が定めるもの（骨塩定量分析装置，ガスクロマトグラフ用エレクトロン・キャプチャ・ディテクタ及び輸血用血液照射装置に限る）を備えようとするときは，あらかじめ届出る。

届出事項：
(1) 病院又は診療所の名称及び所在地
(2) RI装備診療機器の製作者名・型式及び台数並びに装備するRIの種類及び数量（Bq単位）
(3) RI装備診療機器使用室の放射線障害防止に関する構造設備及び予防措置の概要
(4) 骨塩定量分析装置を使用する医師・歯科医師又は診療放射線技師の氏名及び放射線診療に関する経歴
(5) 予定使用開始時期

《診療用RI又は陽電子断層撮影診療用RIの届出（第28条）》

1. 第24条（8）に該当する場合の非密封RIを備えようとするときは，あらかじめ届出る。

届出事項：
(1) 病院又は診療所の名称及び所在地
(2) その年に使用予定の診療用RI又は陽電子断層撮影診療用RIの種類・形状及び数量（Bq単位）
(3) 診療用RI又は陽電子断層撮影診療用RIの種類毎の最大貯蔵予定数量・1日最大使用予定数量及び3月間の最大使用予定数量（Bq単位）——陽電子断層撮影診療用RIについては1日最大使用数量が ^{11}C, ^{13}N, ^{15}O で各1TBq以下，^{18}F で5TBq以下であること。（第30条の11 1.（6）で厚生労働大臣の定める数量）
(4) 診療用RI使用室・陽電子断層撮影診療用RI使用室・貯蔵施設・運搬容器及び廃棄施設並びに治療病室（診療用RI又は陽電子断層撮影診療用RIで治療中の患者収容用）の放射線障害防止に関する構造設備及び予防措置の概要
(5) 診療用RI又は陽電子断層撮影診療用RIを使用する医師又は歯科医師の氏名及び放射線診療に関する経歴

2. 診療用RI又は陽電子断層撮影診療用RIを備えているときは，毎年12月20日までに翌年使用予定の診療用RIについて，前項の（1）及び（2）を届出る。

《変更等の届出（第29条）》

1. 第24条（10）又は（12）に該当する場合の届出事項を変更したとき又は備えなくなったときは10日以内に届出る。
2. 第24条（11）に該当する場合（診療用高エネルギー放射線発生装置・診療用粒子線照射装置・診療用放射線照射装置・診療用放射線照射器具・RI装備診療機器・診療用RI・陽電子断層撮影診療用RIのうち）で，届出事項を変更しようとするときは，あらかじめ届出る。
3. 第24条（13）に該当する診療用RI又は陽電子断層撮影診療用RIを備えなくなったときは，10日以内に届出る。また，30日以内に（イ）RIによる汚染を除去する，（ロ）RIによる汚染物を譲渡，又は廃棄措置の概要を届出る。

7.2.2　第2節　X線装置等の防護 （第30条～第30条の3）

《X線装置の防護（第30条）》

　エックス線装置は，以下に示す障害防止の方法を講じたものでなければならない。

1. 共通事項：
  (1) X線管の容器及び照射筒：利用線錐以外のX線量が次に掲げる自由空気中の空気カーマ率（以下「空気カーマ率」という。）になるように遮蔽。
      - イ) 定格管電圧≦50 kVの治療用X線装置：X線装置の接触可能表面から5 cmの距離で1.0 mGy/h以下。
      - ロ) 定格管電圧＞50 kVの治療用X線装置：X線管焦点から1 mの距離で10 mGy/h以下，かつX線装置の接触可能表面から5 cmの距離で300 mGy/h以下。
      - ハ) 定格管電圧≦125 kVの口内法撮影用X線装置：X線管焦点から1 mの距離で0.25 mGy/h以下。
      - ニ) イからハまでのX線装置以外：X線管焦点から1 mの距離で1.0 mGy/h以下。
      - ホ) コンデンサ式X線高電圧装置：充電状態で非照射時接触可能表面から5 cmの距離で20 μGy/h以下。
  (2) X線装置：次に掲げる利用線錐の総濾過となるよう附加濾過板を付する。
      - イ) 定格管電圧≦70 kVの口内法撮影用X線装置：1.5 mmAl当量以上。
      - ロ) 定格管電圧≦50 kVの乳房撮影用X線装置：0.5 mmAl当量以上，又は0.03 mmMo当量以上。
      - ハ) 輸血用血液照射X線装置・治療用X線装置及びイ)・ロ)以外のX線装置：2.5 mmAl当量以上。
2. 透視用X線装置：次に掲げる障害防止の方法を講じたものであること。
  (1) 透視中の患者入射面で利用線錐中心の空気カーマ率：50 mGy/min以下。ただし，操作者が連続した手動操作のみで行い，作動中連続した警告音等を発する高線量率透視制御を備えた装置：125 mGy/min以下。
  (2) 透視時間を積算でき，かつ透視中一定時間が経過した場合に警告音等を発するタイマーを設ける。
  (3) X線管焦点～皮膚間距離が30 cm以上になる装置又は当該皮膚焦点間距離未満での照射防止用インターロックを設ける。ただし，手術中に使用するX線装置のX線管焦点～皮膚間距離については20 cm以上にできる。
  (4) 利用するX線管焦点～受像器間距離で，受像面を超えないようX線照射野を絞る装置を備える。ただし，次に掲げるときは，受像面を超えるX線照射野を許容するものとする。
      - イ) 受像面が円形で，X線照射野が矩形の場合，X線照射野が受像面に外接する大きさを超えないとき。
      - ロ) 照射方向に対し垂直な受像面上で直交する2本の直線を想定した場合，それぞれの

直線における X 線照射野の縁との交点及び受像面の縁との交点の間の距離（交点間距離という。）の和がそれぞれ焦点〜受像器間距離の 3% を超えず，かつ，これらの交点間距離の総和が焦点〜受像器間距離の 4% を超えないとき。

(5) 利用線錐中の蛍光板，イメージインテンシファイア等の受像器を通過した X 線の空気カーマ率：それ等受像器の接触可能表面から 10 cm の距離で 150 μGy/h 以下。

(6) 透視時の最大受像面を 3.0 cm 超える部分を通過した X 線の空気カーマ率：当該部分の接触可能表面部分から 10 cm の距離で 150 μGy/h 以下。

(7) 被照射体の周囲：利用線錐以外の X 線を有効に遮蔽するための適切な手段を講じる。

3. 撮影用 X 線装置（胸部集検用間接撮影 X 線装置を除く。）：次に掲げる障害防止の方法を講じたものであること。ただし，X 線 CT 装置では (1)，骨塩定量分析 X 線装置では (2) に掲げるものを除く。

(1) 利用する X 線管焦点〜受像器間距離で，受像面を超えないよう X 線照射野を絞る装置を備える。ただし，次に掲げるときは受像面を超える X 線照射野を許容するものとし，又は口内法撮影用 X 線装置では照射筒の端で照射野直径が 6.0 cm 以下。乳房撮影用 X 線装置では X 線照射野が患者の胸壁に近い患者支持器の縁を超える広がりが 5 mm を超えず，かつ，受像面の縁を超える X 線照射野の広がりが焦点〜受像器間距離の 2% を超えないようにする。

　イ）受像面が円形で X 線照射野が矩形の場合，X 線照射野が受像面に外接する大きさを超えない。

　ロ）照射方向に対し垂直な受像面上で直交する 2 本の直線を想定した場合，それぞれの直線における交点間距離の和がそれぞれ焦点〜受像器間距離の 3% を超えず，かつこれらの交点間距離の総和が焦点〜受像器間距離の 4% を超えない。

(2) X 線管焦点〜皮膚間距離は次に掲げるものとする。ただし，拡大撮影を行う場合（ヘに掲げる場合を除く。）はこの限りでない。――骨塩定量分析 X 線装置は除外。

　イ）定格管電圧 ≦ 70 kV の口内法撮影用 X 線装置　　　：15 cm 以上
　ロ）定格管電圧 > 70 kV の口内法撮影用 X 線装置　　　：20 cm 以上
　ハ）歯科用パノラマ断層撮影装置　　　　　　　　　　：15 cm 以上
　ニ）移動型及び携帯型 X 線装置　　　　　　　　　　　：20 cm 以上
　ホ）X 線 CT 装置　　　　　　　　　　　　　　　　　：15 cm 以上
　ヘ）乳房撮影用 X 線装置（拡大撮影を行う場合に限る。）：20 cm 以上
　ト）イからヘまでに掲げる X 線装置以外の X 線装置　　：45 cm 以上

(3) 移動型及び携帯型 X 線装置，手術中に使用する X 線装置：X 線管焦点及び患者から 2 m 以上離れた位置で操作できる構造。

4. 胸部集検用間接撮影 X 線装置：次に掲げる障害防止の方法を講じたものであること。

(1) 利用線錐が角錐型，利用する X 線管焦点〜受像器間距離で受像面を超えないよう X 線照射野を絞る装置を備える。ただし，照射方向に対し垂直な受像面上で直交する 2 本の直

線を想定した場合，それぞれの直線における X 線照射野の縁と受像面の縁との交点間距離の和がそれぞれ焦点〜受像器間距離の 3% を超えず，かつ，これらの交点間距離の総和が焦点〜受像器間距離の 4% を超えないときは，受像面を超える X 線照射野を許容するものとする。

 (2) 受像器の一次防護遮蔽体は装置の接触可能表面から 10 cm の距離で自由空気中の空気カーマ（以下「空気カーマ」という。）：1 曝射につき 1.0 μGy 以下

 (3) 被照射体周囲には箱状の遮蔽物を設ける。その遮蔽物から 10 cm の距離で空気カーマ：1 曝射につき 1.0 μGy 以下。ただし，X 線装置の操作・その他の業務従事者が照射時，室外へ容易に退避できる場合はこの限りでない。

5. 治療用 X 線装置（近接照射治療装置を除く。）：

 (1) 濾過板が引き抜かれた時，X 線の発生を遮断するインターロックを設けたもの。

《診療用高エネルギー放射線発生装置の防護（第 30 条の 2)》

以下に示す障害防止の方法を講じる。

(1) 発生管の容器：利用線錐以外の放射線量が利用線錐の放射線量の 1/1000 以下になるよう遮蔽。

(2) 照射終了直後の不必要な放射線からの被ばくを低減するための適切な防護措置を構じる。

(3) 放射線発生時：その旨を自動的に表示する装置を付する。

(4) 室の出入口開放時は放射線の発生を遮断するインターロックを設ける。

《診療用粒子線照射装置の防護（第 30 条の 2 の 2)》

前条の規定は診療用粒子線照射装置について準用する。この場合において「発生管」は「照射管」に，「発生時」は「照射時」に，「診療用高エネルギー放射線発生装置使室は「診療用粒子線照射装置使用室」に，又「発生を」は「照射を」にそれぞれ読み替えるものとする。

《診療用放射線照射装置の防護（第 30 条の 3)》

以下に示す障害防止の方法を講じる。

(1) 放射線源の収納容器：照射口閉鎖時，1 m の距離で空気カーマ率が 70 μGy/h 以下になるように遮蔽する。

(2) 照射口：放射線障害の防止に必要な場合，適当な二次電子濾過板を設ける。

(3) 照射口：室外から遠隔操作により開閉できる構造。ただし，当該装置の操作その他の業務従事者を防護するための適当な装置を設けた場合はこの限りでない。

7.2.3 第 3 節 X 線診療室等の構造設備 (第 30 条の 4〜第 30 条の 12)

《X 線診療室（第 30 条の 4)》

構造設備の基準は以下の通り。以下同じ。

(1) 画壁等（天井・床・周囲の画壁）：その外側での実効線量が 1 mSv/週以下。（ただし，その外側を人が通行・停在しない場合はこの限りでない。以下同じ。）

(2) X 線診療室内：X 線装置を操作する場所を設けない。ただし，第 30 条 4. (3) に規定する箱状の遮蔽物を設けたとき，又は近接透視撮影若しくは乳房撮影を行う等の場合で，必要な防

護物を設けたときはこの限りでない。
(3) 標識：X線診療室である旨を示す。

《診療用高エネルギー放射線発生装置使用室（第30条の5）》
(1) 画壁等：その外側での実効線量が1mSv/週以下。
(2) 常時出入口：1箇所とする。放射線発生時，自動表示する装置を設ける。
(3) 標識：診療用高エネルギー放射線発生装置使用室である旨を示す。

《診療用粒子線照射装置使用室（第30条の5の2）》
前条の規定は診療用粒子線照射装置使用室について準用する。

《診療用放射線照射装置使用室（第30条の6）》
(1) 主要構造部等（主要構造部並びにその場所を区画する壁・柱をいう。）：耐火構造又は不燃材料。
(2) 画壁等：その外側での実効線量が1mSv/週以下。
(3) 常時出入口：1箇所とする。放射線発生時，自動表示する装置を設ける。
(4) 標識：診療用放射線照射装置使用室である旨を示す。

《診療用放射線照射器具使用室（第30条の7）》
(1) 画壁等：その外側での実効線量が1mSv/週以下。
(2) 常時出入口：1箇所とする。
(3) 標識：診療用放射線照射器具使用室である旨を示す。

《RI装備診療機器使用室（第30条の7の2）》
(1) 主要構造部等：耐火構造又は不燃材料。
(2) 扉等外部に通ずる部分：かぎ，その他閉鎖用設備・器具を設ける。
(3) 標識：RI装備診療機器使用室である旨を示す。
(4) 間仕切りの設置，その他の適切な放射線障害防止の予防措置を講じる。

《診療用RI使用室（第30条の8）》
診療用RI使用室の構造設備の基準は，次の通り。
(1) 主要構造部等：耐火構造又は不燃材料。
(2) 準備室（RIの調剤等を行う。）と診療を行う室とに区画する。
(3) 画壁等：その外側での実効線量が1mSv/週以下。
(4) 常時出入口：1箇所とする。
(5) 標識：診療用RI使用室である旨を示す。
(6) 室内の壁・床・その他RIによって汚染の恐れのある部分：突起物，くぼみ，仕上材の目地等のすきまの少ないもの。
(7) 室内の壁・床・その他RIによって汚染の恐れのある部分の表面：平滑で，気体・液体が浸透・腐食しにくい材料で仕上げる。
(8) 出入口付近：RI汚染検査用放射線測定器，除染器材，洗浄設備，更衣設備を設置。
(9) 準備室：洗浄設備を設ける。
(10) 洗浄設備：排水設備に連結する。

(11) 準備室に気体状RI又はRI汚染空気のひろがりを防止するフード，グローブボックス等の装置を設置しているときは，その装置は排気設備に連結する。

《陽電子断層撮影診療用RI使用室（第30条の8の2)》

陽電子断層撮影診療用RI使用室の構造設備の基準は，次の通り。
(1) 主要構造物等：耐火構造又は不燃材料。
(2) 陽電子断層撮影診療用RIの調剤等を行う室（以下「陽電子準備室」という。)，これを用いて診療を行う室及び陽電子断層撮影診療用RIを投与した患者等が待機する室に区画する。
(3) 画壁等：その外側での実効線量が1mSv/週以下。
(4) 常時出入口：1箇所とする。
(5) 標識：陽電子断層撮影診療用RI使用室である旨を示す。
(6) 陽電子断層撮影診療用RI使用室：陽電子断層撮影装置を操作する場所を設けない。
(7) 室内の壁・床・その他RIによって汚染の恐れのある部分：突起物，くぼみ及び仕上材の目地等のすきまのすくないもの。
(8) 室内の壁・床・その他RIによって汚染の恐れのある部分の表面：平滑で，気体又は液体が浸透・腐食しにくい材料で仕上げる。
(9) 出入口付近：RI汚染検査用放射線測定器，RI除染器材，洗浄設備，更衣設備を設置。
(10) 陽電子準備室：洗浄設備を設ける。
(11) 上記 (9)，(10) に規定する洗浄設備：第30条の11 1. (2) の規定により設ける排水設備に連結する。
(12) 陽電子準備室に気体状RI又はRI汚染物のひろがりを防止するフード，グローブボックス等の装置を設置しているときは，その装置は第30条の11 1. (3) の規定により設ける排気設備に連結する。

《貯蔵施設（第30条の9))》

診療用放射線照射装置，診療用放射線照射器具，診療用RI又は陽電子断層撮影診療用RIを貯蔵する施設（以下「貯蔵施設」という。)の構造設備の基準は次の通り。
(1) 貯蔵室，貯蔵箱等：外部と区画された構造のものとする。
(2) 貯蔵施設外側：実効線量が1mSv/週以下。
(3) 主要構造部等（貯蔵室)：耐火構造。開口部には特定防火設備に該当する防火戸（建築基準法施行令第112条第1項に規定）を設ける。ただし，診療用放射線照射装置又は診療用放射線照射器具を耐火性容器に入れて貯蔵する場合はこの限りでない。
(4) 貯蔵箱等：耐火性の構造。ただし，診療用放射線照射装置又は診療用放射線照射器具を耐火性容器に入れて貯蔵する場合はこの限りでない。
(5) 常時出入口：1箇所とする。
(6) 扉，ふた等外部に通ずる部分：かぎ，その他閉鎖用設備・器具を設ける。
(7) 標識：貯蔵施設である旨を示す。
(8) 貯蔵容器：備える。ただし，扉・ふた等開放した場合，1mの距離で実効線量率が100μSv/

h 以下に遮蔽されている貯蔵箱等に診療用放射線照射装置又は診療用放射線照射器具を貯蔵する場合はこの限りでない。

- イ) 貯蔵時, 1 m の距離で実効線量率が 100 μSv/h 以下になるよう遮蔽。
- ロ) 空気汚染の恐れある診療用 RI 又は陽電子断層撮影診療用 RI を入れる貯蔵容器は気密な構造。
- ハ) 液体状の診療用 RI 又は陽電子断層撮影診療用 RI を入れる貯蔵容器はこぼれにくい構造, 液体が浸透しにくい材料を使用。
- ニ) 標識：貯蔵容器である旨を示す。かつ, 貯蔵する診療用放射線照射装置若しくは診療用放射線照射器具に装備する RI 又は貯蔵する診療用 RI 若しくは陽電子断層撮影診療用 RI の種類, 数量（Bq 単位）を表示。

(9) 汚染の広がり防止用設備又は器具：受皿・吸収材・その他を設ける。

《運搬容器（第 30 条の 10）》

診療用放射線照射装置, 診療用放射線照射器具, 診療用 RI 又は陽電子断層撮影診療用 RI を運搬する容器（以下「運搬容器」という。）の構造について, 貯蔵容器（前条 (8)）の（イ）〜（ニ）の規定を準用する。

《廃棄施設（第 30 条の 11）》

1. 診療用 RI・陽電子断層撮影診療用 RI 又は RI によって汚染された物（以下「医療用放射性汚染物」という。）を廃棄する施設（以下「廃棄施設」という。）の構造設備の基準は次の通り。

(1) 廃棄施設外側：実効線量が 1 mSv/週以下。

(2) 排水設備：液体状の医療用放射性汚染物を排水し, 又は浄化する場合には設ける。（排水管・排液処理槽・その他 RI 液を排水又は浄化する一連の設備をいう。）

- イ) 排水口での排液中の RI 濃度：第 30 条の 26 1.の濃度限度以下とする能力, 又は排水監視設備を設け排水中の RI 濃度を監視し, 病院等の境界での排水中の RI 濃度を上記濃度限度以下とする能力。
- ロ) 排液の漏れにくい構造, 排液が浸透しにくい, 腐食しにくい材料使用。
- ハ) 排液処理槽：排液採取できる構造又は排液中の RI 濃度が測定できる構造, かつ排液の流出調節装置を設ける。
- ニ) 排液処理槽上部の開口部はふたのできる構造, 又は人がみだりに立ち入らないよ周囲に柵その他の施設を設ける。
- ホ) 標識：排水管・排液処理槽に排水設備である旨を示す。

(3) 排気設備：気体状の医療用放射性汚染物を排気し, 又は浄化する場合には設ける。（排風機・排気浄化装置・排気管・排気口等気体状の医療用放射性汚染物を排気し, 又は浄化する一連の設備をいう。）。ただし, 作業の性質上排気設備を設けることが著しく困難な場合で, 気体状 RI を発生し, 又は RI によって空気を汚染する恐れのないときは, この限りでない。

- イ) 排気口での排気中の RI 濃度：第 30 条の 26 1.の濃度限度以下とする能力, 又は排気監視設備を設け排気中の RI 濃度を監視し, 病院等の境界の外の空気中 RI 濃度を上

記濃度限度以下とする能力。
- ロ）常時立入る場所での空気中RI濃度を第30条の26 2.の濃度限度以下とする能力。
- ハ）気体の漏れにくい構造，腐食しにくい材料使用。
- ニ）故障が生じた場合，RI汚染空気の広がりを急速に防止できる装置を設ける。
- ホ）標識：排気浄化装置・排気管・排気口に排気設備である旨を示す。

(4) 焼却設備：医療用放射性汚染物を焼却する場合には以下に掲げる設備を設ける。
- イ）焼却炉の満たす条件：
  1) 気体が漏れにくく，かつ，灰が飛散しにくい構造であること。
  2) 排気設備に連結された構造。
  3) 焼却炉からの焼却残さ搬出口が廃棄作業室に連結している。
     廃棄作業室とは診療用RI又はRI汚染物を焼却後，その残さを焼却炉から搬出し，又はコンクリートその他の固型化材料で固型化（処理を含む）作業を行う室をいう。
- ロ）廃棄作業室の満たす条件：
  1) 内部の壁・床その他RIによる汚染の恐れのある部分が突起物・くぼみ及び仕上材の目地等のすき間の少ない構造。
  2) 内部の壁・床その他RIによる汚染の恐れのある部分の表面が平滑で，気体・液体が浸透しにくく，かつ，腐食しにくい材料で仕上げる。
  3) 当該廃棄作業室に気体状の医療用放射性汚染物の広がりを防止するフード，グローブボックス等の装置を設置しているときは，その装置が排気設備に連結する。
  4) 標識：廃棄作業室である旨を示す。
- ハ）汚染検査室の満たす条件：
     汚染検査室とは人体又は作業衣・履物・保護具等人体着用物表面のRI汚染の検査を行う室で，
  1) 廃棄施設の出入口付近等RIによる汚染検査を行うのに最適な場所に設ける。
  2) 内部の壁・床その他RIによる汚染の恐れのある部分がロ）の1）及び2）に掲げる条件を満たしている。
  3) 洗浄設備及び更衣設備を設け，汚染検査のための放射線測定器及び除染器材を備える。
  4) 洗浄設備の排水管は排水設備に連結する。
  5) 標識：汚染検査室である旨を示す。

(5) 保管廃棄設備：医療用放射性汚染物を保管廃棄する場合には設ける。（次号に規定する場合を除く。）
- イ）外部と区画された構造。
- ロ）保管廃棄設備の扉・ふた等外部に通ずる部分に，鍵その他閉鎖のための設備又は器具を設ける。

ハ）保管廃棄設備には耐火性容器（貯蔵容器のロ，ハに適合）を備える。
　　　　容器表面に標識：保管廃棄容器である旨を示す。
　　ニ）標識：保管廃棄設備である旨を示す。
（6）陽電子断層撮影診療用RI（厚生労働大臣の定める種類毎にその1日最大使用数量が厚生労働大臣の定める数量以下であるものに限る。以下この号において同じ。）又は陽電子断層撮影診療用RIによって汚染された物を保管廃棄する場合は，陽電子断層撮影診療用RI又は陽電子断層撮影診療用RIによって汚染された物以外の物が混入し，又は付着しないように封及び表示をし，当該陽電子断層撮影診療用RIの原子数が1を下回ることが確実な期間として厚生労働大臣が定める期間を超えて管理区域内において行う。──（7日を超える期間保管管理すれば持出し可能。）
2. 上記（2）イ又は（3）イに規定する能力を有する各設備を設けることが著しく困難な場合，病院又は診療所の境界の外での実効線量を1mSv/年以下とする能力があることを厚生労働大臣により承認されたときは前記の規定は適用しない。この場合は排水口（又は排水監視設備のある場所）での排水中，あるいは排気口（又は排気監視設備のある場所）での排気中のRIの濃度及び数量を監視し，病院又は診療所の境界の外での実効線量を1mSv/年以下とする。
3. 前項の承認を受けた排水設備又は排気設備がその能力を無いと認めるとき，厚生労働大臣はその承認を取り消すことができる。
4. 上記1.（6）の規定により保管廃棄する陽電子断層撮影診療用RI又は陽電子断層撮影診療用RIによって汚染された物については同号の厚生労働大臣が定める期間を経過後は，陽電子断層撮影診療用RI又はRIによって汚染された物ではないものとする。

《放射線治療病室（第30条の12）》
　診療用放射線照射装置，診療用放射線器具，診療用RI又は陽電子断層撮影診療用RIにより治療を受けている患者を入院させる病室（以下「放射線治療病室」という。）の構造設備の基準は次の通り。
（1）画壁等：その外側の実効線量が1mSv/週以下。ただし，放射線治療病室の画壁等についてはこの限りでない。
（2）標識：放射線治療病室である旨を示す。
（3）診療用RIの放射線治療病室の場合は診療用RI使用室での第30条の8（6）〜（8）を適用。ただし，第30条の8（8）の規定は診療用放射線照射装置又は診療用放射線照射器具により治療を受けている患者のみを入院させる放射線治療病室には適用しない。

7.2.4　第4節　管理者の義務（第30条の13〜第30条の25）

《注意事項の掲示（第30条の13）》
　注意事項：放射線取扱施設（X線診療室，診療用高エネルギー放射線発生装置使用室，診療用粒子線照射装置使用室，診療用放射線照射装置使用室，診療用放射線照射器具使用室，RI装備診療機器使用室，診療用RI使用室，陽電子断層撮影診療用RI使用室，貯蔵施設，廃棄施設，放射線治療

病室）の目につきやすい場所に放射線障害の防止に必要な注意事項を掲示．

《使用の場所等の制限（第30条の14）》

　　診療用放射線装置等の使用は当該装置使用室又は施設で行うが，例外が認められている．

(1) X線装置の使用：特別の理由で，移動使用する場合，又は特別の理由で診療用高エネルギー放射線発生装置使用室，診療用粒子線照射装置使用室，診療用放射線照射装置使用室，診療用放射線照射器具使用室，診療用RI使用室若しくは陽電子断層撮影診療用RI使用室で使用する場合（適切な防護措置を講じた場合に限る．）

(2) 診療用高エネルギー放射線発生装置の使用：特別の理由で，移動して手術室で使用する場合（適切な防護措置を講じた場合に限る．）

(3) 診療用粒子線照射装置の使用：診療用粒子線照射装置使用室

(4) 診療用放射線照射装置の使用：特別の理由で，X線診療室，診療用RI使用室又は陽電子断層撮影診療用RI使用室で使用する場合（適切な防護措置を講じた場合に限る．）

(5) 診療用放射線照射器具の使用：特別の理由で，X線診療室，診療用放射線照射装置使用室，診療用RI使用室若しくは陽電子断層撮影診療用RI使用室で使用する場合（適切な防護措置を講じた場合に限る．），手術室で一時的に使用する場合，移動困難な患者に放射線治療病室で使用する場合又は適切な防護措置・汚染防止措置を講じた上で集中強化治療室（ICU）若しくは心疾患強化治療室（CCU）で一時的に使用する場合——使用核種は届出核種の範囲内

(6) RI装備診療機器の使用：第30条の7の2に定める構造設備基準に適合する室で使用する場合——骨塩定量分析装置（^{125}I，^{241}Am，^{153}Gd，各0.11 TBq以下），ガスクロマトグラフ用ECD（^{63}Ni，740 MBq以下），輸血用血液照射装置（^{137}Cs，200 TBq以下）

(7) 診療用RIの使用：手術室で一時的に使用する場合，移動困難な患者に放射線治療病室で使用する場合，適切な防護措置・汚染防止措置を講じた上でICU若しくはCCUで一時的に使用する場合又は特別の理由で陽電子断層撮影診療用RI使用室で使用する場合（適切な防護措置を講じた場合に限る．）——使用核種は届出核種の範囲内

(8) 陽電子断層撮影診療用RIの使用：陽電子断層撮影診療用RI使用室

(9) 診療用放射線照射装置，診療用放射線照射器具，診療用RI又は陽電子断層撮影診療用RIの運搬：貯蔵施設

(10) 診療用放射線照射装置，診療用放射線照射器具，診療用RI又は陽電子断層撮影診療用RIの運搬：運搬容器

(11) 医療用放射性汚染物の廃棄：廃棄施設

《診療用RI等の廃棄の委託（第30条の14の2）》

1. 医療用放射性汚染物の廃棄を，厚生労働大臣の定める位置，構造及び設備に係る技術上の基準に適合する医療用放射性汚染物の詰替施設（以下「廃棄物詰替施設」という．），医療用放射性汚染物の貯蔵施設（以下「廃棄物貯蔵施設」という．）又は「廃棄施設」を有し，別に厚生労働省令で指定する者に委託できる．——日本アイソトープ協会

2.〜5.：省略

《廃棄物詰替施設（第30条の14の3)》
廃棄物詰替施設の位置，構造及び設備に係る技術上の基準は次の通り。
1. (1)〜(6)：省略
2. (1)〜(7)：省略
3. (1)〜(9)：省略
4. ：省略

《患者の入院制限（第30条の15)》
1. 診療用放射線照射装置若しくは診療用放射線照射器具を持続的に体内に挿入して治療中の患者又は診療用RI若しくは陽電子断層撮影診療用RIで治療中の患者：放射線治療病室での入院のみ。ただし，適切な防護措置・汚染防止措置を講じた場合はこの限りでない。
2. 前項に規定する患者以外の患者：放射線治療病室に入院させることはできない。

《管理区域（第30条の16)》
1. 病院又は診療所内の場所で第30条の26 3.に定める数値が，
   外部放射線の線量　　：実効線量が1.3 mSv/3月
   空気中のRI濃度　　：3月間の平均濃度が濃度限度の1/10
   表面汚染のRI密度　：表面密度限度の1/10
をそれぞれ超える恐れのある場所を管理区域とし，当該区域にその旨を示す標識を付す。
2. 管理区域内に人がみだりに立ち入らないような措置を講じる。

《敷地の境界等における防護（第30条の17)》
病院又は診療所内の居住区域及びその敷地の境界での線量：線量限度（250 μSv/3月）以下。

《放射線診療従事者等の被ばく防止（第30条の18)》
1. 病院又は診療所の管理者は(1)〜(3)に掲げる措置の何れか及び(4)〜(6)に掲げる措置を講ずると共に，放射線診療従事者等（X線装置・診療用高エネルギー放射線発生装置・診療用粒子線照射装置・診療用放射線照射装置・診療用放射線照射器具・RI装備診療機器・診療用RI又は陽電子断層撮影診療用RI（以下この項では「X線装置等」という。）の取扱い・管理又はこれに付随する業務従事者で，管理区域に立ち入る者をいう。以下同じ。）の被ばく線量が第30条の27に定める実効線量限度及び等価線量限度を超えないようにしなければならない。
   (1) 遮蔽壁，その他の遮蔽物を使用し放射線を遮蔽する。
   (2) 遠隔操作装置又は鉗子の使用，その他の方法によりX線装置等と人体間に適当な距離をとる。
   (3) 人体が放射線に被ばくする時間を短くする。
   (4) 診療用RI使用室・陽電子断層撮影診療用RI使用室・貯蔵施設・廃棄施設又は放射線治療病室内で放射線診療従事者等が呼吸する空気中のRI濃度を濃度限度以下にする。
   (5) 診療用RI使用室・陽電子断層撮影診療用RI使用室・貯蔵施設・廃棄施設又は放射線治療病室内の人が触れる物のRI表面密度を表面密度限度以下にする。

(6) RI を経口摂取する恐れのある場所での飲食・喫煙を禁止する。
2. 前項の実効線量・等価線量は外部被ばくと内部被ばくによる線量を，測定結果に基づき厚生労働大臣の定める計算法で算出する。
    (1) 外部被ばくの線量測定：1 cm 線量当量及び 70 μm 線量当量（中性子線は 1 cm 線量当量）を放射線測定器で測定。測定が著しく困難な場合は計算で算出する。
    (2) 外部被ばくの線量測定は胸部（女子（妊娠の可能性がないと診断された者及び妊娠する意思がない旨を病院又は診療所の管理者に書面で申し出た者を除く。以下同じ。）は腹部）で行う。ただし，体幹部を頭・頚部，胸・上腕部，腹・大腿部に3区分した場合，被ばく線量が最大となる恐れのある区分が胸・上腕部（女子では腹・大腿部）以外のときは，その区分も測定。体幹部以外の人体部位が最大となる恐れがあればその部位も測定する。
    (3) 体幹部以外での測定は 70 μm 線量当量（中性子線は 1 cm 線量当量）でよい。
    (4) 外部被ばく線量の測定は管理区域に立入っている間継続して行う。
    (5) 内部被ばく線量の測定は RI を誤って吸入・経口摂取した場合はその都度，診療用 RI 使用室，陽電子断層撮影診療用 RI 使用室，その他 RI を吸入・経口摂取の恐れのある場所に立入る場合は3月以内毎に1回（妊娠中の女子は本人の申出等により病院又は診療所の管理者が妊娠の事実を知ったときから出産までの間1月以内毎に1回），厚生労働大臣が定める方法で行う。──全身計測法，バイオアッセイ法

《患者の被ばく防止（第30条の19）》

病院・診療所内病室に入院中の患者の被ばく（医療被ばくを除く）：実効線量が 1.3 mSv/3 月以下。

《取扱者の遵守事項（第30条の20）》

1. 医療用放射性汚染物の取扱者の遵守事項は，
    (1) 診療用 RI 使用室，陽電子断層撮影診療用 RI 使用室又は廃棄施設では作業衣等を着用。着用したまま室・施設の外に出ない。
    (2) RI 汚染物の表面汚染密度が表面密度限度を超えている場合，みだりに診療用 RI 使用室，陽電子断層撮影診療用 RI 使用室，廃棄施設又は放射線治療病室から持ち出さない。
    (3) RI 汚染物の表面汚染密度が表面密度限度の 1/10 を超えている場合，みだりに管理区域から持ち出さない。
2. 放射線診療を行う医師・歯科医師の遵守事項は，
    (1) X 線装置の使用中は X 線診療室出入口にその旨を表示する。
    (2) 診療用放射線照射装置・診療用放射線照射器具・診療用 RI 又は陽電子断層撮影診療用 RI で治療中の患者には適当な標示を付ける。

《X 線装置等の測定（第30条の21）》

治療用 X 線装置・診療用高エネルギー放射線発生装置・診療用粒子線照射装置及び診療用放射線照射装置の放射線量を6月を超えない期間毎に1回以上線量計で測定。測定結果の記録は5年間保存する。

《放射線障害が発生する恐れのある場所の測定（第30条の22）》
1. 放射線の量・RIの汚染状況の測定は診療開始前に1回，診療開始後は1月を超えない期間毎に1回．ただし，次の場合は例外．測定結果の記録は5年間保存する．
   (1) X線装置・診療用高エネルギー放射線発生装置・診療用粒子線照射装置・診療用放射線照射装置又はRI装備診療機器を固定して，かつ取扱方法，遮蔽壁その他遮蔽物の位置が一定している場合のX線診療室・診療用高エネルギー発生装置使用室・診療用粒子線照射装置使用室・診療用放射線照射装置使用室又はRI装備診療機器使用室・管理区域の境界，病院・診療所内の居住区域及び病院・診療所の敷地の境界における放射線量：6月を超えない期間毎に1回測定する．
   (2) 排水設備の排水口・排気設備の排気口・排水監視設備のある場所及び排気監視設備のあ場所におけるRIの汚染状況：排水・排気の都度（連続して排水・排気の場合は連続して）測定する．
2. 放射線の量・RIの汚染状況の測定は次のように行う．
   (1) 放射線の量の測定：1cm線量当量率又は1cm線量当量で行う．ただし，70μm線量当量率が1cm線量当量率の10倍を超える恐れのある場所では70μm線量当量率で行う．
   (2) これらを測定するのに最適な位置で，放射線測定器を用いる．ただし，測定が著しく困難な場合は計算により算出できる．
   (3) 放射線量の測定場所：イ）X線診療室・診療用高エネルギー放射線発生装置・診療用粒子線照射装置・診療用放射線照射装置・診療用放射線照射器具・RI装備診療機器・診療用RI・陽電子断層撮影診療用RIの各使用室，ロ）貯蔵施設，ハ）廃棄施設，ニ）放射線治療病室，ホ）管理区域の境界，ヘ）病院又は診療所内の居住区域，ト）病院・診療所の敷地の境界．
   (4) RIによる汚染状況の測定場所：イ）診療用RI使用室及び陽電子断層撮影診療用RI使用室，ロ）診療用RI又は陽電子断層撮影診療用RIで治療中の患者を入院させる放射線治療病室，ハ）排水設備の排水口，ニ）排気設備の排気口，ホ）排水監視設備のある場所，ヘ）排気監視設備のある場所，ト）管理区域の境界．

《記帳（第30条の23）》
1. 各室での装置又は器具の1週間当たり延べ使用時間を記載する帳簿を備える．これは1年毎に閉鎖し，閉鎖後2年間保存する．ただし，各室の画壁等の外側での実効線量率がそれぞれ下記（　）の線量率以下に遮蔽されている場合は，この限りでない．
   ［診断用X線装置診療室（40μSv/h），治療用X線装置診療室（20μSv/h），診療用高エネルギー放射線発生装置使用室（20μSv/h），診療用粒子線照射装置使用室（20μSv/h），診療用放射線照射装置使用室（20μSv/h），診療用放射線照射器具使用室（60μSv/h）］
2. 診療用放射線照射装置・診療用放射線照射器具・診療用RI又は陽電子断層撮影診療用RIの入手・使用及び廃棄並びにRI汚染物の廃棄に関し，次の事項を記載する帳簿を備える．これを1年毎に閉鎖し，閉鎖後5年間保存する．

(1) 入手，使用又は廃棄の年月日。
(2) 入手，使用又は廃棄に係る診療用放射線照射装置又は診療用放射線照射器具の形式及び個数。
(3) 入手，使用又は廃棄に係る診療用放射線照射装置又は診療用放射線照射器具に装備するRIの種類及び数量（Bq単位）。
(4) 入手，使用若しくは廃棄に係る医療用放射性汚染物の種類及び数量（Bq）。
(5) 使用者の氏名又は廃棄従事者の氏名並びに廃棄の方法及び場所

《廃止後の措置（第30条の24）》

病院・診療所に診療用RI又は陽電子断層撮影診療用RIを備えなくなったときは30日以内に次に示す措置を講じる。
(1) RIによる汚染を除去すること。
(2) RIによって汚染された物を譲渡し，又は廃棄すること。

《事故の場合の措置（第30条の25）》

地震・火災・その他の災害又は盗難・紛失・その他の事故で放射線障害が発生し，又は発生する恐れがある場合，直ちにその旨を管轄の保健所・警察署・消防署・その他関係機関に通報し，また放射線障害の防止に努めなければならない。

7.2.5 第5節 限度（第30条の26，第30条の27）

《濃度限度等（第30条の26）》

1. 排水口・排気口における濃度限度は，排液中若しくは排水中又は排気中若しくは空気中のRIの3月間での平均濃度が次に掲げる濃度とする。
   (1) RIの種類が明かで1種類の場合は別表第3（省略）の第3欄（排液・排水中の濃度限度（Bq/cm^3））及び第4欄（排気・空気中の濃度限度（Bq/cm^3））。
   (2) RIの種類が明らかで2種類以上の場合は各RIの濃度限度（別表第3の第3欄，第4欄）に対する排液・排水中又は排気・空気中の各RIの濃度の割合の和が1となるようなそれらのRI濃度。
   (3) RIの種類が不明の場合は別表第3の第3欄又は第4欄の濃度のうち，最も低い濃度。
   (4) RIの種類が明らかで別表第3に掲げられていない場合は別表第4（省略）の第3欄（排液・排水中の濃度限度），第4欄（排気中・空気中の濃度限度）。
2. 人が常時立入る場所，診療用RI使用室・陽電子断層撮影診療用RI使用室・貯蔵施設・廃棄施設・放射線治療病室における空気中のRI濃度限度は1週間での平均濃度が次に掲げる濃度とする。
   (1) RIの種類が明らかで1種類の場合は別表第3の第2欄（空気中の濃度限度（Bq/cm^3））。
   (2) RIの種類が明らかで2種類以上の場合は各RIの空気中の濃度限度（別表第3，第2欄）に対する室内各RIの空気中濃度の割合の和が1となるようなRI濃度。
   (3) RI種類が不明の場合は別表第3の第2欄の濃度のうち，最も低い濃度。

(4) RIの種類が明らかで別表第3に掲げられていない場合は別表第4の第2欄（空気中の濃度限度）。
3. 管理区域に係る線量等
   (1) 外部放射線の線量　　　　　　　　：実効線量が1.3 mSv/3月
   (2) 空気中のRI濃度（3月間の平均濃度）：空気中濃度限度（別表第3, 第2欄）の1/10
   (3) RI汚染物表面のRI密度　　　　　：表面密度限度（別表第5）の1/10
   (4) 上記（1），（2）の規定に関わらず，外部放射線の被ばく，かつ空気中のRIを吸入摂取する恐れがあるときは，（1）の実効線量に対する割合と（2）の空気中のRI濃度の割合の和が1となるような実効線量及び空気中のRI濃度。
4. 病院の敷地の境界等における線量限度：実効線量が250 μSv/3月
5. 外部放射線による被ばく，空気中のRIを吸入摂取，水中のRIを経口摂取のそれぞれが同時に起こる恐れがあるときは，それぞれの濃度限度又は線量限度に対する割合の和が1となるようなその空気中・水中の濃度又は線量で，その濃度限度又は線量限度とする。
6. 表面密度限度は別表第5に掲げる通り。
   α線を放出するRI————— 4 Bq/cm^2
   α線を放出しないRI—————40 Bq/cm^2

《線量限度（第30条の27）》
1. 放射線診療従事者等の実効線量限度は次の通り。ただし，緊急作業に従事した放射線診療従事者等（女子を除く）の実効線量限度：100 mSv。
   (1) 平成13年4月1日以後5年毎に区分した各期間：100 mSv。
   (2) 4月1日を始期とする1年間：50 mSv/年。
   (3) 女子は（1），（2）のほか，4月1日，7月1日，10月1日，及び1月1日を始期とする各3月間：5 mSv/3月。
   (4) 妊娠中の女子は（1），（2）のほか，本人の申出等により病院又は診療所の管理者が妊娠の事実を知った時から出産までの間：内部被ばくで1 mSv。
2. 放射線診療従事者等の等価線量限度：
   (1) 眼の水晶体（4月1日を始期とする1年間）：150 mSv/年
       緊急放射線診療従事者等（女子を除く。）に係る眼の水晶体：300 mSv
   (2) 皮膚（4月1日を始期とする1年間）：500 mSv/年
       緊急放射線診療従事者等（女子を除く。）に係る皮膚：1 Sv
   (3) 妊娠中の女子は前項（4）に規定する期間：腹部表面で2 mSv

《第30条の28〜第30条の33》：省略
《第31条〜第45条》：省略
《別表第2（第24条（2）関係）》
   RIの数量及び濃度：省略
   ［核種（化学形等）毎に主な下限数量（10^6〜10^9 Bq）と濃度（10〜10^6 Bq/g）がそれぞれ表示さ

《別表第3（第30条の26関係）》
　RIの種類が明らかで，かつ，1種類の場合の空気中濃度限度（Bq/cm³）等：省略
《別表第4（第30条の26関係）》
　RIの種類が明らかで，かつ，当該RIの種類が別表第3に掲げられていない場合の空気中濃度限度（Bq/cm³）等：省略
《別表第5（第30条の26関係）》
　表面密度限度（Bq/cm²）：第30条の26 6.に示す通り。

7.2.6　厚生省告示
[放射線診療従事者等が被ばくする線量の測定方法並びに
実効線量及び等価線量の算定方法（平成12年12月26日厚生省告示第398号）]

《実効線量への換算（第1条）》
1. 規則第30条の4から第30条の9まで，第30条の11及び12に規定する実効線量は放射線の種類により次式から計算する。
   (1) X線・γ線の場合：　E = fX・D
   　ここに，E：実効線量（Sv），fX：別表第1参照（省略），D：自由空気中の空気カーマ（Gy）
   (2) 中性子線の場合：　E = fn・Φ
   　ここに，E：実効線量（Sv），fn：別表第2参照（省略），Φ：自由空気中の中性子フルエンス（個/cm²）
2. 放射線の種類が2種以上の場合：種類毎の実効線量の和をもって第1項に規定する実効線量とする。

《内部被ばくによる線量測定（第2条）》
　別表第3を使用する。　E = e・I
　ここに，E：実効線量（mSv），e：種類毎の実効線量係数（mSv/Bq）[吸入摂取（第2欄），経口摂取（第3欄）]，I：吸入又は経口摂取したRIの摂取量（Bq）

《実効線量又は等価線量の算定（第3条）》
1. 内部被ばくと外部被ばくの和：
   (1) 外部被ばくによる実効線量：1cm線量当量（第30条の18第2項第2号の規定により測定した場合は適切な方法により算出した値）
   (2) 内部被ばくによる実効線量：第2条2.の規定により算出した値
2. 第30条の18 2.による等価線量：
   (1) 皮膚の等価線量：70μm線量当量（中性子線は1cm線量当量）。
   (2) 眼の水晶体の等価線量：1cm線量当量又は70μm線量当量のうち，適切な方とすること。
   (3) 第30条の27 2.(3)に規定する妊娠中の女子の腹部表面の等価線量：1cm線量当量。

7.3 電離放射線障害防止規則 (昭和47年9月30日労働省令第41号)

　この省令は「電離則」と略称されており，現時点における最新の改正は平成27年8月31日厚生労働省令第134号である。法律は「労働安全衛生法」で「同施行令」，「同施行規則」があり，「同施行令」の規定に基づき，そして同法を実施するために，放射線関係だけの規則を定めたものである。従って，条文の内容は次節に掲げる「障害防止法」に準拠している。前節の「医療法施行規則」とも類似している箇所が多いが，健康診断に関する条項が含まれていない。それゆえ，ここでは「健康診断」についてのみ触れることにする。

7.3.1　第8章　健康診断 (第56条〜第59条)

《健康診断 (第56条)》
1. 放射線業務で常時立入る者：雇入れ又は当該業務に配置替え及びその後6月以内毎に1回，定期に医師による健康診断を受ける。
   (1) 被ばく歴の有無の調査及びその評価（被ばく歴有する場合：作業場所，内容及び期間，放射線障害の有無，自覚症状の有無，その他放射線被ばくに関する事項）────6月以内毎
   (2) 白血球数及び白血球百分率の検査 ──────────────── 6月　〃
   (3) 赤血球数及び血色素量（又はヘマトクリット値）の検査 ───── 6月　〃
   (4) 白内障に関する眼の検査 ───────────────────── 6月　〃
   (5) 皮膚の検査 ─────────────────────────── 6月　〃
   以上の項目について行う。
2. 前項の健康診断のうち，雇入れ又は当該業務に配置替えの際行わなければならないものについては，使用線源の種類等に応じて白内障に関する眼の検査を省略できる。
3. 第1項の健康診断のうち，定期に行わなければならないものについては，医師が必要でないと認めるときは，同項 (2)〜(5) までに掲げる項目の全部又は一部を省略できる。
4. 第1項の規定にかかわらず，同項の健康診断（定期に行わなければならないものに限る。以下この項において同じ。）を行おうとする日の属する年の前年1年間に受けた実効線量が5mSvを超えず，かつ，当該健康診断を行おうとする日の属する1年間に受ける実効線量が5mSvを超える恐れのない者に対する当該健康診断については第1項 (2)〜(5) までに掲げる項目は，医師が必要と認めないときは行わなくてよい。
5. 当該労働者が健康診断を受ける際に，前回の健康診断以後に受けた線量を医師に示すこと（線量が計算でも算出できない場合は，これを推定するためために必要な資料，それもなければ当該放射線を受けた状況を知るのに必要な資料を示す）。

《健康診断 (第56条の2)》
1. 緊急作業に係る業務に従事する者：放射線業務従事者に対し，当該業務に配置替えの後1月以内ごとに1回，定期に，及当該業務から他の業務に配置替えの際又は当該労働者が離職

する際，次の項目について医師による健康診断を受ける。
- (1) 自覚症状及び他覚症状の有無の検査 ——————————————— 1月以内毎
- (2) 白血球数及び白血球百分率の検査 ————————————————— 1月 〃
- (3) 赤血球数の検査及び血色素量又はヘマトクリット値の検査 ——— 1月 〃
- (4) 甲状腺刺激ホルモン，遊離トリヨードサイロニン及び遊離サイロキシンの検査
——————————————————————————————— 1月 〃
- (5) 白内障に関する眼の検査 ——————————————————————— 1月 〃
- (6) 皮膚の検査 ——————————————————————————————— 1月 〃

2. 前項の健康診断のうち，定期に行わなければならないものについては，医師が必要でないと認めるときは，(2) から (6) までに掲げる項目の全部又は一部を省略することができる。

3. 事業者は，健康診断の際に，当該労働者が前回の健康診断後に受けた線量（これを計算によつても算出することができない場合には，これを推定するために必要な資料（その資料がない場合には，当該放射線を受けた状況を知るために必要な資料））を医師に示さなければならない。

《健康診断（第56条の3）》

緊急作業に係る業務に従事する放射線業務従事者については，当該労働者が直近に受けた第56条 1. の健康診断のうち，次の各号に掲げるものは，それぞれ当該各号に掲げる健康診断とみなす。

- (1) 緊急作業に係る業務への配置替えの日前一月以内に行われたもの——第56条 1. の配置替えの際の健康診断
- (2) 第56条 1. の定期の健康診断を行おうとする日前一月以内に行われたもの——同項の定期の健康診断

《健康診断の結果の記録（第57条)》

健康診断の結果に基づき，電離放射線健康診断個人票（様式第1号）を作成し，これを30年間保存する。ただし，当該記録を5年間保存後，厚生労働大臣が指定する機関に引き渡すときは，この限りでない。

《健康診断の結果についての医師からの意見聴取（第57条の2)》

1. 電離放射線健康診断の結果に基づく労働安全衛生法第66条の4の規定（事業者は，労働安全衛生法第66条第1項から第4項まで若しくは第5項ただし書又は第66条の2の規定による健康診断の結果（当該健康診断の項目に異常の所見があると診断された労働者に係るものに限る。）に基づき，当該労働者の健康を保持するために必要な措置について，厚生労働省令で定めるところにより，医師又は歯科医師の意見を聴かなければならない。）による医師からの意見聴取は，次に定めるところにより行わなければならない。
   - (1) 電離放射線健康診断が行われた日（労働安全衛生法第66条第5項ただし書の場合にあつては，当該労働者が健康診断の結果を証明する書面を事業者に提出した日）から3月以内に行うこと。
   - (2) 聴取した医師の意見を電離放射線健康診断個人票に記載すること。

2. 緊急時電離放射線健康診断（離職する際に行わなければならないものを除く。）の結果に基づく労働安全衛生法第66条の4の規定による医師からの意見聴取は，次に定めるところにより行わなければならない。
   (1) 緊急時電離放射線健康診断が行われた後（労働安全衛生法第66条第5項ただし書の場合にあつては，当該労働者が健康診断の結果を証明する書面を事業者に提出した後）速やかに行うこと。
   (2) 聴取した医師の意見を緊急時電離放射線健康診断個人票に記載すること。

《健康診断の結果の通知（第57条の3）》
1. 事業者は，第56条1.又は第56条の2 1.の健康診断を受けた労働者に対し，遅滞なく，当該健康診断の結果を通知しなければならない。
2. 前項の規定は，第56条の2 1.の健康診断（離職する際に行わなければならないものに限る。）を受けた労働者であった者について準用する。

《健康診断結果報告（第58条）》
　事業者は，第56条1.の健康診断（定期健康診断）又は第56条の2 1.の健康診断を行つたときは，遅滞なく，それぞれ，電離放射線健康診断結果報告書（様式第2号）又は緊急時電離放射線健康診断結果報告書（様式第2号の2）を所轄労働基準監督署長に提出しなければならない。

《健康診断等に基づく措置（第59条）》
　健康診断の結果，放射線による障害が生じ，疑いがあり，又は恐れがあると認める者は，その障害，疑い，又は恐れがなくなるまで就業の場所，業務の転換，被ばく時間の短縮，作業方法の変更等健康の保持に必要な措置を講じなければならない。

7.4　放射性同位元素等による放射線障害の防止に関する法律
（昭和32年6月10日法律第167号）

　この法律は昭和32年に制定され「障害防止法又は障防法」と略称されており，これまで何回となく改正されてきた。最近では，平成24年6月27日に交付された「原子力規制委員会設置法」の施行に伴い，障害防止法ならびに関係政省令・告示が改正され，平成25年4月1日に施行された。これにより，原子力規制委員会が所管する法律となり，わが国の放射線防護の主要な法律の1つで，中心的な役割を担っている。電離則，医療法施行規則もこの法律にならって成文化されている面が多い。すべてに関連があり，重要な法令であるが，特に，診療放射線技師と関わりがあるのは「放射線発生装置」及び「密封RI」に関する条項である。すなわち，エネルギー1MeV未満のX線装置及び診療用RIは障害防止法の規制対象外だからである。したがって，ここではごく一部だけ触れるにとどめる。

7.4.1 第3章 許可届出使用者等の義務（第12条の8～第33条）

《施設検査，定期検査，定期確認（第12条の8, 9, 10)》

　施設検査：貯蔵能力が1個の密封RIで10 TBq以上，非密封RIで核種毎に下限数量の10^5倍以上の貯蔵施設又は放射線発生装置の使用施設を設置し，又は変更したときは当該施設等について原子力規制委員会又は登録検査機関の検査を受け，これに合格した後でないと使用できない。

　定期検査，定期確認の期間：密封RIの貯蔵施設又は放射線発生装置の使用施設は，施設検査に合格した日又は定期検査（使用施設等），定期確認（測定結果・帳簿等）を受けた日から5年以内に，非密封RIの貯蔵施設では同じく3年以内に定期検査，定期確認を受ける。

《放射線障害予防規定（第21条)》

　RI，放射線発生装置の使用開始前に，放射線障害を防止するため，別に定める内容の放射線障害予防規定を作成し原子力規制委員会に届出る。変更したときは変更後30日以内に届出る。

《教育訓練（第22条)》

　使用施設，貯蔵施設等に初めて立入る者（放射線業務従事者）及び管理区域に立入った後にあっては1年を超えない期間ごとに，放射線障害予防規定の周知その他を図るほか，放射線障害の防止に必要な教育訓練を行う。教育訓練の項目・最少の時間数は次の通り。（ ）は取扱等業務のみに従事して管理区域には立入らない場合である。

　イ）放射線の人体に与える影響 ──────────────── 30分間（30分間）
　ロ）RI又は放射線発生装置の安全取扱い ──────────── 4時間（1.5時間）
　ハ）RI及び放射線発生装置による放射線障害防止関係法令 ──── 1時間（30分間）
　ニ）放射線障害予防規定 ───────────────────── 30分間（30分間）

《健康診断（第23条)》

1. 使用施設，貯蔵施設等に立入る者に対し健康診断を行う。
  (1) 放射線業務従事者に対し，初めて管理区域に立入る前に行う。
  (2) 定期健康診断：管理区域に立入った後は1年を超えない期間毎に行う。
  (3) 臨時健康診断：次の場合は遅滞なく健康診断を受ける。
    イ）RIを誤って吸入又は経口摂取したとき。
    ロ）RIにより表面密度限度を超えて皮膚が汚染され，容易に汚染が除去できないとき。
    ハ）RIにより皮膚の創傷面が汚染され，又は汚染された恐れがあるとき。
  (4) 健康診断の方法は問診及び検査又は検診とする。
  (5) 問診：
    イ）放射線の被ばく歴の有無。
    ロ）被ばく歴有する者は作業の場所・内容・期間・線量・放射線障害の有無・その他放射線による被ばく状況。
  (6) 検査又は検診：
    イ）末梢血液中の血色素量又はヘマトクリット値，赤血球数，白血球数及び白血球百分率

ロ）皮膚
　　　ハ）眼
　　　ニ）その他原子力規制委員会が定める部位及び項目
　　　　　　ただし，イ）〜ハ）の部位又は項目（初めて管理区域に立入る前の健康診断にあってはハ））については，医師が必要と認める場合に限る。
2. 健康診断の結果について記録の作成，保存等の措置を講じる。
　　(1) 健康診断の結果の記録：
　　　イ）実施年月日
　　　ロ）対象者の氏名
　　　ハ）健康診断実施医師名
　　　ニ）健康診断の結果
　　　ホ）健康診断の結果に基づいて講じた措置
　　(2) 健康診断を受けた者に，健康診断の都度記録の写しを交付する。
　　(3) 記録は保存する。但し，健康診断を受けた者が使用者でなくなった場合，又は当該記録を5年間保存した後に，これを原子力規制委員会が指定する機関（公益財団法人放射線影響協会）に引き渡すときは，この限りでない。

7.4.2　第4章　放射線取扱主任者（第34条〜第38条）

《放射線取扱主任者・免状（第34, 35条）》
　放射線障害の防止について監督を行わせるため，放射線取扱主任者を選任する。選任したときは選任した日から30日以内に原子力規制委員会に届出る。解任したときも同様である。
　　第1種放射線取扱主任者　————————　試験合格後資格講習を受ける
　　第2種放射線取扱主任者　————————　試験合格後資格講習を受ける
　　第3種放射線取扱主任者　————————　資格講習のみ受ける

《定期講習（第36条の2）》
　放射線取扱主任者の資質の向上を図るため，主任者選任後1年以内に，その後は3年以内毎に1回定期講習を受ける。

　放射線取扱主任者試験を受験する場合は「障害防止法」を十分学び，理解しておく必要がある。

参考書・文献

1. 飯田博美他：放射線取扱技術，日本原子力産業会議（1983）
2. 飯田博美　：放射線衛生学，マグブロス出版（1989）
3. 伊沢正実他：放射線の防護，丸善（1978）
4. 尾内能夫　：放射線基礎医学Ⅲ，日本出版サービス（1982）
5. ICRP　　：国際放射線防護委員会勧告 Publ. 1，日本アイソトープ協会（1958）
6. ICRP　　：　〃　Publ. 6，日本アイソトープ協会（1962）
7. ICRP　　：　〃　Publ. 9，日本アイソトープ協会（1965）
8. ICRP　　：　〃　Publ.26，日本アイソトープ協会（1977）
9. ICRP　　：　〃　Publ.60，日本アイソトープ協会（1990）
10. ICRP　　：　〃　Publ.74，日本アイソトープ協会（1998）
11. ICRP　　：　〃　Publ.77，日本アイソトープ協会（2007）
12. ICRP　　：　〃　Publ.82，日本アイソトープ協会（2002）
13. ICRP　　：　〃　Publ.109，日本アイソトープ協会（2013）
14. ICRP　　：　〃　Publ.111，日本アイソトープ協会（2012）
15. ICRP　　：　〃　Publ.113，日本アイソトープ協会（2014）
16. 福士政広他：放射線機器工学（Ⅱ），コロナ社（2005）
17. 原子力安全技術センター編：被ばく線量の測定・評価マニュアル，原子力安全技術センター（2000）
18. 日本アイソトープ協会編：主任者のための放射線管理の実際，日本アイソトープ協会（1985）
19. 日本アイソトープ協会編：アイソトープ便覧，丸善（1985）
20. 日本アイソトープ協会編：アイソトープ手帳，日本アイソトープ協会（2011）
21. 日本アイソトープ協会編：放射線・アイソトープ講義と実習，丸善（1992）
22. 日本アイソトープ協会編：6版密封線源の基礎，丸善出版（2013）
23. 日本アイソトープ協会編：セシウムのABC，丸善出版（2014）
24. 日本アイソトープ協会編：3版放射線安全管理の実際，丸善出版（2014）
25. 佐々木康人：ICRP新勧告作成の経緯と主要な論点―1．改定始動時の考え方―，Isotope News，2007．
26. 佐々木康人：ICRP新勧告作成の経緯と主要な論点―2．新勧告の目的―，Isotope News，2007．
27. 佐々木康人：ICRP新勧告作成の経緯と主要な論点―3．最適化と拘束値・参考レベル―，Isotope News，2007．
28. 佐々木康人：ICRP新勧告作成の経緯と主要な論点―1．正当化と線量限度―，Isotope News，2007．
29. 富樫厚彦他：日常業務に役立てるためのICRP2007年新勧告の活用法Ⅰ，日本放射線技術学会雑誌，2007．
30. 富樫厚彦他：日常業務に役立てるためのICRP2007年新勧告の活用法Ⅱ"医療での放射線リスクを中心にして"，日本放射線技術学会雑誌，2007．
31. 富樫厚彦他：日常業務に役立てるためのICRP2007年新勧告の活用法Ⅲ放射線防護の新しい考え方，日本放射線技術学会雑誌，2007．
32. The 2007 Recommendations of the International Commission on Radiological Protection（ICRP Publication 103）
33. UNSCEAR 2008 ReportvVol.1:Sources and Effects of Ionizing Radiation,（2010）
34. 日本アイソトープ協会編：アイソトープ法令集Ⅰ．放射線障害防止法関係法令，日本アイソトープ協会（2014）
35. 日本アイソトープ協会編：アイソトープ法令集Ⅱ．医療放射線関係法令，日本　アイソトープ協会（2015）
36. 日本アイソトープ協会編：アイソトープ法令集Ⅲ．労働安全衛生・輸送・その他関係法令，日本アイソトープ協会（2015）
37. 川井恵一：放射線関係法規概説，通商産業研究社（2015）
38. 柴田徳思：放射線概論第9版，通商産業研究社（2016）
39. 医療放射線防護連絡協議会：医療領域の放射線管理マニュアル―Q&A・医療関係法令（2016）
40. 石田 隆行（監修），松本 光弘（編集）：新・医用放射線科学講座医療安全管理学（2016）

付　録

付録1．「医療法施行規則の一部を改正する省令の施行等について」（要約）

（平成16年8月1日医政発第0801001号，厚生労働省医政局長通知）
最終改正：第4次改正
（平成24年12月27日医政発第1227001号）

付録2．「医療法施行規則の一部を改正する省令の施行について」の一部抜粋とその概要

（平成13年3月12日医薬発第188号，厚生労働省医薬局長通知）
最終改正：第8次改正
（平成27年9月30日医政発0930第6号）

付録3．放射線管理用測定機器

付録1.「医療法施行規則の一部を改正する省令の施行等について」(要約)

(平成16年8月1日 医政発第0801001号,厚生労働省医政局長通知)
(現時点での最終改正:第4次改正 平成24年12月27日医政発第12227001号)

　医療法施行規則の一部を改正する省令(平成16年厚生労働省令第119号。以下「改正省令」という。)は平成16年7月30日に公布され,これに関係して省令第30条の11第1項第6号の規定に基づき,厚生労働大臣の定める陽電子断層撮影診療用RIの種類・数量・陽電子断層撮影診療用RIの原子数が1を下回ることが確実な期間(平成16年厚生労働省告示第306号)が同日告示されている。本改正の趣旨及び施行に当たり留意すべき事項は,以下の通りである。

1. 「障害防止法」との関係について
(1) 医療機関に設置したサイクロトロン装置でRIを精製及び陽電子断層撮影診療用RIを合成する作業は,従前通り障害防止法の規制を受けることに変わりはない。
(2) 医療機関に設置されるサイクロトロンは,従前通り障害防止法の適用を受けるが,最終的に陽電子断層撮影診療用RI等医療用RIを製造目的とする場合は,従前通り診療用放射線に準じた取扱いとすること。医療法第15条第3項に準ずる届出を行う場合は,障害防止法第3条第2項の申請書の写し等により,以下の内容を確認し,関連する陽電子断層撮影診療用RI等の届出と離齟なきことを確認すること。
　①病院又は診療所の名称及び所在地
　②サイクロトロン装置の製作者名,型式及び台数
　③サイクロトロン装置の定格出力
　④サイクロトロン装置及びその装置を設置する室の放射線障害の防止に関する構造設備及び予防措置の概要
　⑤サイクロトロン装置の精製RIの種類,形状及び1日最大精製予定数量(Bq)

2. 陽電子断層撮影診療用RIの定義等(規則第24条第8号関係)
　規則第24条第3号のRIのうち,陽電子断層撮影装置による画像診断(以下「陽電子断層撮影診療」という)に用いるものは,医薬品の可否に関わらず,薬事法第2条第15項に規定する治験対象の薬物も含め陽電子断層撮影診療用RIとすること。

3. 陽電子断層撮影診療用RIに係る届出
(1) 届け出るべき場合:
　RIであって,病院又は診療所に陽電子断層撮影診療用RIを備えようとする場合及び備えている

場合（規則第24条第8号，第9号），管理者は医療法第15条第3項の規定により，病院又は診療所所在地の都道府県知事に届出ること．

なお，病院又は診療所に陽電子断層撮影診療用RIを備えなくなった場合（規則第24条第13号）も同様であること．

(2) 届出事項等：

陽電子断層撮影診療用RIを病院又は診療所に備えようとする場合は，規則第28条第1項各号に掲げる事項を記載した届出書を提出して行うこと．その際，次の事項に留意すること．

① 規則第28条第1項第4号に規定する陽電子断層撮影診療用RIに係る放射線障害の防止に関する「予防措置」には，以下に掲げる内容を含むものとすること．なお，都道府県知事への届出には，予防措置を講じていることを証する書類を添付すること．また，本号の趣旨に鑑み，陽電子断層撮影診療用RIの取扱いに関し，陽電子断層撮影診療を担当する医師又は歯科医師と薬剤師との連携を十分に図るよう努めることが望ましいこと．

（ア）陽電子断層撮影診療に関し，所定の研修を終了し，専門の知識及び経験を有する診療放射線技師を，陽電子断層撮影診療に関する安全管理に専ら従事させること．

（イ）放射線防護を含めた安全管理体制の確立を目的とした委員会等を設けること．

② 規則第28条第1項第5号の規定により，その氏名及び放射線診療に関する経歴を届出る場合，陽電子断層撮影診療用RIを使用する医師又は歯科医師のうち1名以上は，以下に掲げるすべての項目に該当する者とすること．なお，都道府県知事への届出にはその事実を証する書類を添付すること．

（ア）当該病院又は診療所の常勤職員であること．

（イ）陽電子断層撮影診療に関する安全管理の責任者であること．

（ウ）核医学診断の経験を3年以上有していること．

（エ）陽電子断層撮影診療全般に関する所定の研修を終了していること．

③ ①（ア）及び②（エ）でいう「所定の研修」とは，放射線関係学会等団体が主催する医療放射線の安全管理に関する研修で，概ね次の事項に該当する内容を含む講義又は実習を内容とするものをいうこと．

（ア）陽電子断層撮影診療に係る施設の概要に関する事項

（イ）サイクロトロン装置の原理と安全管理に関する事項

（ウ）FDG製剤（放射性2-deoxy-2-[F-18]fluoro-D-glucose製剤）を含めた陽電子断層撮影診療用RIの製造方法，精度管理及び安全管理に関する事項

（エ）陽電子断層撮影診療の測定原理に関する事項

（オ）陽電子放射断層撮影装置の性能点検と校正に関する事項

（カ）FDG製剤を用いた陽電子断層撮影診療の臨床使用に関するガイドラインに関する事項

（キ）放射線の安全管理，RIの取扱い及び陽電子断層撮影診療に関わる医療従事者の被曝管理に関する事項

（ク）医療法，障害防止法等放射線の安全管理に関する各種法令及びその安全管理に係る関係

府省庁の通知等に関する事項

以上の他，陽電子断層撮影診療用RIに係る届出は，規則第28条の診療用RIに係るものと同様であること。

4. 陽電子断層撮影診療用RI使用室の構造設備基準（規則第30条の8の2）

　病院又は診療所の管理者は，陽電子断層撮影診療用RIの使用を，陽電子断層撮影診療用RI使用室で行うこと（規則第30条の14）。その使用室の構造及び基準は規則第30条の8の2によること。

(1) 規則第30条の8の2第2号は，陽電子断層撮影診療用RI使用室を，陽電子準備室，陽電子断層撮影診療用RIを用いて診療を行う室（以下「陽電子診療室」という）及び陽電子断層撮影診療用RIを投与した患者等が待機する室（以下「陽電子待機室」という）に，区画することとしているが，これら以外の用途（目的）の室を設けることを妨げるものではなく，病院又は診療所の機能に応じて，これら以外の用途（目的）の室を設けることは差し支えないこと。

(2) 規則第30条の8の2第2号に規定する陽電子準備室は，以下に掲げる行為又は作業が行われる室とすること。

　（ア）サイクロトロン装置で合成された陽電子断層撮影診療用RIを小分け又は分注を行う等，陽電子断層撮影診療を受ける患者等に陽電子断層撮影診療用RIを投与可能な状態にする行為又は作業。

　（イ）医薬品の陽電子断層撮影診療用RIを小分け又は分注を行う等，陽電子断層撮影診療を受ける患者等に陽電子断層撮影診療用RIを投与可能な状態にする行為又は作業。

　（ウ）その他，（ア）又は（イ）に付随する一連の行為又は作業。
　　　医療機関に設置したサイクロトロン装置でRIを精製及びRIから陽電子断層撮影診療用RIを合成する作業を行う室は，従前通り，障害防止法の規制受けることとなること。この場合，同室が（ア），（イ）及び（ウ）の行為又は作業を行うようにしている場合は，規則に定める陽電子準備室を別に設置することを要しないこと。

(3) 規則第30条の8の2第2号に規定する陽電子診療室は，以下に掲げる行為又は作業が行われる室とすること。ただし，病院又は診療所の機能に応じて，これらの行為又は作業を複数の室で個々に行うことは差し支えないこと。

　（ア）陽電子準備室で調剤された陽電子断層撮影診療用RIを，陽電子断層撮影診療を受ける患者等に投与する行為又は作業。

　（イ）陽電子放射断層撮影装置を設置し，陽電子放射断層撮影装置による画像撮影を行う行為又は作業。

　（ウ）その他，（ア）又は（イ）に付随する一連の行為又は作業。なお，区分した1つの室に複数の陽電子放射断層撮影装置を設置することは認められないこと。

(4) 規則第30条の8の2第2号に規定する陽電子待機室とは，陽電子診療室で陽電子断層撮影診療用RIを投与した患者等が，陽電子放射断層撮影装置で画像撮影を開始するまでの間，当該患者等に投与した当該陽電子断層撮影診療用RIの種類及び数量に応じて，当該患者等の体内

に当該陽電子断層撮影診療用 RI が分布するのに十分な時間待機させることを，用途とするものであること．

　この陽電子待機室を設けることで，放射線診療従事者，投与前の患者等が当該薬剤を投与された直後の患者等と，至近距離で接する時間を可能な限り少なくし，放射線診療従事者，投与前の患者等の放射線被曝を可能な限り少なくすることを目的とする．ただし，陽電子断層撮影診療に係る患者等の取扱い数が極めて少ない医療機関では，陽電子診療室で陽電子待機室を設けた場合と同等の機能が確保できる場合は，陽電子待機室を設置しなくても差し支えないこと．

(5) 規則第 30 条の 8 の 2 第 6 号の趣旨は，陽電子断層撮影診療用 RI を投与した患者等と放射線診療従事者とが，至近距離で接する時間を可能な限り少なくし，放射線診療従事者の放射線被曝を可能な限り少なくすることを目的とする．なお，この場合の操作とは，陽電子放射断層撮影装置に患者等を横たわらせる等行った後，同装置により撮影することであり，操作する場所とは，陽電子放射断層撮影装置と画壁等で区画された室であること．(6) 以上の他，陽電子断層撮影診療用 RI 使用室に係る構造設備基準は規則第 30 条の 8 の診療用 RI 使用室に係るものと同様であること．

5. 陽電子断層撮影診療用 RI に係る貯蔵施設の構造設備基準及び運搬容器の構造基準（規則第 30 条の 9 及び第 30 条の 10）

(1) 規則第 30 条の 9 に規定する陽電子断層撮影診療用 RI に係る貯蔵施設の構造設備基準は，診療用 RI に係るものと同様であること．

(2) 規則第 30 条の 10 に規定する陽電子断層撮影診療用 RI に係る運搬容器の構造基準は診療用 RI に係るものと同様であること．

6. 陽電子断層撮影診療用 RI に係る廃棄施設の構造設備基準等（規則第 30 条の 11 及び種類・数量等告示）

(1) 規則第 30 条の 11 第 1 項に規定する医療用放射性汚染物とは，診療用 RI，陽電子断層撮影診療用 RI 又は RI によって汚染された物をいうもの．

(2) 規則第 30 条の 11 第 1 項に規定する陽電子断層撮影診療用 RI を含む医療用放射性汚染物に係る廃棄施設の構造設備基準は (3) 以下に掲げる点を除き，診療用 RI を含む医療用放射性汚染物に係るもの（規則第 30 条の 26 の濃度限度等に関する事項を含む）と同様であること．

(3) 規則第 30 条の 11 第 1 項第 6 号の規定により，厚生労働大臣の定める種類毎にその 1 日最大使用数量以下の陽電子断層撮影診療用 RI（6 において同じ）又は陽電子断層撮影診療用 RI で汚染された物（以下「陽電子断層撮影診療用 RI 等」という）に関しては，平成 16 年 3 月一部改正の障害防止法施行規則（昭和 35 年総理府令第 56 号）に定める陽電子断層撮影用 RI の廃棄の基準と同様であるとして，以下に掲げる取扱いを認めるものであること．

　（ア）厚生労働大臣が定める種類及び数量等告示第 1 条に規定する範囲内で，陽電子断層撮影診療用 RI 等のみを管理区域内で保管管理する場合は，保管廃棄設備に関する技術的基準

を課さないこと。ただし，この場合でも規則第30条の11第1項等に規定する廃棄施設の構造設備基準は課せられることに留意すること。
- （イ）（ア）で保管管理する陽電子断層撮影診療用RI等は，他の物の混入を防止し，又は付着しないよう封及び表示をし，種類及び数量等告示第2条の規定による7日を超えて管理区域内の廃棄施設内で保管すれば，陽電子断層撮影診療用RI等とせず，管理区域から持ち出すことを可能とすること。

(4) 規則第30条の11第4項の規定で陽電子断層撮影診療用RIの保管廃棄を行う病院又は診療所は，規則第28条第4号に係る届出を行う際，その旨を併せて届出る必要があり，また，保管廃棄の方法を変更する場合はその旨を改めて届出の必要があること。

　なお，医療機関に設置したサイクロトロン装置等で作製した陽電子断層撮影診療用RIに係るこれらの届出の際には，当該廃棄方法に係る障害防止法上の申請書及び許可証の写しが必要であること。

7. 陽電子断層撮影診療用RIに係る放射線治療病室の構造設備基準（規則第30条の12）

陽電子断層撮影診療用RIで治療を受けている患者を入院させる室（規則第30条の12に規定する放射線治療病室）の構造設備基準は診療用RIで治療を受けている患者に係るものと同様であること。なお，この放射線治療病室はあくまで患者等を入院させる室であり，外来検査のみを受ける患者等を治療する室については本条の適用とならないこと。

8. 陽電子断層撮影診療用RIの使用場所等の制限（規則第30条の14）

(1) 陽電子断層撮影診療用RIは，陽電子断層撮影診療用RI使用室で使用することとし，その他の室での陽電子断層撮影診療用RIの使用は認めないこと。

(2) 特別の理由で，かつ，適切な防護措置を講じているときは，陽電子断層撮影診療用RI使用室においてX線装置又は磁気共鳴画像診断装置（以下「MRI装置」という）を用いることが認められていること。陽電子断層撮影診療用RI使用室でX線装置又はMRI装置を用いる場合を具体的に示すと，以下（ア）から（ウ）に掲げる通りでこれに限定されること。なお，これらの場合でも同時に2人以上の患者等の診療を行うことは認められないこと。
- （ア）陽電子断層撮影診療用RIを投与した患者等の画像診断精度を高めるため，X線装置のうちCT装置で，これに陽電子放射断層撮影装置が付加され一体となったもの（以下「陽電子-CT複合装置」という）によるX線撮影を陽電子放射断層撮影装置の吸収補正用（画像診断の定量性を高め，高精度の診断を可能とすることを目的とし，陽電子断層撮影診療用RIからの放射線の，臓器や組織による吸収を補正すること）として使用する場合。
- （イ）陽電子断層撮影診療用RIを投与した患者等の陽電子断層撮影画像との重ね合わせのため，陽電子-CT複合装置によるX線撮影を行う場合又はMRI装置に陽電子放射断層撮影装置が付加され一体となったもの（以下「陽電子-MRI複合装置」という）によるMRI撮影を行う場合。

(ウ) 陽電子断層撮影画像を得ることを目的とせず，CT 撮影画像又は MRI 撮影画像のみを得るために，陽電子－CT 複合装置による X 線撮影（以下「CT 単独撮影」という）又は陽電子－MRI 複合装置による MRI 撮影（以下「MRI 単独撮影」という）を行う場合。ただし，この場合，3.(2)②(イ)の陽電子断層撮影診療に関する安全管理の責任者たる医師又は歯科医師が，CT 単独撮影又は MRI 単独撮影を含む陽電子断層撮影診療用 RI 使用室での安全管理の責任者となり，また，3.(2)①(ア)の診療放射線技師が CT 単独撮影又は MRI 単独撮影を含む陽電子断層撮影診療用 RI 使用室での安全管理に専ら従事することで，CT 単独撮影又は MRI 単独撮影を受ける患者等が，陽電子断層撮影診療用 RI による不必要な被曝を受けることのないよう，適切な放射線防護体制を確立すること。
　　なお，これらの場合においては，以下に揚げる事項に留意すること。
(エ) (ア)から(ウ)のうち，X 線撮影を用いる場合においては，陽電子断層撮影診療用 RI 使用室の構造設備基準を満たすのみならず，X 線診療室の構造設備基準を満たすことが必要であると共に，当該陽電子断層撮影診療用 RI 使用室内に陽電子－CT 複合装置を操作する場所を設けないこととし，MRI 装置を用いる場合においては，当該陽電子断層撮影診療用 RI 使用室の室内に陽電子－MRI 複合装置を操作する場所を設けないこととすること。
(オ) 陽電子断層撮影診療用 RI 使用室に X 線装置を備えたときは，規則第 24 条の 2 の規定に基づき，X 線装置の設置後 10 日以内に届出を行う必要があること。この場合，規則第 28 条第 1 項第 4 号の規定に関し，陽電子断層撮影診療用 RI 使用室の放射線障害防止に関する構造設備及び予防措置として，当該 X 線装置を使用する旨を記載し，規則第 29 条第 1 項の規定により，病院又は診療所の所在地の都道府県知事に変更の届出を行う必要があること。また，陽電子断層撮影診療用 RI 使用室に陽電子－MRI 複合装置を備えようとする時は，規則第 28 条第 1 項第 4 号の規定に関し，陽電子断層撮影診療用 RI 使用室の放射線障害の防止に関する構造設備及び予防措置として，当該陽電子－MRI 複合装置を使用する旨を記載し，規則 29 条第 2 項の規定により，病院又は診療所の所在地の都道府県知事に変更の届出を行う必要がある。
(カ) 陽電子断層撮影診療用 RI 使用室に陽電子－MRI 複合装置を備えた場合の安全確保及び放射線防護に関しては，関係学術団体の作成するガイドラインを参考に行うこと。

(3) 特別の理由により，陽電子断層撮影診療用 RI 使用室で診療用放射線照射（装置又は器具）を使用する場合とは，陽電子断層撮影診療用 RI を投与した患者等の画像診断精度を高めるため，診療用放射線照射（装置又は器具）を陽電子放射断層撮影装置の吸収補正用として使用する場合に限定されること。
　　なお，陽電子断層撮影診療用 RI 使用室に診療用放射線照射（装置又は器具）を備えるときは，規則第 26 条又は第 27 条の規定に基づき，あらかじめ届出を行う必要があること。この場合，規則第 28 条第 1 項第 4 号の規定に関し，陽電子断層撮影診療用 RI 使用室の放射線障害防止に関する構造設備及び予防措置として，当該診療用放射線照射（装置又は器具）を使用する旨を

記載し，規則第29条第2項の規定により，あらかじめ病院又は診療所の所在地の都道府県知事に変更の届出を行う必要があること。

　また，陽電子断層撮影診療用RIと診療用放射線照射（装置又は器具）を同時使用する場合があることから，当該陽電子断層撮影診療用RI使用室では放射線障害防止に関する診療用放射線照射（装置又は器具）使用室の構造設備基準を満たしたものであること。

(4) 特別の理由により，かつ，適切な予防措置を講じたとき，陽電子断層撮影診療用RI使用室で診療用RIの使用が認められものであること。このうち，陽電子断層撮影診療用RI使用室で診療用RIを用いる場合とは，具体的には以下に掲げる場合で，これに限定すること。なお，これらの場合でも同時に2人以上の患者等の診療を行うことは認められないこと。

（ア）診療用RIを用いた核医学検査を受ける患者等に当該診療用RIを投与することが，4.(3)(ア)の機能を持つ室で行われる場合（一連の作業が陽電子準備室で行われる場合を含む）。

（イ）陽電子放射断層撮影装置で，これに診療用RIを投与した患者等の撮影を行う装置が付加され一体となったもの（以下「陽電子－SPECT複合装置」という）を陽電子診療室に設置し，当該陽電子－SPECT複合装置を用いて診療を行うため陽電子診療室で診療用RIを使用する場合。ただし，この場合，3.(2)②(イ)の陽電子断層撮影診療に関する安全管理責任者たる医師又は歯科医師が陽電子断層撮影診療用RI使用室での安全管理責任者となり，また，3.(2)①(ア)の診療放射線技師が陽電子断層撮影診療用RI使用室での安全管理に専ら従事することで，診療用RIにより核医学検査を受ける患者等が，陽電子断層撮影診療用RIによる不必要な被曝を受けることのないよう，適切な放射線防護体制を確立すること。

　この場合でも，4.(3)(ウ)は適用されるため，区分した一つの陽電子診療室に複数の陽電子－SPECT装置を設置することは認められないことに留意すること。なお，この場合に限り，陽電子断層撮影診療用RI使用室で診療用RIと併せてX線装置，診療用放射線照射（装置又は器具）を使用することについて，8.(2)(ア)・(イ)又は8.(3)と同様に認めるものであること。

　陽電子断層撮影診療用RI使用室で診療用RIを備えるときは，規則第28条の規定に基づき，あらかじめ届出を行う必要があること。この場合，規則第28条第1項第4号の規定に関し，陽電子断層撮影診療用RI使用室の放射線障害防止に関する構造設備及び予防措置として，当該診療用RIを使用する旨を記載し，規則第29条第2項の規定によりあらかじめ病院又は診療所の所在地の都道府県知事に変更の届出を行う必要があること。

9. 陽電子断層撮影診療用RI等の廃棄の委託（規則第30条の14の2）

　規則第30条の14の2に規定する陽電子断層撮影診療用RIに係る廃棄の委託は，診療用RIに係るものと同様であること。

10. 陽電子断層撮影診療用 RI が投与された患者等の入院制限（規則第 30 条の 15）

陽電子断層撮影診療用 RI を投与した患者等の入院制限に係る第 1 項のただし書の規定については，管理区域内で患者等の体内から発する放射線が減衰し，患者等を管理区域外に退出させても構わない程度十分な時間留め置いた場合を示していること。

11. 陽電子断層撮影診療用 RI に係る放射線診療従事者等の被曝防止（規則第 30 条の 18）

規則第 30 条の 18 に規定する陽電子断層撮影診療用 RI に係る放射線診療従事者の被曝防止の規定は，診療用 RI に係るもの（規則第 30 条の 27 の線量限度に関する事項を含む）と同様であること。

12. 陽電子断層撮影診療用 RI に係る取扱者の遵守事項（規則第 30 条の 20）

(1) 規則第 30 条の 20 第 2 項第 2 号に規定する陽電子断層撮影診療用 RI を投与した患者等に係る適当な表示は，患者等の体内から発する放射線が減衰し，患者等を管理区域外に退出させても構わない程度十分な時間留め置いた場合は，不要であること。

(2) 以上の他，陽電子断層撮影診療用 RI を投与した患者等に係る管理者の遵守事項は，規則第 30 条の 20 に規定する診療用 RI に係るものと同様であること。

13. 陽電子断層撮影診療用 RI に係る放射線障害が発生する恐れのある場合の測定（規則第 30 条の 22）

規則第 30 条の 22 に規定する陽電子断層撮影診療用 RI に係る放射線障害が発生する恐れのある場合の測定は，診療用 RI に係るものと同様であること。

14. 陽電子断層撮影診療用 RI に係る記帳（規則第 30 条の 23）

規則第 30 条の 23 に規定する陽電子断層撮影診療用 RI に係る記帳は，診療用 RI に係るものと同様であること。

15. 陽電子断層撮影診療用 RI に係る廃止後の措置（規則第 30 条の 24）

規則第 30 条の 24 に規定する陽電子断層撮影診療用 RI に係る廃止後の措置は，診療用 RI に係るものと同様であること。

付録2.「医療法施行規則の一部を改正する省令の施行について」の一部抜粋とその概要

(平成13年3月12日　医薬発第188号,厚生労働省医薬局長通知)
(現時点での最終改正：第8次改正　平成27年9月30日医政発0930第6号)

第1　改正の趣旨　　　　　　　　　　　　　　　　　　　　　　　　　　　　　　(省略)
(1)　国際放射線防護委員会（ICRP）の1990年勧告の取り入れ　　　　　　　　　　　〃
(2)　X線装置等の防護基準の見直し　　　　　　　　　　　　　　　　　　　　　　〃
(3)　新しい医療技術への対応　　　　　　　　　　　　　　　　　　　　　　　　　〃

第2　個別事項
(1)　届出に関する事項　　　　　　　　　　　　　　　　　　　　　　　　　　　(省略)
(2)　X線装置等の防護に関する事項　　　　　　　　　　　　　　　　　　　　　　〃
(3)　X線診療室等の構造設備に関する事項　　　　　　　　　　　　　　　　　　　〃
(4)　管理義務に関する事項　　　　　　　　　　　　　　　　　　　　　　　　　　〃
(5)　限度に関する事項　　　　　　　　　　　　　　　　　　　　　　　　　　　　〃
(6)　線量等の算定等
　　1.　放射線の線量等の評価方法について　　　　　　　　　　　　　　　　　(省略)
　　2.　放射線取扱施設等及び管理区域の境界における線量等の算定　　　　　　　〃
　　3.　病院又は診療所の敷地の境界等における線量の算定　　　　　　　　　　　〃
　　4.　排水・排気等に係るRIの濃度の算定　　　　　　　　　　　　　　　　　　〃
　　5.　自然放射線による被曝線量の除外　　　　　　　　　　　　　　　　　　　〃
　　6.　X線診療室等の構造設備に係る遮蔽算定に関する参考事項
(7)　経過措置に関する事項　　　　　　　　　　　　　　　　　　　　　　　　　(省略)
　　女子の線量限度の変更に伴う書面の運用に係る留意事項　　　　　　　　　　　〃

　X線診療室等の構造設備について，所定の線量以下とすることができる鉛当量及びこの標準値並びに放射線の測定に関する参考事項を以下に示す。

1）鉛当量の標準値
　　各号に掲げる装置に係る鉛当量の標準値はそれぞれ各号に掲げる通りとすること。
　　ア）X線装置の蛍光板及びイメージインテンシファイア等の受像器：次表に掲げる鉛当量。ただし，この数値は患者によるX線の減弱を考慮しないものであること。

付録2.「医療法施行規則の一部を改正する省令の施行について」の一部抜粋とその概要　119

管電圧	70 kV以下	70 kVを超え100 kV以下	100 kVを超える場合
鉛当量	1.5 mm	2.0 mm	2.0 mm＋（当該管電圧－100）×0.01 mm

管電圧は連続定格値をとる。

　イ）X線診療室の画壁等の実効線量：X線診療室の遮蔽は，1）一次X線の遮蔽，2）散乱X線の遮蔽，3）X線管容器からの漏洩X線の遮蔽，について考慮する。ただし，使用するX線装置は定格出力の管電圧が200 kV以下とし，遮蔽計算は別図に示す配置で行う。

(1) 一次X線による漏洩X線量の計算

$$E_p = \frac{X \times D_t \times W \times (E/K_a) \times U \times T}{d_1^2}$$

E_p：漏洩実効線量（μSv/3月）
X：X線管焦点から利用線錐方向の1 mの距離での空気カーマ[*1]（μGy/mAs）
D_t：遮蔽体の厚さt（mm）における空気カーマ透過率[*1]
W：3月間でのX線装置の実効稼動負荷（mAs/3月）
E/K_a：空気カーマから実効線量への換算係数（Sv/Gy）
U：使用係数
T：居住係数
d_1：X線管焦点～遮蔽壁外側間距離（m）

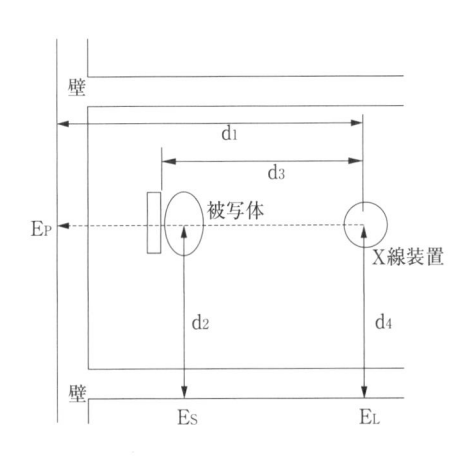

別図

　X線管焦点から利用線錐方向1 mの距離における空気カーマの表（表1）を用いてXを，また，透過率の表（表2～表7）を用いて使用管電圧に対応する遮蔽厚からD_tの値が求められる。なお，該当数値がない場合は安全側に設定するか又は補間法により求める。
　また，透視可能なX線装置で，受像面を含む受像装置に着脱不可能な一次X線防護障壁がある場合は，それを遮蔽体として考慮することができる。

(2) 散乱X線の漏洩X線量の計算

$$E_s = \frac{X \times D_t \times W \times (E/K_a) \times U \times T}{d_2^2 \times d_3^2} \times \frac{a \times F}{400}$$

E_s：漏洩実効線量（μSv/3月）
X：X線管焦点から利用線錐方向1 mの距離における空気カーマ[*1]（μGy/mAs）

D_t：遮蔽体の厚さ t における空気カーマ透過率[*1]
W：3 月間での X 線装置の実効稼動負荷（mAs/3 月）
E/K_a：空気カーマから実効線量への換算係数（Sv/Gy）
U：使用係数
T：居住係数
d_2：撮影天板面での利用線錐中心～遮蔽壁の外側までの距離（m）
d_3：X 線管焦点～撮影天板面までの距離（m）
a：照射野 400 cm² の組織類似ファントムから 1 m の距離での空気カーマ率の X に対する百分率[*1]（X 線管焦点ファントムから 1 m の距離の場合）
F：受像面における照射野の大きさ（cm²）

X 線管焦点から利用線錐方向 1 m の距離での空気カーマの表（表1）を用いて X を，透過率の表（表2～表7）を用いて使用管電圧に対応する遮蔽厚から D_t の値並びに照射野 400 cm² の組織類似ファントムから 1 m の距離での空気カーマ率百分率の表（表8）から a が求められる。なお，該当数値がない場合は安全側に設定するか又は補間法により求める。

(3) X 線管容器からの漏洩 X 線の計算

X 線管容器からの漏洩 X 線は，管容器で十分遮蔽された後であるので，画壁等での遮蔽効果の計算に当たっては，大幅に減衰した X 線の広いビームに対する半価層又は 1/10 価層を用いて計算する。

* 半価層を用いる計算式

$$E_L = \left(\frac{1}{2}\right)^{t/t_{1/2}} \times \frac{X_L \times t_w \times (E/K_a) \times U \times T}{d_4^2}$$

* 1/10 価層を用いる計算式

$$E_L = \left(\frac{1}{10}\right)^{t/t_{1/10}} \times \frac{X_L \times t_w \times (E/K_a) \times U \times T}{d_4^2}$$

E_L：漏洩実効線量（μSv/3 月）
X_L：X 線装置からの漏洩線量。X 線管容器から 1 m の距離での空気カーマ[*3]（μGy/h）
t_w：3 月間での稼働時間。3 月間での X 線装置の実効稼動負荷（mAs/3 月）÷ 使用管電流（mA）÷ 3600（s/h）
E/K_a：空気カーマから実効線量への換算係数（Sv/Gy）
U：使用係数
T：居住係数
d_4：X 線装置の X 線管焦点から遮蔽壁外側等の評価点までの距離（m）
$t_{1/2}$：遮蔽体の大幅に減衰した X 線の広いビームに対する半価層[*1]（mm）

$t_{1/10}$：遮蔽体の大幅に減衰したX線の広いビームに対する1/10価層[*1]（mm）

t：遮蔽体の厚さ（mm）

半価層又は1/10価層は表9を用いて使用管電圧に対応する遮蔽体の $t_{1/2}$ 又は $t_{1/10}$ 価層の値を求められるが，該当する数値がない場合は安全側に設定するか又は補間法により求める。

(4) 複合の遮蔽体からの漏洩X線量の計算

一次X線による利用線錐方向の遮蔽は対向板に鉛が用いられ，その後コンクリートで遮蔽されるような複合遮蔽の場合は，一次遮蔽で大幅に減衰したX線の広いビームに対する放射線量と半価層又は1/10価層を乗じて計算することができる。

$$E_P = \frac{X \times D_t \times W \times (E/K_a) \times U \times T}{d_1^2} \times \left(\frac{1}{2}\right)^{t/t_{1/2}}$$

E_P：漏洩実効線量（μSv/3月）

X：X線装置のX線管焦点から利用線錐方向1mの距離での空気カーマ[*1]

（μGy/mAs）

D_t：厚さ t（mm）の最初の遮蔽体による透過率

W：3月間の実効稼動負荷（mAs/3月）

E/K_a：空気カーマから実効線量への換算係数（Sv/Gy）

U：使用係数

T：居住係数

d_1：X線装置のX線管焦点から画壁外側等の利用線錐方向の評価点までの距離（m）

$t_{1/2}$：2番目の遮蔽体の大幅に減衰したX線の広いビームに対する半価層[*1]（mm）

t：2番目の遮蔽体の厚さ[*1]（mm）

[*1] X線管焦点から利用線錐方向1mの距離での空気カーマ率（表1），使用管電圧ごとの遮蔽体の厚さにおける空気カーマ透過率（表2（鉛），表3（コンクリート），表4（鉄），表5（石膏），表6（ガラス），表7（木材）），照射野400cm²の組織類似ファントムから1mの距離における空気カーマ率の百分率（表8）及び遮蔽体の大幅に減衰したX線の広いビームに対する半価層又は1/10価層（表9）は，原則としてそれぞれに示した表の値を用いることとする。ただし，学会誌等（海外誌を含む）で公表されている適切な資料等を有している場合には，その値を用いてもよい。

[*2] 表10の値は，原則として告示第398号別表第1の光子エネルギーに対する実効線量への換算係数を採用する。この場合において，X線装置の使用管電圧（kV）によるX線のエネルギーは，吸収又は散乱後のX線のスペクトルは発生時のものと異なっているが，換算係数の選択に当たっては，光子エネルギー（keV）＝使用管電圧（kV）と見なし，対応する換算係数の値を用いるものとする。なお，使用管電圧が80kVを超えるX線装置の換算係数は，最大値1.433を用いるものとすること。

[*3] X線管の容器及び照射筒の利用線錐方向以外の1時間当たりの漏洩X線量は，原則として第30条第1項第1号に規定する各X線装置の空気カーマ率を用いることとする。ただし，適切な方法により測定されたX線管容器等の漏洩X線量に関する根拠資料等を有している場合には，その値を用いてもよい。

(5) 漏洩X線量の複合計算

対向板に所定の鉛当量が確保されている場合，E_P（別図参照）の漏洩X線量は，複合計算しなくても差し支えないが，E_S と E_L の位置での漏洩X線量は，それぞれに算定した漏洩X線量の和をもって表すものとすること。

(参考計算例)

透視用X線装置を用いて次の条件で1日10名，週5日間使用するときの3月間における管理区域境界での3月間の漏洩線量はどうなるか。ただし，ここでの計算は使用室の画壁のコンクリート（密度：2.35 g/cm³）の厚さを10 cmと仮定して計算することとする。

X線装置の使用管電圧	100 kV
使用管電流	100 mA
透視条件	0.5 mA　5分/人
撮影条件	100 mA　0.1秒/撮影　10回撮影/人
対向遮蔽物	透視の場合：鉛当量 2 mm

[利用線錐方向の漏洩線量]

（E_p）は，鉛の対向遮蔽物とコンクリートの複合遮蔽体が用いられているので，次式より求める。

$$E_P = \frac{77.1 \times 162500 \times 1.433 \times 0.000516 \times 1 \times 1}{2^2} \times 0.0170 = 39.37\,(\mu Sv/3月)$$

X（表1）：= 77.1（μGy/mAs）

W：13 w/3月 × 5 d/w × 10人/d ×（0.5 mA × 5 min/人 × 60 s/min + 10 mAs × 10/人）
　　= 162500（mAs/3月）

（E/K_a）（表10）：1.433（Sv/Gy）

D_t：鉛2 mm（対向遮蔽物）の透過率（表2）= 0.000516

半価層（コンクリート厚100 mm）による透過率（表9）=$(1/2)^{100/17.0}$ = 0.0170

T：= 1

U：= 1

d_1：= 2 m

[散乱線の漏洩線量]

（E_s）は次式より求められる。

$$E_S = \frac{77.1 \times 162500 \times 1.433 \times 0.00181 \times 1 \times 1}{1.5^2 \times 0.6^2} \times \frac{0.19 \times 1225}{400 \times 100} = 233.44\,(\mu Sv/3月)$$

X（表1）：= 77.1（μGy/mAs）

W：13 w/3 月 ×5 d/w×10 人 /d× （0.5 mA×5 min/人 ×60 s/min+10 mAs×10/人）
 = 162500（mAs/3 月）

(E/K$_a$)（表 10）：1.433（Sv/Gy）

D$_t$：コンクリート 100 mm の透過率（表 3）= 0.00181

d$_3$：= 0.6 m（X 線管焦点・撮影天板面距離）

a（表 8）：0.19/100

F：35×35 = 1225（cm^2）

T：= 1

U：= 1

d$_2$：= 1.5 m

[管容器からの漏洩線量]

(E$_L$) は半価層を用いるので，次式により求める。

$$E_L = \frac{1000 \times 1.433 \times 54.35 \times 0.0170 \times 1 \times 1}{1.5^2} = 588.45$$

X$_t$（第 30 条第 1 号ニ）管容器からの線量率：1 mGy/h×1000 μGy/mGy×=1000（μGy/h）

(E/K$_a$)（表 10）：1.433（Sv/Gy）

半価層（コンクリート厚 100 mm）による透過率（表 9）=(1/2)$^{100/17.0}$ = 0.0170

t$_w$：撮影 65000 mAs/3 月 /100 mA/3600 s/h = 0.18（h/3 月間）
　透視 97500 mAs/3 月 /0.5 mA/3600 s/h = 54.17（h/3 月間）
　撮影＋透視 = 0.18 + 54.17 = 54.35（h/3 月間）

T：= 1

U：= 1

d$_4$：= 1.5 m

[結　論]

1. 利用線錐方向における Ep 点の漏洩 X 線線量

　E$_p$ = 39.37（μSv/3 月間）

2. 管容器からの漏洩線を考慮した散乱方向の漏洩 X 線量

　E$_S$ + E$_L$ = 233.44（μSv/3 月間）+ 588.45（μSv/3 月間）≒ 821.89（μSv/3 月間）

　　なお，コンクリートの密度の違いによる補正は，概ねコンクリートの厚さの間で比例の関係にあるので，次式から遮蔽体の等価厚さを計算し，その厚さの透過率を求める（詳細は「放射線施設のしゃへい計算実務マニュアル 2007，放射線施設の遮蔽計算実務（放射線）データ集 2012，原子力安全技術センター発行」を参照されたい）。

$$遮蔽体等価厚さ(\mathrm{cm}) = \frac{適用する密度\,(\mathrm{g/cm^3})}{2.35\,(\mathrm{g/cm^3})} \times コンクリートの厚さ(\mathrm{cm})$$

(凡例)

　密度 2.1（g/cm³）のコンクリート壁厚 10 cm は，密度 2.35（g/cm³）のコンクリートのほぼ 8.9 cm に相当する。遮蔽体等価厚さ（cm）= 2.1（g/cm³）/2.35（g/cm³）×10（cm）≒ 8.9（cm）

表1 X線装置の使用管電圧とX線管焦点から1mの距離における空気カーマ

使用管電圧（kV）	空気カーマ（μGy/mAs）
25	23.5
30	43.6
35	67.3
50	17.5
55	21.3
60	25.7
65	30.6
70	36.0
75	41.9
80	48.3
85	55.0
90	62.1
95	69.4
100	77.1
105	85.0
110	93.1
115	101
120	110
125	118
130	127
135	135
140	143
145	152
150	160

この数値はNCRP Report No.147（2004）に基づく。

25～35kV空気カーマの値は，モリブデン陽極とモリブデンフィルタを有する乳房撮影用X線装置に対するものである。

なお，該当する値がない場合には，安全側に設定するか又は補間法により求めることができる。

表2　鉛中におけるX線の空気カーマ透過率

遮蔽厚 (mm)	使用管電圧 (kV)							
	25	30	35	50	55	60	65	70
0.0	1.00	1.00	1.00	1.00	1.00	1.00	1.00	1.00
0.1	7.08×10^{-5}	2.91×10^{-4}	9.60×10^{-4}	6.75×10^{-2}	8.60×10^{-2}	1.07×10^{-1}	1.31×10^{-1}	1.55×10^{-1}
0.2	3.01×10^{-7}	3.55×10^{-6}	2.86×10^{-5}	1.10×10^{-2}	1.72×10^{-2}	2.60×10^{-2}	3.76×10^{-2}	5.13×10^{-2}
0.3	1.92×10^{-9}	6.48×10^{-8}	1.28×10^{-6}	2.54×10^{-3}	4.75×10^{-3}	8.47×10^{-3}	1.41×10^{-2}	2.18×10^{-2}
0.4	1.33×10^{-11}	1.30×10^{-9}	6.37×10^{-8}	7.16×10^{-4}	1.56×10^{-3}	3.21×10^{-3}	6.08×10^{-3}	1.04×10^{-2}
0.5	9.33×10^{-14}	2.66×10^{-11}	3.27×10^{-9}	2.27×10^{-4}	5.68×10^{-4}	1.33×10^{-3}	2.82×10^{-3}	5.34×10^{-3}
0.6	6.59×10^{-16}	5.48×10^{-13}	1.70×10^{-10}	7.73×10^{-5}	2.21×10^{-4}	5.82×10^{-4}	1.38×10^{-3}	2.85×10^{-3}
0.7	4.65×10^{-18}	1.13×10^{-14}	8.82×10^{-12}	2.78×10^{-5}	8.97×10^{-5}	2.65×10^{-4}	6.92×10^{-4}	1.57×10^{-3}
0.8	3.29×10^{-20}	2.33×10^{-16}	4.59×10^{-13}	1.04×10^{-5}	3.76×10^{-5}	1.24×10^{-4}	3.55×10^{-4}	8.76×10^{-4}
0.9	2.33×10^{-22}	4.82×10^{-18}	2.39×10^{-14}	3.97×10^{-6}	1.61×10^{-5}	5.87×10^{-5}	1.85×10^{-4}	4.96×10^{-4}
1.0	1.64×10^{-24}	9.95×10^{-20}	1.24×10^{-15}	1.55×10^{-6}	7.02×10^{-6}	2.83×10^{-5}	9.77×10^{-5}	2.83×10^{-4}
1.1	1.16×10^{-26}	2.05×10^{-21}	6.48×10^{-17}	6.14×10^{-7}	3.09×10^{-6}	1.37×10^{-5}	5.19×10^{-5}	1.63×10^{-4}
1.2	8.22×10^{-29}	4.24×10^{-23}	3.38×10^{-18}	2.46×10^{-7}	1.38×10^{-6}	6.73×10^{-6}	2.77×10^{-5}	9.41×10^{-5}
1.3	5.81×10^{-31}	8.76×10^{-25}	1.76×10^{-19}	9.93×10^{-8}	6.15×10^{-7}	3.31×10^{-6}	1.48×10^{-5}	5.45×10^{-5}
1.4	4.11×10^{-33}	1.81×10^{-26}	9.16×10^{-21}	4.04×10^{-8}	2.77×10^{-7}	1.63×10^{-6}	7.98×10^{-6}	3.17×10^{-5}
1.5	2.90×10^{-35}	3.74×10^{-28}	4.77×10^{-22}	1.65×10^{-8}	1.25×10^{-7}	8.08×10^{-7}	4.30×10^{-6}	1.84×10^{-5}
1.6	2.05×10^{-37}	7.72×10^{-30}	2.48×10^{-23}	6.75×10^{-9}	5.66×10^{-8}	4.01×10^{-7}	2.32×10^{-6}	1.07×10^{-5}
1.7	1.45×10^{-39}	1.59×10^{-31}	1.29×10^{-24}	2.78×10^{-9}	2.57×10^{-8}	1.99×10^{-7}	1.25×10^{-6}	6.27×10^{-6}
1.8	1.03×10^{-41}	3.29×10^{-33}	6.74×10^{-26}	1.14×10^{-9}	1.17×10^{-8}	9.91×10^{-8}	6.77×10^{-7}	3.66×10^{-6}
1.9	7.25×10^{-44}	6.80×10^{-35}	3.51×10^{-27}	4.72×10^{-10}	5.30×10^{-9}	4.93×10^{-8}	3.66×10^{-7}	2.13×10^{-6}
2.0	5.13×10^{-46}	1.40×10^{-36}	1.83×10^{-28}	1.95×10^{-10}	2.41×10^{-9}	2.46×10^{-8}	1.98×10^{-7}	1.25×10^{-6}
2.1	3.62×10^{-48}	2.90×10^{-38}	9.52×10^{-30}	8.05×10^{-11}	1.10×10^{-9}	1.22×10^{-8}	1.07×10^{-7}	7.28×10^{-7}
2.2	2.56×10^{-50}	5.99×10^{-40}	4.96×10^{-31}	3.33×10^{-11}	5.01×10^{-10}	6.10×10^{-9}	5.80×10^{-8}	4.25×10^{-7}
2.3	1.81×10^{-52}	1.24×10^{-41}	2.58×10^{-32}	1.38×10^{-11}	2.29×10^{-10}	3.04×10^{-9}	3.14×10^{-8}	2.49×10^{-7}
2.4	1.28×10^{-54}	2.55×10^{-43}	1.34×10^{-33}	5.71×10^{-12}	1.04×10^{-10}	1.52×10^{-9}	1.70×10^{-8}	1.45×10^{-7}
2.5	9.05×10^{-57}	5.27×10^{-45}	7.00×10^{-35}	2.37×10^{-12}	4.76×10^{-11}	7.57×10^{-10}	9.21×10^{-9}	8.49×10^{-8}
2.6	6.40×10^{-59}	1.09×10^{-46}	3.65×10^{-36}	9.80×10^{-13}	2.17×10^{-11}	3.78×10^{-10}	4.99×10^{-9}	4.96×10^{-8}
2.7	4.52×10^{-61}	2.25×10^{-48}	1.90×10^{-37}	4.06×10^{-13}	9.91×10^{-12}	1.88×10^{-10}	2.70×10^{-9}	2.90×10^{-8}
2.8	3.20×10^{-63}	4.64×10^{-50}	9.89×10^{-39}	1.68×10^{-13}	4.53×10^{-12}	9.40×10^{-11}	1.46×10^{-9}	1.70×10^{-8}
2.9	2.26×10^{-65}	9.59×10^{-52}	5.15×10^{-40}	6.98×10^{-14}	2.07×10^{-12}	4.69×10^{-11}	7.93×10^{-10}	9.91×10^{-9}
3.0	1.60×10^{-67}	1.98×10^{-53}	2.68×10^{-41}	2.89×10^{-14}	9.43×10^{-13}	2.34×10^{-11}	4.30×10^{-10}	5.79×10^{-9}
3.5	2.82×10^{-78}	7.43×10^{-62}	1.03×10^{-47}	3.55×10^{-16}	1.87×10^{-14}	7.24×10^{-13}	2.00×10^{-11}	3.95×10^{-10}
4.0	4.98×10^{-89}	2.79×10^{-70}	3.94×10^{-54}	4.35×10^{-18}	3.72×10^{-16}	2.24×10^{-14}	9.35×10^{-13}	2.70×10^{-11}

遮蔽厚 (mm)	\multicolumn{8}{c}{使用管電圧 (kV)}
	75	80	85	90	95	100	105	110
0.0	1.00	1.00	1.00	1.00	1.00	1.00	1.00	1.00
0.1	1.79×10^{-1}	2.03×10^{-1}	2.27×10^{-1}	2.51×10^{-1}	2.76×10^{-1}	3.01×10^{-1}	3.27×10^{-1}	3.53×10^{-1}
0.2	6.65×10^{-2}	8.24×10^{-2}	9.85×10^{-2}	1.15×10^{-1}	1.31×10^{-1}	1.47×10^{-1}	1.63×10^{-1}	1.78×10^{-1}
0.3	3.11×10^{-2}	4.15×10^{-2}	5.25×10^{-2}	6.37×10^{-2}	7.48×10^{-2}	8.53×10^{-2}	9.55×10^{-2}	1.05×10^{-1}
0.4	1.62×10^{-2}	2.31×10^{-2}	3.09×10^{-2}	3.89×10^{-2}	4.69×10^{-2}	5.44×10^{-2}	6.12×10^{-2}	6.72×10^{-2}
0.5	9.00×10^{-3}	1.37×10^{-2}	1.92×10^{-2}	2.52×10^{-2}	3.11×10^{-2}	3.66×10^{-2}	4.14×10^{-2}	4.54×10^{-2}
0.6	5.19×10^{-3}	8.41×10^{-3}	1.24×10^{-2}	1.69×10^{-2}	2.14×10^{-2}	2.55×10^{-2}	2.91×10^{-2}	3.19×10^{-2}
0.7	3.07×10^{-3}	5.29×10^{-3}	8.20×10^{-3}	1.16×10^{-2}	1.51×10^{-2}	1.83×10^{-2}	2.09×10^{-2}	2.29×10^{-2}
0.8	1.84×10^{-3}	3.39×10^{-3}	5.51×10^{-3}	8.08×10^{-3}	1.08×10^{-2}	1.33×10^{-2}	1.54×10^{-2}	1.68×10^{-2}
0.9	1.12×10^{-3}	2.19×10^{-3}	3.75×10^{-3}	5.71×10^{-3}	7.86×10^{-3}	9.85×10^{-3}	1.14×10^{-2}	1.25×10^{-2}
1.0	6.89×10^{-4}	1.43×10^{-3}	2.57×10^{-3}	4.08×10^{-3}	5.77×10^{-3}	7.36×10^{-3}	8.60×10^{-3}	9.44×10^{-3}
1.1	4.25×10^{-4}	9.39×10^{-4}	1.78×10^{-3}	2.93×10^{-3}	4.27×10^{-3}	5.54×10^{-3}	6.53×10^{-3}	7.18×10^{-3}
1.2	2.64×10^{-4}	6.19×10^{-4}	1.23×10^{-3}	2.12×10^{-3}	3.17×10^{-3}	4.20×10^{-3}	5.00×10^{-3}	5.50×10^{-3}
1.3	1.64×10^{-4}	4.09×10^{-4}	8.59×10^{-4}	1.54×10^{-3}	2.37×10^{-3}	3.20×10^{-3}	3.84×10^{-3}	4.24×10^{-3}
1.4	1.02×10^{-4}	2.71×10^{-4}	6.00×10^{-4}	1.12×10^{-3}	1.78×10^{-3}	2.45×10^{-3}	2.97×10^{-3}	3.28×10^{-3}
1.5	6.38×10^{-5}	1.80×10^{-4}	4.20×10^{-4}	8.15×10^{-4}	1.34×10^{-3}	1.88×10^{-3}	2.30×10^{-3}	2.55×10^{-3}
1.6	3.99×10^{-5}	1.20×10^{-4}	2.94×10^{-4}	5.96×10^{-4}	1.01×10^{-3}	1.45×10^{-3}	1.79×10^{-3}	1.99×10^{-3}
1.7	2.50×10^{-5}	7.98×10^{-5}	2.06×10^{-4}	4.36×10^{-4}	7.62×10^{-4}	1.11×10^{-3}	1.39×10^{-3}	1.56×10^{-3}
1.8	1.56×10^{-5}	5.32×10^{-5}	1.45×10^{-4}	3.19×10^{-4}	5.77×10^{-4}	8.61×10^{-4}	1.09×10^{-3}	1.22×10^{-3}
1.9	9.79×10^{-6}	3.55×10^{-5}	1.02×10^{-4}	2.34×10^{-4}	4.37×10^{-4}	6.66×10^{-4}	8.53×10^{-4}	9.62×10^{-4}
2.0	6.13×10^{-6}	2.36×10^{-5}	7.16×10^{-5}	1.72×10^{-4}	3.31×10^{-4}	5.16×10^{-4}	6.68×10^{-4}	7.58×10^{-4}
2.1	3.84×10^{-6}	1.58×10^{-5}	5.04×10^{-5}	1.26×10^{-4}	2.51×10^{-4}	4.00×10^{-4}	5.24×10^{-4}	5.97×10^{-4}
2.2	2.41×10^{-6}	1.05×10^{-5}	3.55×10^{-5}	9.28×10^{-5}	1.91×10^{-4}	3.10×10^{-4}	4.12×10^{-4}	4.72×10^{-4}
2.3	1.51×10^{-6}	7.02×10^{-6}	2.50×10^{-5}	6.82×10^{-5}	1.45×10^{-4}	2.41×10^{-4}	3.24×10^{-4}	3.73×10^{-4}
2.4	9.47×10^{-7}	4.69×10^{-6}	1.76×10^{-5}	5.01×10^{-5}	1.10×10^{-4}	1.87×10^{-4}	2.55×10^{-4}	2.95×10^{-4}
2.5	5.94×10^{-7}	3.13×10^{-6}	1.24×10^{-5}	3.68×10^{-5}	8.36×10^{-5}	1.45×10^{-4}	2.00×10^{-4}	2.33×10^{-4}
2.6	3.72×10^{-7}	2.09×10^{-6}	8.71×10^{-6}	2.71×10^{-5}	6.35×10^{-5}	1.13×10^{-4}	1.58×10^{-4}	1.85×10^{-4}
2.7	2.33×10^{-7}	1.39×10^{-6}	6.14×10^{-6}	1.99×10^{-5}	4.83×10^{-5}	8.79×10^{-5}	1.24×10^{-4}	1.46×10^{-4}
2.8	1.46×10^{-7}	9.30×10^{-7}	4.32×10^{-6}	1.47×10^{-5}	3.67×10^{-5}	6.84×10^{-5}	9.79×10^{-5}	1.16×10^{-4}
2.9	9.18×10^{-8}	6.21×10^{-7}	3.04×10^{-6}	1.08×10^{-5}	2.79×10^{-5}	5.32×10^{-5}	7.72×10^{-5}	9.21×10^{-5}
3.0	5.76×10^{-8}	4.15×10^{-7}	2.14×10^{-6}	7.93×10^{-6}	2.13×10^{-5}	4.14×10^{-5}	6.09×10^{-5}	7.30×10^{-5}
3.5	5.58×10^{-9}	5.50×10^{-8}	3.72×10^{-7}	1.71×10^{-6}	5.42×10^{-6}	1.18×10^{-5}	1.86×10^{-5}	2.30×10^{-5}
4.0	5.42×10^{-10}	7.30×10^{-9}	6.44×10^{-8}	3.69×10^{-7}	1.38×10^{-6}	3.39×10^{-6}	5.69×10^{-6}	7.29×10^{-6}

遮蔽厚	使用管電圧（kV）							
(mm)	115	120	125	130	135	140	145	150
0.0	1.00	1.00	1.00	1.00	1.00	1.00	1.00	1.00
0.1	3.79×10^{-1}	4.04×10^{-1}	4.28×10^{-1}	4.50×10^{-1}	4.70×10^{-1}	4.90×10^{-1}	5.09×10^{-1}	5.26×10^{-1}
0.2	1.94×10^{-1}	2.09×10^{-1}	2.25×10^{-1}	2.40×10^{-1}	2.55×10^{-1}	2.70×10^{-1}	2.85×10^{-1}	3.00×10^{-1}
0.3	1.14×10^{-1}	1.23×10^{-1}	1.32×10^{-1}	1.42×10^{-1}	1.51×10^{-1}	1.61×10^{-1}	1.71×10^{-1}	1.81×10^{-1}
0.4	7.28×10^{-2}	7.83×10^{-2}	8.38×10^{-2}	8.96×10^{-2}	9.56×10^{-2}	1.02×10^{-1}	1.08×10^{-1}	1.15×10^{-1}
0.5	4.90×10^{-2}	5.23×10^{-2}	5.57×10^{-2}	5.93×10^{-2}	6.30×10^{-2}	6.71×10^{-2}	7.12×10^{-2}	7.54×10^{-2}
0.6	3.42×10^{-2}	3.63×10^{-2}	3.83×10^{-2}	4.06×10^{-2}	4.30×10^{-2}	4.56×10^{-2}	4.83×10^{-2}	5.10×10^{-2}
0.7	2.45×10^{-2}	2.58×10^{-2}	2.71×10^{-2}	2.86×10^{-2}	3.01×10^{-2}	3.18×10^{-2}	3.35×10^{-2}	3.53×10^{-2}
0.8	1.79×10^{-2}	1.87×10^{-2}	1.96×10^{-2}	2.05×10^{-2}	2.15×10^{-2}	2.27×10^{-2}	2.38×10^{-2}	2.50×10^{-2}
0.9	1.33×10^{-2}	1.38×10^{-2}	1.44×10^{-2}	1.50×10^{-2}	1.57×10^{-2}	1.64×10^{-2}	1.72×10^{-2}	1.80×10^{-2}
1.0	9.97×10^{-3}	1.03×10^{-2}	1.07×10^{-2}	1.11×10^{-2}	1.16×10^{-2}	1.21×10^{-2}	1.26×10^{-2}	1.31×10^{-2}
1.1	7.56×10^{-3}	7.81×10^{-3}	8.03×10^{-3}	8.30×10^{-3}	8.63×10^{-3}	8.99×10^{-3}	9.35×10^{-3}	9.72×10^{-3}
1.2	5.78×10^{-3}	5.95×10^{-3}	6.09×10^{-3}	6.27×10^{-3}	6.50×10^{-3}	6.76×10^{-3}	7.01×10^{-3}	7.27×10^{-3}
1.3	4.45×10^{-3}	4.56×10^{-3}	4.65×10^{-3}	4.78×10^{-3}	4.94×10^{-3}	5.13×10^{-3}	5.31×10^{-3}	5.49×10^{-3}
1.4	3.44×10^{-3}	3.52×10^{-3}	3.58×10^{-3}	3.66×10^{-3}	3.79×10^{-3}	3.92×10^{-3}	4.05×10^{-3}	4.19×10^{-3}
1.5	2.68×10^{-3}	2.73×10^{-3}	2.76×10^{-3}	2.83×10^{-3}	2.92×10^{-3}	3.02×10^{-3}	3.12×10^{-3}	3.21×10^{-3}
1.6	2.09×10^{-3}	2.12×10^{-3}	2.15×10^{-3}	2.19×10^{-3}	2.26×10^{-3}	2.34×10^{-3}	2.41×10^{-3}	2.49×10^{-3}
1.7	1.63×10^{-3}	1.66×10^{-3}	1.67×10^{-3}	1.71×10^{-3}	1.76×10^{-3}	1.82×10^{-3}	1.88×10^{-3}	1.93×10^{-3}
1.8	1.28×10^{-3}	1.30×10^{-3}	1.31×10^{-3}	1.33×10^{-3}	1.38×10^{-3}	1.42×10^{-3}	1.47×10^{-3}	1.51×10^{-3}
1.9	1.01×10^{-3}	1.02×10^{-3}	1.03×10^{-3}	1.05×10^{-3}	1.08×10^{-3}	1.12×10^{-3}	1.16×10^{-3}	1.19×10^{-3}
2.0	7.95×10^{-4}	8.03×10^{-4}	8.07×10^{-4}	8.23×10^{-4}	8.50×10^{-4}	8.82×10^{-4}	9.13×10^{-4}	9.42×10^{-4}
2.1	6.27×10^{-4}	6.33×10^{-4}	6.36×10^{-4}	6.49×10^{-4}	6.71×10^{-4}	6.98×10^{-4}	7.24×10^{-4}	7.47×10^{-4}
2.2	4.96×10^{-4}	5.00×10^{-4}	5.03×10^{-4}	5.13×10^{-4}	5.31×10^{-4}	5.54×10^{-4}	5.75×10^{-4}	5.95×10^{-4}
2.3	3.92×10^{-4}	3.96×10^{-4}	3.98×10^{-4}	4.06×10^{-4}	4.22×10^{-4}	4.40×10^{-4}	4.59×10^{-4}	4.76×10^{-4}
2.4	3.11×10^{-4}	3.14×10^{-4}	3.15×10^{-4}	3.22×10^{-4}	3.35×10^{-4}	3.51×10^{-4}	3.67×10^{-4}	3.82×10^{-4}
2.5	2.46×10^{-4}	2.49×10^{-4}	2.50×10^{-4}	2.56×10^{-4}	2.67×10^{-4}	2.81×10^{-4}	2.94×10^{-4}	3.07×10^{-4}
2.6	1.96×10^{-4}	1.97×10^{-4}	1.98×10^{-4}	2.04×10^{-4}	2.13×10^{-4}	2.25×10^{-4}	2.37×10^{-4}	2.48×10^{-4}
2.7	1.55×10^{-4}	1.57×10^{-4}	1.58×10^{-4}	1.62×10^{-4}	1.70×10^{-4}	1.80×10^{-4}	1.91×10^{-4}	2.01×10^{-4}
2.8	1.23×10^{-4}	1.25×10^{-4}	1.26×10^{-4}	1.29×10^{-4}	1.36×10^{-4}	1.45×10^{-4}	1.54×10^{-4}	1.63×10^{-4}
2.9	9.80×10^{-5}	9.92×10^{-5}	1.00×10^{-4}	1.03×10^{-4}	1.09×10^{-4}	1.17×10^{-4}	1.24×10^{-4}	1.32×10^{-4}
3.0	7.80×10^{-5}	7.89×10^{-5}	7.97×10^{-5}	8.26×10^{-5}	8.76×10^{-5}	9.40×10^{-5}	1.01×10^{-4}	1.08×10^{-4}
3.5	2.49×10^{-5}	2.54×10^{-5}	2.58×10^{-5}	2.72×10^{-5}	2.94×10^{-5}	3.25×10^{-5}	3.59×10^{-5}	3.95×10^{-5}
4.0	7.99×10^{-6}	8.19×10^{-6}	8.42×10^{-6}	9.03×10^{-6}	1.00×10^{-5}	1.15×10^{-5}	1.31×10^{-5}	1.50×10^{-5}

この数値はNCRP Report No.147（2004）に基づく。

なお，鉛の密度は，11.35 g/cm³ である。

NCRP Report No.147（2004）では一次X線と二次X線の透過率は同等であることを示している。

該当する値がない場合には，安全側に設定するか又は補間法により求めることができる。

表3 コンクリートにおけるエックス線の空気カーマ透過率

遮蔽厚 (mm)	使用管電圧 (kV)							
	25	30	35	50	55	60	65	70
0	1.00	1.00	1.00	1.00	1.00	1.00	1.00	1.00
10	1.63×10^{-4}	5.85×10^{-4}	1.73×10^{-3}	1.08×10^{-1}	1.28×10^{-1}	1.46×10^{-1}	1.63×10^{-1}	1.79×10^{-1}
20	1.46×10^{-6}	1.31×10^{-5}	8.43×10^{-5}	1.90×10^{-2}	2.62×10^{-2}	3.45×10^{-2}	4.37×10^{-2}	5.39×10^{-2}
30	2.31×10^{-8}	4.63×10^{-7}	5.90×10^{-6}	4.34×10^{-3}	6.91×10^{-3}	1.04×10^{-2}	1.49×10^{-2}	2.05×10^{-2}
40	4.31×10^{-10}	1.84×10^{-8}	4.53×10^{-7}	1.16×10^{-3}	2.13×10^{-3}	3.66×10^{-3}	5.89×10^{-3}	8.91×10^{-3}
50	8.46×10^{-12}	7.56×10^{-10}	3.57×10^{-8}	3.45×10^{-4}	7.31×10^{-4}	1.42×10^{-3}	2.55×10^{-3}	4.22×10^{-3}
60	1.69×10^{-13}	3.15×10^{-11}	2.84×10^{-9}	1.11×10^{-4}	2.69×10^{-4}	5.91×10^{-4}	1.18×10^{-3}	2.12×10^{-3}
70	3.40×10^{-15}	1.32×10^{-12}	2.26×10^{-10}	3.74×10^{-5}	1.05×10^{-4}	2.60×10^{-4}	5.70×10^{-4}	1.11×10^{-3}
80	6.84×10^{-17}	5.51×10^{-14}	1.81×10^{-11}	1.31×10^{-5}	4.25×10^{-5}	1.18×10^{-4}	2.86×10^{-4}	5.96×10^{-4}
90	1.38×10^{-18}	2.31×10^{-15}	1.44×10^{-12}	4.76×10^{-6}	1.78×10^{-5}	5.57×10^{-5}	1.47×10^{-4}	3.28×10^{-4}
100	2.78×10^{-20}	9.67×10^{-17}	1.15×10^{-13}	1.77×10^{-6}	7.63×10^{-6}	2.68×10^{-5}	7.74×10^{-5}	1.84×10^{-4}
110	5.60×10^{-22}	4.05×10^{-18}	9.18×10^{-15}	6.67×10^{-7}	3.33×10^{-6}	1.32×10^{-5}	4.14×10^{-5}	1.05×10^{-4}
120	1.13×10^{-23}	1.70×10^{-19}	7.33×10^{-16}	2.56×10^{-7}	1.48×10^{-6}	6.56×10^{-6}	2.24×10^{-5}	6.02×10^{-5}
130	2.28×10^{-25}	7.10×10^{-21}	5.85×10^{-17}	9.90×10^{-8}	6.66×10^{-7}	3.31×10^{-6}	1.23×10^{-5}	3.49×10^{-5}
140	4.59×10^{-27}	2.97×10^{-22}	4.67×10^{-18}	3.87×10^{-8}	3.02×10^{-7}	1.69×10^{-6}	6.79×10^{-6}	2.04×10^{-5}
150	9.26×10^{-29}	1.25×10^{-23}	3.73×10^{-19}	1.52×10^{-8}	1.38×10^{-7}	8.67×10^{-7}	3.78×10^{-6}	1.20×10^{-5}
160	1.87×10^{-30}	5.21×10^{-25}	2.98×10^{-20}	6.03×10^{-9}	6.38×10^{-8}	4.48×10^{-7}	2.11×10^{-6}	7.05×10^{-6}
170	3.76×10^{-32}	2.18×10^{-26}	2.38×10^{-21}	2.40×10^{-9}	2.96×10^{-8}	2.33×10^{-7}	1.19×10^{-6}	4.17×10^{-6}
180	7.59×10^{-34}	9.14×10^{-28}	1.90×10^{-22}	9.57×10^{-10}	1.38×10^{-8}	1.22×10^{-7}	6.71×10^{-7}	2.48×10^{-6}
190	1.53×10^{-35}	3.83×10^{-29}	1.51×10^{-23}	3.83×10^{-10}	6.44×10^{-9}	6.39×10^{-8}	3.80×10^{-7}	1.47×10^{-6}
200	3.08×10^{-37}	1.60×10^{-30}	1.21×10^{-24}	1.54×10^{-10}	3.02×10^{-9}	3.37×10^{-8}	2.16×10^{-7}	8.78×10^{-7}
210	6.22×10^{-39}	6.72×10^{-32}	9.64×10^{-26}	6.18×10^{-11}	1.42×10^{-9}	1.78×10^{-8}	1.23×10^{-7}	5.24×10^{-7}
220	1.25×10^{-40}	2.81×10^{-33}	7.69×10^{-27}	2.49×10^{-11}	6.69×10^{-10}	9.39×10^{-9}	6.99×10^{-8}	3.13×10^{-7}
230	2.53×10^{-42}	1.18×10^{-34}	6.14×10^{-28}	1.00×10^{-11}	3.16×10^{-10}	4.98×10^{-9}	3.99×10^{-8}	1.87×10^{-7}
240	5.10×10^{-44}	4.93×10^{-36}	4.90×10^{-29}	4.05×10^{-12}	1.49×10^{-10}	2.64×10^{-9}	2.28×10^{-8}	1.12×10^{-7}
250	1.03×10^{-45}	2.07×10^{-37}	3.91×10^{-30}	1.63×10^{-12}	7.06×10^{-11}	1.40×10^{-9}	1.31×10^{-8}	6.73×10^{-8}
260	2.07×10^{-47}	8.65×10^{-39}	3.12×10^{-31}	6.60×10^{-13}	3.35×10^{-11}	7.47×10^{-10}	7.48×10^{-9}	4.03×10^{-8}
270	4.18×10^{-49}	3.62×10^{-40}	2.49×10^{-32}	2.67×10^{-13}	1.59×10^{-11}	3.98×10^{-10}	4.29×10^{-9}	2.42×10^{-8}
280	8.42×10^{-51}	1.52×10^{-41}	1.99×10^{-33}	1.08×10^{-13}	7.53×10^{-12}	2.12×10^{-10}	2.46×10^{-9}	1.45×10^{-8}
290	1.70×10^{-52}	6.35×10^{-43}	1.59×10^{-34}	4.37×10^{-14}	3.57×10^{-12}	1.13×10^{-10}	1.41×10^{-9}	8.72×10^{-9}
300	3.42×10^{-54}	2.66×10^{-44}	1.27×10^{-35}	1.77×10^{-14}	1.70×10^{-12}	6.03×10^{-11}	8.10×10^{-10}	5.24×10^{-9}
350	1.14×10^{-62}	3.43×10^{-51}	4.11×10^{-41}	1.93×10^{-16}	4.12×10^{-14}	2.63×10^{-12}	5.07×10^{-11}	4.10×10^{-10}
400	3.80×10^{-71}	4.41×10^{-58}	1.33×10^{-46}	2.11×10^{-18}	1.00×10^{-15}	1.15×10^{-13}	3.19×10^{-12}	3.22×10^{-11}

遮蔽厚 (mm)	\multicolumn{8}{c}{使用管電圧 (kV)}
	115	120	125	130	135	140	145	150
0	1.00	1.00	1.00	1.00	1.00	1.00	1.00	1.00
10	3.96×10^{-1}	4.08×10^{-1}	4.18×10^{-1}	4.26×10^{-1}	4.34×10^{-1}	4.41×10^{-1}	4.46×10^{-1}	4.50×10^{-1}
20	1.92×10^{-1}	2.04×10^{-1}	2.16×10^{-1}	2.28×10^{-1}	2.39×10^{-1}	2.49×10^{-1}	2.60×10^{-1}	2.71×10^{-1}
30	1.03×10^{-1}	1.14×10^{-1}	1.25×10^{-1}	1.35×10^{-1}	1.45×10^{-1}	1.56×10^{-1}	1.66×10^{-1}	1.78×10^{-1}
40	5.96×10^{-2}	6.78×10^{-2}	7.62×10^{-2}	8.47×10^{-2}	9.33×10^{-2}	1.02×10^{-1}	1.12×10^{-1}	1.22×10^{-1}
50	3.60×10^{-2}	4.21×10^{-2}	4.85×10^{-2}	5.51×10^{-2}	6.19×10^{-2}	6.91×10^{-2}	7.69×10^{-2}	8.57×10^{-2}
60	2.25×10^{-2}	2.69×10^{-2}	3.17×10^{-2}	3.68×10^{-2}	4.20×10^{-2}	4.76×10^{-2}	5.38×10^{-2}	6.08×10^{-2}
70	1.43×10^{-2}	1.76×10^{-2}	2.11×10^{-2}	2.49×10^{-2}	2.89×10^{-2}	3.32×10^{-2}	3.80×10^{-2}	4.35×10^{-2}
80	9.32×10^{-3}	1.17×10^{-2}	1.43×10^{-2}	1.71×10^{-2}	2.01×10^{-2}	2.34×10^{-2}	2.70×10^{-2}	3.12×10^{-2}
90	6.14×10^{-3}	7.82×10^{-3}	9.74×10^{-3}	1.18×10^{-2}	1.41×10^{-2}	1.65×10^{-2}	1.93×10^{-2}	2.25×10^{-2}
100	4.09×10^{-3}	5.30×10^{-3}	6.70×10^{-3}	8.23×10^{-3}	9.88×10^{-3}	1.17×10^{-2}	1.38×10^{-2}	1.62×10^{-2}
110	2.75×10^{-3}	3.61×10^{-3}	4.63×10^{-3}	5.75×10^{-3}	6.97×10^{-3}	8.34×10^{-3}	9.89×10^{-3}	1.17×10^{-2}
120	1.86×10^{-3}	2.48×10^{-3}	3.21×10^{-3}	4.03×10^{-3}	4.93×10^{-3}	5.94×10^{-3}	7.10×10^{-3}	8.46×10^{-3}
130	1.26×10^{-3}	1.70×10^{-3}	2.24×10^{-3}	2.84×10^{-3}	3.50×10^{-3}	4.24×10^{-3}	5.10×10^{-3}	6.11×10^{-3}
140	8.60×10^{-4}	1.18×10^{-3}	1.56×10^{-3}	2.00×10^{-3}	2.48×10^{-3}	3.03×10^{-3}	3.66×10^{-3}	4.42×10^{-3}
150	5.89×10^{-4}	8.16×10^{-4}	1.09×10^{-3}	1.41×10^{-3}	1.76×10^{-3}	2.16×10^{-3}	2.63×10^{-3}	3.19×10^{-3}
160	4.04×10^{-4}	5.66×10^{-4}	7.66×10^{-4}	9.95×10^{-4}	1.25×10^{-3}	1.55×10^{-3}	1.89×10^{-3}	2.31×10^{-3}
170	2.78×10^{-4}	3.94×10^{-4}	5.38×10^{-4}	7.03×10^{-4}	8.91×10^{-4}	1.11×10^{-3}	1.36×10^{-3}	1.67×10^{-3}
180	1.92×10^{-4}	2.74×10^{-4}	3.78×10^{-4}	4.98×10^{-4}	6.34×10^{-4}	7.92×10^{-4}	9.78×10^{-4}	1.21×10^{-3}
190	1.32×10^{-4}	1.91×10^{-4}	2.65×10^{-4}	3.52×10^{-4}	4.51×10^{-4}	5.67×10^{-4}	7.04×10^{-4}	8.72×10^{-4}
200	9.15×10^{-5}	1.33×10^{-4}	1.87×10^{-4}	2.49×10^{-4}	3.21×10^{-4}	4.05×10^{-4}	5.06×10^{-4}	6.31×10^{-4}
210	6.33×10^{-5}	9.30×10^{-5}	1.31×10^{-4}	1.76×10^{-4}	2.29×10^{-4}	2.90×10^{-4}	3.64×10^{-4}	4.56×10^{-4}
220	4.39×10^{-5}	6.50×10^{-5}	9.23×10^{-5}	1.25×10^{-4}	1.63×10^{-4}	2.08×10^{-4}	2.62×10^{-4}	3.30×10^{-4}
230	3.04×10^{-5}	4.54×10^{-5}	6.50×10^{-5}	8.85×10^{-5}	1.16×10^{-4}	1.49×10^{-4}	1.88×10^{-4}	2.38×10^{-4}
240	2.11×10^{-5}	3.17×10^{-5}	4.58×10^{-5}	6.27×10^{-5}	8.25×10^{-5}	1.06×10^{-4}	1.35×10^{-4}	1.72×10^{-4}
250	1.46×10^{-5}	2.22×10^{-5}	3.22×10^{-5}	4.44×10^{-5}	5.88×10^{-5}	7.61×10^{-5}	9.73×10^{-5}	1.25×10^{-4}
260	1.01×10^{-5}	1.55×10^{-5}	2.27×10^{-5}	3.14×10^{-5}	4.18×10^{-5}	5.44×10^{-5}	7.00×10^{-5}	9.01×10^{-5}
270	7.04×10^{-6}	1.09×10^{-5}	1.60×10^{-5}	2.23×10^{-5}	2.98×10^{-5}	3.90×10^{-5}	5.04×10^{-5}	6.51×10^{-5}
280	4.89×10^{-6}	7.60×10^{-6}	1.13×10^{-5}	1.58×10^{-5}	2.12×10^{-5}	2.79×10^{-5}	3.62×10^{-5}	4.71×10^{-5}
290	3.40×10^{-6}	5.32×10^{-6}	7.93×10^{-6}	1.12×10^{-5}	1.51×10^{-5}	2.00×10^{-5}	2.60×10^{-5}	3.41×10^{-5}
300	2.36×10^{-6}	3.72×10^{-6}	5.58×10^{-6}	7.92×10^{-6}	1.08×10^{-5}	1.43×10^{-5}	1.87×10^{-5}	2.46×10^{-5}
350	3.82×10^{-7}	6.25×10^{-7}	9.69×10^{-7}	1.41×10^{-6}	1.97×10^{-6}	2.68×10^{-6}	3.60×10^{-6}	4.87×10^{-6}
400	6.20×10^{-8}	1.05×10^{-7}	1.68×10^{-7}	2.53×10^{-7}	3.61×10^{-7}	5.04×10^{-7}	6.94×10^{-7}	9.61×10^{-7}

この数値は NCRP Report No.147（2004）に基づく。

なお，コンクリートの密度は 2.35 g/cm³ である。

コンクリートの密度の違いによる補正は，概ねコンクリートの厚さの間で比例の関係にある。我が国の画壁等に用いられているコンクリート建材の密度は 2.10 g/cm³ であるので，この密度におけるしゃへい体の等価厚さを計算し，その厚さにおける透過率を求める（詳細は，「放射線施設のしゃへい計算実務マニュアル 2007 原子力安全技術センター発行」を参照されたい。）

該当する値がない場合には，安全側に設定するか又は補間法により求めることができる。

付録2.「医療法施行規則の一部を改正する省令の施行について」の一部抜粋とその概要　　131

表4　鉄におけるX線の空気カーマ透過率

遮蔽厚 (mm)	\multicolumn{8}{c}{使用管電圧 (kV)}								
	25	30	35	50	55	60	65	70
0	1.00	1.00	1.00	1.00	1.00	1.00	1.00	1.00
1	5.02×10^{-7}	5.68×10^{-6}	4.41×10^{-5}	1.88×10^{-2}	2.84×10^{-2}	4.16×10^{-2}	5.84×10^{-2}	7.74×10^{-2}
2	3.81×10^{-11}	3.09×10^{-9}	1.30×10^{-7}	1.66×10^{-3}	3.40×10^{-3}	6.63×10^{-3}	1.20×10^{-2}	1.95×10^{-2}
3	3.25×10^{-15}	1.87×10^{-12}	4.26×10^{-10}	2.10×10^{-4}	5.81×10^{-4}	1.50×10^{-3}	3.42×10^{-3}	6.76×10^{-3}
4	2.78×10^{-19}	1.13×10^{-15}	1.40×10^{-12}	3.05×10^{-5}	1.14×10^{-4}	3.90×10^{-4}	1.13×10^{-3}	2.70×10^{-3}
5	2.39×10^{-23}	6.88×10^{-19}	4.62×10^{-15}	4.70×10^{-6}	2.40×10^{-5}	1.09×10^{-4}	4.06×10^{-4}	1.16×10^{-3}
6	2.05×10^{-27}	4.18×10^{-22}	1.52×10^{-17}	7.46×10^{-7}	5.22×10^{-6}	3.19×10^{-5}	1.52×10^{-4}	5.25×10^{-4}
7	1.75×10^{-31}	2.54×10^{-25}	5.01×10^{-20}	1.20×10^{-7}	1.15×10^{-6}	9.50×10^{-6}	5.81×10^{-5}	2.43×10^{-4}
8	1.50×10^{-35}	1.54×10^{-28}	1.65×10^{-22}	1.94×10^{-8}	2.56×10^{-7}	2.86×10^{-6}	2.26×10^{-5}	1.15×10^{-4}
9	1.29×10^{-39}	9.38×10^{-32}	5.43×10^{-25}	3.14×10^{-09}	5.73×10^{-8}	8.69×10^{-7}	8.89×10^{-6}	5.49×10^{-5}
10	1.11×10^{-43}	5.70×10^{-35}	1.79×10^{-27}	5.09×10^{-10}	1.28×10^{-8}	2.65×10^{-7}	3.52×10^{-6}	2.64×10^{-5}
11	9.49×10^{-48}	3.46×10^{-38}	5.89×10^{-30}	8.27×10^{-11}	2.88×10^{-9}	8.08×10^{-8}	1.40×10^{-6}	1.28×10^{-5}
12	8.14×10^{-52}	2.10×10^{-41}	1.94×10^{-32}	1.34×10^{-11}	6.47×10^{-10}	2.47×10^{-8}	5.56×10^{-7}	6.21×10^{-6}
13	6.98×10^{-56}	1.28×10^{-44}	6.38×10^{-35}	2.18×10^{-12}	1.45×10^{-10}	7.56×10^{-9}	2.21×10^{-7}	3.02×10^{-6}
14	5.99×10^{-60}	7.77×10^{-48}	2.10×10^{-37}	3.55×10^{-13}	3.27×10^{-11}	2.32×10^{-9}	8.84×10^{-8}	1.47×10^{-6}
15	5.13×10^{-64}	4.72×10^{-51}	6.92×10^{-40}	5.77×10^{-14}	7.34×10^{-12}	7.09×10^{-10}	3.53×10^{-8}	7.20×10^{-7}
16	4.40×10^{-68}	2.87×10^{-54}	2.28×10^{-42}	9.37×10^{-15}	1.65×10^{-12}	2.17×10^{-10}	1.41×10^{-8}	3.51×10^{-7}
17	3.78×10^{-72}	1.74×10^{-57}	7.50×10^{-45}	1.52×10^{-15}	3.70×10^{-13}	6.65×10^{-11}	5.63×10^{-9}	1.72×10^{-7}
18	3.24×10^{-76}	1.06×10^{-60}	2.47×10^{-47}	2.47×10^{-16}	8.32×10^{-14}	2.04×10^{-11}	2.25×10^{-9}	8.40×10^{-8}
19	2.78×10^{-80}	6.43×10^{-64}	8.14×10^{-50}	4.02×10^{-17}	1.87×10^{-14}	6.24×10^{-12}	8.98×10^{-10}	4.11×10^{-8}
20	2.38×10^{-84}	3.91×10^{-67}	2.68×10^{-52}	6.54×10^{-18}	4.20×10^{-15}	1.91×10^{-12}	3.59×10^{-10}	2.01×10^{-8}
21	2.04×10^{-88}	2.37×10^{-70}	8.82×10^{-55}	1.06×10^{-18}	9.44×10^{-16}	5.86×10^{-13}	1.43×10^{-10}	9.82×10^{-9}
22	1.75×10^{-92}	1.44×10^{-73}	2.91×10^{-57}	1.73×10^{-19}	2.12×10^{-16}	1.80×10^{-13}	5.73×10^{-11}	4.81×10^{-9}
23	1.50×10^{-96}	8.77×10^{-77}	9.57×10^{-60}	2.81×10^{-20}	4.77×10^{-17}	5.50×10^{-14}	2.29×10^{-11}	2.35×10^{-9}
24	−	5.33×10^{-80}	3.15×10^{-62}	4.56×10^{-21}	1.07×10^{-17}	1.68×10^{-14}	9.15×10^{-12}	1.15×10^{-9}
25	−	3.24×10^{-83}	1.04×10^{-64}	7.41×10^{-22}	2.41×10^{-18}	5.16×10^{-15}	3.66×10^{-12}	5.63×10^{-10}
26	−	1.97×10^{-86}	3.42×10^{-67}	1.20×10^{-22}	5.41×10^{-19}	1.58×10^{-15}	1.46×10^{-12}	2.75×10^{-10}
27	−	1.19×10^{-89}	1.12×10^{-69}	1.96×10^{-23}	1.22×10^{-19}	4.84×10^{-16}	5.84×10^{-13}	1.35×10^{-10}
28	−	7.26×10^{-93}	3.70×10^{-72}	3.18×10^{-24}	2.73×10^{-20}	1.48×10^{-16}	2.33×10^{-13}	6.59×10^{-11}
29	−	4.41×10^{-96}	1.22×10^{-74}	5.17×10^{-25}	6.14×10^{-21}	4.55×10^{-17}	9.33×10^{-14}	3.22×10^{-11}
30	−	2.68×10^{-99}	4.02×10^{-77}	8.40×10^{-26}	1.38×10^{-21}	1.39×10^{-17}	3.73×10^{-14}	1.58×10^{-11}
35	−	−	1.55×10^{-89}	9.52×10^{-30}	7.90×10^{-25}	3.76×10^{-20}	3.80×10^{-16}	4.42×10^{-13}
40	−	−	−	1.08×10^{-33}	4.52×10^{-28}	1.01×10^{-22}	3.87×10^{-18}	1.24×10^{-14}

遮蔽厚 (mm)	使用管電圧 (kV)							
	75	80	85	90	95	100	105	110
0	1.00	1.00	1.00	1.00	1.00	1.00	1.00	1.00
1	9.72×10^{-2}	1.17×10^{-1}	1.38×10^{-1}	1.59×10^{-1}	1.80×10^{-1}	2.01×10^{-1}	2.21×10^{-1}	2.41×10^{-1}
2	2.88×10^{-2}	3.91×10^{-2}	5.02×10^{-2}	6.17×10^{-2}	7.35×10^{-2}	8.57×10^{-2}	9.81×10^{-2}	1.11×10^{-1}
3	1.15×10^{-2}	1.72×10^{-2}	2.37×10^{-2}	3.06×10^{-2}	3.79×10^{-2}	4.55×10^{-2}	5.37×10^{-2}	6.24×10^{-2}
4	5.22×10^{-3}	8.60×10^{-3}	1.26×10^{-2}	1.70×10^{-2}	2.17×10^{-2}	2.68×10^{-2}	3.25×10^{-2}	3.88×10^{-2}
5	2.56×10^{-3}	4.60×10^{-3}	7.15×10^{-3}	1.00×10^{-2}	1.32×10^{-2}	1.68×10^{-2}	2.09×10^{-2}	2.55×10^{-2}
6	1.32×10^{-3}	2.57×10^{-3}	4.23×10^{-3}	6.18×10^{-3}	8.38×10^{-3}	1.09×10^{-2}	1.39×10^{-2}	1.74×10^{-2}
7	6.94×10^{-4}	1.48×10^{-3}	2.57×10^{-3}	3.90×10^{-3}	5.44×10^{-3}	7.26×10^{-3}	9.47×10^{-3}	1.22×10^{-2}
8	3.73×10^{-4}	8.65×10^{-4}	1.59×10^{-3}	2.50×10^{-3}	3.59×10^{-3}	4.91×10^{-3}	6.58×10^{-3}	8.65×10^{-3}
9	2.03×10^{-4}	5.12×10^{-4}	9.94×10^{-4}	1.63×10^{-3}	2.40×10^{-3}	3.37×10^{-3}	4.62×10^{-3}	6.23×10^{-3}
10	1.12×10^{-4}	3.06×10^{-4}	6.28×10^{-4}	1.07×10^{-3}	1.62×10^{-3}	2.33×10^{-3}	3.28×10^{-3}	4.54×10^{-3}
11	6.16×10^{-5}	1.84×10^{-4}	3.99×10^{-4}	7.04×10^{-4}	1.10×10^{-3}	1.62×10^{-3}	2.34×10^{-3}	3.32×10^{-3}
12	3.42×10^{-5}	1.11×10^{-4}	2.55×10^{-4}	4.67×10^{-4}	7.51×10^{-4}	1.14×10^{-3}	1.68×10^{-3}	2.45×10^{-3}
13	1.90×10^{-5}	6.75×10^{-5}	1.63×10^{-4}	3.11×10^{-4}	5.14×10^{-4}	7.97×10^{-4}	1.21×10^{-3}	1.81×10^{-3}
14	1.06×10^{-5}	4.10×10^{-5}	1.05×10^{-4}	2.07×10^{-4}	3.53×10^{-4}	5.61×10^{-4}	8.78×10^{-4}	1.35×10^{-3}
15	5.92×10^{-6}	2.50×10^{-5}	6.76×10^{-5}	1.39×10^{-4}	2.43×10^{-4}	3.96×10^{-4}	6.36×10^{-4}	1.00×10^{-3}
16	3.31×10^{-6}	1.52×10^{-5}	4.36×10^{-5}	9.28×10^{-5}	1.67×10^{-4}	2.80×10^{-4}	4.62×10^{-4}	7.49×10^{-4}
17	1.85×10^{-6}	9.27×10^{-6}	2.81×10^{-5}	6.22×10^{-5}	1.15×10^{-4}	1.98×10^{-4}	3.36×10^{-4}	5.59×10^{-4}
18	1.04×10^{-6}	5.66×10^{-6}	1.81×10^{-5}	4.17×10^{-5}	7.95×10^{-5}	1.40×10^{-4}	2.45×10^{-4}	4.19×10^{-4}
19	5.80×10^{-7}	3.46×10^{-6}	1.17×10^{-5}	2.80×10^{-5}	5.49×10^{-5}	9.96×10^{-5}	1.78×10^{-4}	3.14×10^{-4}
20	3.25×10^{-7}	2.11×10^{-6}	7.57×10^{-6}	1.88×10^{-5}	3.80×10^{-5}	7.06×10^{-5}	1.30×10^{-4}	2.35×10^{-4}
21	1.82×10^{-7}	1.29×10^{-6}	4.90×10^{-6}	1.26×10^{-5}	2.62×10^{-5}	5.01×10^{-5}	9.48×10^{-5}	1.76×10^{-4}
22	1.02×10^{-7}	7.88×10^{-7}	3.17×10^{-6}	8.48×10^{-6}	1.81×10^{-5}	3.56×10^{-5}	6.92×10^{-5}	1.32×10^{-4}
23	5.70×10^{-8}	4.82×10^{-7}	2.05×10^{-6}	5.70×10^{-6}	1.25×10^{-5}	2.53×10^{-5}	5.05×10^{-5}	9.94×10^{-5}
24	3.19×10^{-8}	2.94×10^{-6}	1.32×10^{-6}	3.83×10^{-6}	8.68×10^{-6}	1.80×10^{-5}	3.69×10^{-5}	7.47×10^{-5}
25	1.79×10^{-8}	1.80×10^{-7}	8.56×10^{-7}	2.57×10^{-6}	6.00×10^{-6}	1.28×10^{-5}	2.69×10^{-5}	5.61×10^{-5}
26	1.00×10^{-8}	1.10×10^{-7}	5.54×10^{-7}	1.73×10^{-6}	4.15×10^{-6}	9.06×10^{-6}	1.97×10^{-5}	4.22×10^{-5}
27	5.62×10^{-9}	6.72×10^{-8}	3.58×10^{-7}	1.16×10^{-6}	2.87×10^{-6}	6.44×10^{-6}	1.44×10^{-5}	3.17×10^{-5}
28	3.15×10^{-9}	4.11×10^{-8}	2.32×10^{-7}	7.82×10^{-7}	1.99×10^{-6}	4.57×10^{-6}	1.05×10^{-5}	2.38×10^{-5}
29	1.76×10^{-9}	2.51×10^{-8}	1.50×10^{-7}	5.25×10^{-7}	1.38×10^{-6}	3.25×10^{-6}	7.68×10^{-6}	1.79×10^{-5}
30	9.88×10^{-10}	1.54×10^{-8}	9.70×10^{-8}	3.53×10^{-7}	9.52×10^{-7}	2.31×10^{-6}	5.61×10^{-6}	1.35×10^{-5}
35	5.45×10^{-11}	1.31×10^{-9}	1.10×10^{-8}	4.85×10^{-8}	1.51×10^{-7}	4.19×10^{-7}	1.17×10^{-6}	3.24×10^{-6}
40	3.01×10^{-12}	1.12×10^{-10}	1.25×10^{-9}	6.66×10^{-9}	2.40×10^{-8}	7.59×10^{-8}	2.44×10^{-7}	7.79×10^{-7}

付録2.「医療法施行規則の一部を改正する省令の施行について」の一部抜粋とその概要　133

遮蔽厚 (mm)	使用管電圧 (kV)							
	115	120	125	130	135	140	145	150
0	1.00	1.00	1.00	1.00	1.00	1.00	1.00	1.00
1	2.60×10^{-1}	2.79×10^{-1}	2.99×10^{-1}	3.19×10^{-1}	3.40×10^{-1}	3.61×10^{-1}	3.83×10^{-1}	4.04×10^{-1}
2	1.24×10^{-1}	1.37×10^{-1}	1.51×10^{-1}	1.66×10^{-1}	1.81×10^{-1}	1.97×10^{-1}	2.14×10^{-1}	2.31×10^{-1}
3	7.17×10^{-2}	8.14×10^{-2}	9.16×10^{-2}	1.02×10^{-1}	1.14×10^{-1}	1.26×10^{-1}	1.39×10^{-1}	1.52×10^{-1}
4	4.56×10^{-2}	5.29×10^{-2}	6.07×10^{-2}	6.89×10^{-2}	7.76×10^{-2}	8.69×10^{-2}	9.69×10^{-2}	1.08×10^{-1}
5	3.07×10^{-2}	3.63×10^{-2}	4.24×10^{-2}	4.89×10^{-2}	5.58×10^{-2}	6.32×10^{-2}	7.12×10^{-2}	8.00×10^{-2}
6	2.14×10^{-2}	2.59×10^{-2}	3.07×10^{-2}	3.59×10^{-2}	4.15×10^{-2}	4.74×10^{-2}	5.40×10^{-2}	6.13×10^{-2}
7	1.53×10^{-2}	1.89×10^{-2}	2.28×10^{-2}	2.70×10^{-2}	3.16×10^{-2}	3.65×10^{-2}	4.19×10^{-2}	4.80×10^{-2}
8	1.11×10^{-2}	1.40×10^{-2}	1.72×10^{-2}	2.07×10^{-2}	2.45×10^{-2}	2.86×10^{-2}	3.31×10^{-2}	3.83×10^{-2}
9	8.21×10^{-3}	1.06×10^{-2}	1.32×10^{-2}	1.61×10^{-2}	1.92×10^{-2}	2.26×10^{-2}	2.65×10^{-2}	3.10×10^{-2}
10	6.12×10^{-3}	8.03×10^{-3}	1.02×10^{-2}	1.26×10^{-2}	1.52×10^{-2}	1.81×10^{-2}	2.14×10^{-2}	2.53×10^{-2}
11	4.59×10^{-3}	6.15×10^{-3}	7.98×10^{-3}	9.98×10^{-3}	1.22×10^{-2}	1.47×10^{-2}	1.75×10^{-2}	2.08×10^{-2}
12	3.47×10^{-3}	4.75×10^{-3}	6.26×10^{-3}	7.95×10^{-3}	9.82×10^{-3}	1.19×10^{-2}	1.43×10^{-2}	1.72×10^{-2}
13	2.63×10^{-3}	3.68×10^{-3}	4.95×10^{-3}	6.36×10^{-3}	7.95×10^{-3}	9.75×10^{-3}	1.18×10^{-2}	1.44×10^{-2}
14	2.00×10^{-3}	2.86×10^{-3}	3.92×10^{-3}	5.12×10^{-3}	6.47×10^{-3}	8.01×10^{-3}	9.81×10^{-3}	1.20×10^{-2}
15	1.53×10^{-3}	2.24×10^{-3}	3.12×10^{-3}	4.13×10^{-3}	5.28×10^{-3}	6.60×10^{-3}	8.17×10^{-3}	1.01×10^{-2}
16	1.17×10^{-3}	1.75×10^{-3}	2.49×10^{-3}	3.34×10^{-3}	4.32×10^{-3}	5.46×10^{-3}	6.82×10^{-3}	8.52×10^{-3}
17	8.97×10^{-4}	1.37×10^{-3}	1.99×10^{-3}	2.71×10^{-3}	3.55×10^{-3}	4.53×10^{-3}	5.71×10^{-3}	7.20×10^{-3}
18	6.89×10^{-4}	1.08×10^{-3}	1.59×10^{-3}	2.20×10^{-3}	2.92×10^{-3}	3.76×10^{-3}	4.79×10^{-3}	6.10×10^{-3}
19	5.30×10^{-4}	8.48×10^{-4}	1.28×10^{-3}	1.79×10^{-3}	2.40×10^{-3}	3.13×10^{-3}	4.03×10^{-3}	5.18×10^{-3}
20	4.07×10^{-4}	6.68×10^{-4}	1.02×10^{-3}	1.46×10^{-3}	1.98×10^{-3}	2.61×10^{-3}	3.39×10^{-3}	4.41×10^{-3}
21	3.14×10^{-4}	5.26×10^{-4}	8.23×10^{-4}	1.19×10^{-3}	1.64×10^{-3}	2.18×10^{-3}	2.86×10^{-3}	3.75×10^{-3}
22	2.42×10^{-4}	4.15×10^{-4}	6.62×10^{-4}	9.74×10^{-4}	1.35×10^{-3}	1.82×10^{-3}	2.41×10^{-3}	3.20×10^{-3}
23	1.86×10^{-4}	3.28×10^{-4}	5.33×10^{-4}	7.96×10^{-4}	1.12×10^{-3}	1.52×10^{-3}	2.04×10^{-3}	2.74×10^{-3}
24	1.44×10^{-4}	2.59×10^{-4}	4.30×10^{-4}	6.51×10^{-4}	9.29×10^{-4}	1.28×10^{-3}	1.72×10^{-3}	2.34×10^{-3}
25	1.11×10^{-4}	2.05×10^{-4}	3.46×10^{-4}	5.33×10^{-4}	7.70×10^{-4}	1.07×10^{-3}	1.46×10^{-3}	2.00×10^{-3}
26	8.56×10^{-5}	1.62×10^{-4}	2.79×10^{-4}	4.37×10^{-4}	6.39×10^{-4}	8.97×10^{-4}	1.24×10^{-3}	1.71×10^{-3}
27	6.61×10^{-5}	1.28×10^{-4}	2.25×10^{-4}	3.58×10^{-4}	5.30×10^{-4}	7.52×10^{-4}	1.05×10^{-3}	1.47×10^{-3}
28	5.10×10^{-5}	1.01×10^{-4}	1.82×10^{-4}	2.93×10^{-4}	4.40×10^{-4}	6.31×10^{-4}	8.89×10^{-4}	1.26×10^{-3}
29	3.94×10^{-5}	7.99×10^{-5}	1.47×10^{-4}	2.41×10^{-4}	3.65×10^{-4}	5.30×10^{-4}	7.54×10^{-4}	1.08×10^{-3}
30	3.04×10^{-5}	6.32×10^{-5}	1.18×10^{-4}	1.97×10^{-4}	3.04×10^{-4}	4.45×10^{-4}	6.40×10^{-4}	9.26×10^{-4}
35	8.37×10^{-6}	1.96×10^{-5}	4.07×10^{-5}	7.34×10^{-5}	1.20×10^{-4}	1.87×10^{-4}	2.83×10^{-4}	4.32×10^{-4}
40	2.30×10^{-6}	6.10×10^{-6}	1.40×10^{-5}	2.74×10^{-5}	4.79×10^{-5}	7.86×10^{-5}	1.26×10^{-4}	2.03×10^{-4}

この数値は NCRP Report No.147（2004）に基づく。

なお，鉄の密度は $7.83\,\mathrm{g/cm^3}$ である。

該当する値がない場合には，安全側に設定するか又は補間法により求めることができる。

表5　石膏におけるX線の空気カーマ透過率

遮蔽厚 (mm)	使用管電圧（kV）							
	25	30	35	50	55	60	65	70
0	1.00	1.00	1.00	1.00	1.00	1.00	1.00	1.00
1	4.53×10^{-1}	4.79×10^{-1}	5.01×10^{-1}	8.84×10^{-1}	8.92×10^{-1}	8.99×10^{-1}	9.05×10^{-1}	9.12×10^{-1}
2	2.33×10^{-1}	2.62×10^{-1}	2.89×10^{-1}	7.85×10^{-1}	7.99×10^{-1}	8.11×10^{-1}	8.23×10^{-1}	8.35×10^{-1}
3	1.30×10^{-1}	1.56×10^{-1}	1.82×10^{-1}	7.01×10^{-1}	7.19×10^{-1}	7.36×10^{-1}	7.52×10^{-1}	7.68×10^{-1}
4	7.80×10^{-2}	9.94×10^{-2}	1.22×10^{-1}	6.28×10^{-1}	6.50×10^{-1}	6.70×10^{-1}	6.89×10^{-1}	7.09×10^{-1}
5	4.90×10^{-2}	6.63×10^{-2}	8.56×10^{-2}	5.65×10^{-1}	5.89×10^{-1}	6.12×10^{-1}	6.34×10^{-1}	6.56×10^{-1}
6	3.20×10^{-2}	4.59×10^{-2}	6.22×10^{-2}	5.10×10^{-1}	5.36×10^{-1}	5.61×10^{-1}	5.85×10^{-1}	6.09×10^{-1}
7	2.16×10^{-2}	3.27×10^{-2}	4.65×10^{-2}	4.62×10^{-1}	4.89×10^{-1}	5.16×10^{-1}	5.41×10^{-1}	5.67×10^{-1}
8	1.49×10^{-2}	2.39×10^{-2}	3.56×10^{-2}	4.19×10^{-1}	4.48×10^{-1}	4.75×10^{-1}	5.02×10^{-1}	5.29×10^{-1}
9	1.06×10^{-2}	1.78×10^{-2}	2.77×10^{-2}	3.82×10^{-1}	4.11×10^{-1}	4.39×10^{-1}	4.67×10^{-1}	4.95×10^{-1}
10	7.61×10^{-3}	1.35×10^{-2}	2.19×10^{-2}	3.49×10^{-1}	3.78×10^{-1}	4.07×10^{-1}	4.35×10^{-1}	4.64×10^{-1}
11	5.57×10^{-3}	1.04×10^{-2}	1.76×10^{-2}	3.19×10^{-1}	3.49×10^{-1}	3.78×10^{-1}	4.07×10^{-1}	4.35×10^{-1}
12	4.13×10^{-3}	8.08×10^{-3}	1.43×10^{-2}	2.93×10^{-1}	3.22×10^{-1}	3.51×10^{-1}	3.80×10^{-1}	4.10×10^{-1}
13	3.10×10^{-3}	6.36×10^{-3}	1.17×10^{-2}	2.69×10^{-1}	2.98×10^{-1}	3.27×10^{-1}	3.56×10^{-1}	3.86×10^{-1}
14	2.35×10^{-3}	5.06×10^{-3}	9.67×10^{-3}	2.48×10^{-1}	2.76×10^{-1}	3.05×10^{-1}	3.35×10^{-1}	3.64×10^{-1}
15	1.80×10^{-3}	4.06×10^{-3}	8.06×10^{-3}	2.28×10^{-1}	2.57×10^{-1}	2.86×10^{-1}	3.15×10^{-1}	3.44×10^{-1}
16	1.39×10^{-3}	3.28×10^{-3}	6.76×10^{-3}	2.11×10^{-1}	2.39×10^{-1}	2.67×10^{-1}	2.96×10^{-1}	3.26×10^{-1}
17	1.08×10^{-3}	2.66×10^{-3}	5.70×10^{-3}	1.95×10^{-1}	2.23×10^{-1}	2.51×10^{-1}	2.79×10^{-1}	3.08×10^{-1}
18	8.49×10^{-4}	2.18×10^{-3}	4.84×10^{-3}	1.81×10^{-1}	2.08×10^{-1}	2.35×10^{-1}	2.64×10^{-1}	2.93×10^{-1}
19	6.70×10^{-4}	1.79×10^{-3}	4.13×10^{-3}	1.68×10^{-1}	1.94×10^{-1}	2.21×10^{-1}	2.49×10^{-1}	2.78×10^{-1}
20	5.31×10^{-4}	1.48×10^{-3}	3.54×10^{-3}	1.56×10^{-1}	1.81×10^{-1}	2.08×10^{-1}	2.36×10^{-1}	2.64×10^{-1}
21	4.23×10^{-4}	1.23×10^{-3}	3.04×10^{-3}	1.45×10^{-1}	1.70×10^{-1}	1.96×10^{-1}	2.23×10^{-1}	2.51×10^{-1}
22	3.39×10^{-4}	1.03×10^{-3}	2.63×10^{-3}	1.35×10^{-1}	1.59×10^{-1}	1.85×10^{-1}	2.12×10^{-1}	2.39×10^{-1}
23	2.72×10^{-4}	8.61×10^{-4}	2.28×10^{-3}	1.26×10^{-1}	1.50×10^{-1}	1.75×10^{-1}	2.01×10^{-1}	2.28×10^{-1}
24	2.20×10^{-4}	7.23×10^{-4}	1.98×10^{-3}	1.18×10^{-1}	1.41×10^{-1}	1.65×10^{-1}	1.91×10^{-1}	2.18×10^{-1}
25	1.78×10^{-4}	6.09×10^{-4}	1.73×10^{-3}	1.10×10^{-1}	1.32×10^{-1}	1.56×10^{-1}	1.82×10^{-1}	2.08×10^{-1}
26	1.44×10^{-4}	5.15×10^{-4}	1.51×10^{-3}	1.03×10^{-1}	1.24×10^{-1}	1.48×10^{-1}	1.73×10^{-1}	1.99×10^{-1}
27	1.18×10^{-4}	4.37×10^{-4}	1.32×10^{-3}	9.65×10^{-2}	1.17×10^{-1}	1.40×10^{-1}	1.65×10^{-1}	1.90×10^{-1}
28	9.62×10^{-5}	3.71×10^{-4}	1.16×10^{-3}	9.04×10^{-2}	1.11×10^{-1}	1.33×10^{-1}	1.57×10^{-1}	1.82×10^{-1}
29	7.89×10^{-5}	3.16×10^{-4}	1.02×10^{-3}	8.48×10^{-2}	1.04×10^{-1}	1.26×10^{-1}	1.50×10^{-1}	1.74×10^{-1}
30	6.48×10^{-5}	2.70×10^{-4}	9.02×10^{-4}	7.96×10^{-2}	9.85×10^{-2}	1.20×10^{-1}	1.43×10^{-1}	1.67×10^{-1}
35	2.50×10^{-5}	1.26×10^{-4}	4.95×10^{-4}	5.87×10^{-2}	7.47×10^{-2}	9.33×10^{-2}	1.14×10^{-1}	1.36×10^{-1}
40	1.00×10^{-5}	6.11×10^{-5}	2.81×10^{-4}	4.39×10^{-2}	5.76×10^{-2}	7.38×10^{-2}	9.22×10^{-2}	1.12×10^{-1}

遮蔽厚 (mm)	使用管電圧 (kV)							
	75	80	85	90	95	100	105	110
0	1.00	1.00	1.00	1.00	1.00	1.00	1.00	1.00
1	9.19×10^{-1}	9.25×10^{-1}	9.31×10^{-1}	9.37×10^{-1}	9.42×10^{-1}	9.46×10^{-1}	9.50×10^{-1}	9.53×10^{-1}
2	8.47×10^{-1}	8.59×10^{-1}	8.70×10^{-1}	8.8×10^{-1}	8.89×10^{-1}	8.97×10^{-1}	9.04×10^{-1}	9.10×10^{-1}
3	7.84×10^{-1}	8.00×10^{-1}	8.14×10^{-1}	8.28×10^{-1}	8.41×10^{-1}	8.52×10^{-1}	8.62×10^{-1}	8.70×10^{-1}
4	7.28×10^{-1}	7.47×10^{-1}	7.65×10^{-1}	7.82×10^{-1}	7.97×10^{-1}	8.10×10^{-1}	8.22×10^{-1}	8.33×10^{-1}
5	6.78×10^{-1}	6.99×10^{-1}	7.20×10^{-1}	7.39×10^{-1}	7.56×10^{-1}	7.72×10^{-1}	7.86×10^{-1}	7.98×10^{-1}
6	6.33×10^{-1}	6.57×10^{-1}	6.79×10^{-1}	7.00×10^{-1}	7.19×10^{-1}	7.36×10^{-1}	7.52×10^{-1}	7.66×10^{-1}
7	5.92×10^{-1}	6.18×10^{-1}	6.41×10^{-1}	6.64×10^{-1}	6.85×10^{-1}	7.03×10^{-1}	7.21×10^{-1}	7.36×10^{-1}
8	5.56×10^{-1}	5.82×10^{-1}	6.07×10^{-1}	6.31×10^{-1}	6.53×10^{-1}	6.73×10^{-1}	6.91×10^{-1}	7.07×10^{-1}
9	5.22×10^{-1}	5.50×10^{-1}	5.76×10^{-1}	6.00×10^{-1}	6.24×10^{-1}	6.44×10^{-1}	6.64×10^{-1}	6.80×10^{-1}
10	4.92×10^{-1}	5.20×10^{-1}	5.47×10^{-1}	5.72×10^{-1}	5.96×10^{-1}	6.18×10^{-1}	6.38×10^{-1}	6.55×10^{-1}
11	4.64×10^{-1}	4.93×10^{-1}	5.20×10^{-1}	5.46×10^{-1}	5.70×10^{-1}	5.93×10^{-1}	6.13×10^{-1}	6.32×10^{-1}
12	4.39×10^{-1}	4.68×10^{-1}	4.95×10^{-1}	5.22×10^{-1}	5.47×10^{-1}	5.69×10^{-1}	5.90×10^{-1}	6.09×10^{-1}
13	4.15×10^{-1}	4.44×10^{-1}	4.72×10^{-1}	4.99×10^{-1}	5.24×10^{-1}	5.47×10^{-1}	5.69×10^{-1}	5.88×10^{-1}
14	3.94×10^{-1}	4.23×10^{-1}	4.51×10^{-1}	4.78×10^{-1}	5.03×10^{-1}	5.27×10^{-1}	5.49×10^{-1}	5.68×10^{-1}
15	3.74×10^{-1}	4.03×10^{-1}	4.31×10^{-1}	4.58×10^{-1}	4.83×10^{-1}	5.07×10^{-1}	5.29×10^{-1}	5.49×10^{-1}
16	3.55×10^{-1}	3.84×10^{-1}	4.12×10^{-1}	4.39×10^{-1}	4.65×10^{-1}	4.89×10^{-1}	5.11×10^{-1}	5.31×10^{-1}
17	3.38×10^{-1}	3.67×10^{-1}	3.94×10^{-1}	4.21×10^{-1}	4.47×10^{-1}	4.71×10^{-1}	4.94×10^{-1}	5.14×10^{-1}
18	3.22×10^{-1}	3.50×10^{-1}	3.78×10^{-1}	4.05×10^{-1}	4.31×10^{-1}	4.55×10^{-1}	4.77×10^{-1}	4.98×10^{-1}
19	3.07×10^{-1}	3.35×10^{-1}	3.63×10^{-1}	3.89×10^{-1}	4.15×10^{-1}	4.39×10^{-1}	4.62×10^{-1}	4.82×10^{-1}
20	2.93×10^{-1}	3.21×10^{-1}	3.48×10^{-1}	3.75×10^{-1}	4.00×10^{-1}	4.24×10^{-1}	4.47×10^{-1}	4.68×10^{-1}
21	2.79×10^{-1}	3.07×10^{-1}	3.34×10^{-1}	3.61×10^{-1}	3.86×10^{-1}	4.10×10^{-1}	4.33×10^{-1}	4.54×10^{-1}
22	2.67×10^{-1}	2.95×10^{-1}	3.22×10^{-1}	3.48×10^{-1}	3.73×10^{-1}	3.97×10^{-1}	4.19×10^{-1}	4.40×10^{-1}
23	2.56×10^{-1}	2.83×10^{-1}	3.09×10^{-1}	3.35×10^{-1}	3.60×10^{-1}	3.84×10^{-1}	4.07×10^{-1}	4.27×10^{-1}
24	2.45×10^{-1}	2.72×10^{-1}	2.98×10^{-1}	3.24×10^{-1}	3.48×10^{-1}	3.72×10^{-1}	3.94×10^{-1}	4.15×10^{-1}
25	2.35×10^{-1}	2.61×10^{-1}	2.87×10^{-1}	3.12×10^{-1}	3.37×10^{-1}	3.60×10^{-1}	3.83×10^{-1}	4.03×10^{-1}
26	2.25×10^{-1}	2.51×10^{-1}	2.77×10^{-1}	3.02×10^{-1}	3.26×10^{-1}	3.49×10^{-1}	3.71×10^{-1}	3.92×10^{-1}
27	2.16×10^{-1}	2.42×10^{-1}	2.67×10^{-1}	2.92×10^{-1}	3.16×10^{-1}	3.39×10^{-1}	3.61×10^{-1}	3.81×10^{-1}
28	2.07×10^{-1}	2.33×10^{-1}	2.58×10^{-1}	2.82×10^{-1}	3.06×10^{-1}	3.29×10^{-1}	3.50×10^{-1}	3.71×10^{-1}
29	1.99×10^{-1}	2.24×10^{-1}	2.49×10^{-1}	2.73×10^{-1}	2.96×10^{-1}	3.19×10^{-1}	3.41×10^{-1}	3.61×10^{-1}
30	1.91×10^{-1}	2.16×10^{-1}	2.40×10^{-1}	2.64×10^{-1}	2.87×10^{-1}	3.10×10^{-1}	3.31×10^{-1}	3.51×10^{-1}
35	1.58×10^{-1}	1.81×10^{-1}	2.04×10^{-1}	2.26×10^{-1}	2.48×10^{-1}	2.69×10^{-1}	2.89×10^{-1}	3.08×10^{-1}
40	1.33×10^{-1}	1.53×10^{-1}	1.74×10^{-1}	1.95×10^{-1}	2.15×10^{-1}	2.35×10^{-1}	2.54×10^{-1}	2.73×10^{-1}

遮蔽厚 (mm)	使用管電圧 (kV)							
	115	120	125	130	135	140	145	150
0	1.00	1.00	1.00	1.00	1.00	1.00	1.00	1.00
1	9.56×10^{-1}	9.59×10^{-1}	9.61×10^{-1}	9.63×10^{-1}	9.64×10^{-1}	9.66×10^{-1}	9.67×10^{-1}	9.69×10^{-1}
2	9.15×10^{-1}	9.20×10^{-1}	9.24×10^{-1}	9.28×10^{-1}	9.31×10^{-1}	9.33×10^{-1}	9.36×10^{-1}	9.39×10^{-1}
3	8.77×10^{-1}	8.84×10^{-1}	8.90×10^{-1}	8.95×10^{-1}	8.99×10^{-1}	9.03×10^{-1}	9.07×10^{-1}	9.10×10^{-1}
4	8.42×10^{-1}	8.50×10^{-1}	8.57×10^{-1}	8.64×10^{-1}	8.69×10^{-1}	8.74×10^{-1}	8.79×10^{-1}	8.84×10^{-1}
5	8.09×10^{-1}	8.19×10^{-1}	8.27×10^{-1}	8.34×10^{-1}	8.41×10^{-1}	8.47×10^{-1}	8.53×10^{-1}	8.58×10^{-1}
6	7.78×10^{-1}	7.89×10^{-1}	7.98×10^{-1}	8.06×10^{-1}	8.14×10^{-1}	8.21×10^{-1}	8.27×10^{-1}	8.34×10^{-1}
7	7.49×10^{-1}	7.61×10^{-1}	7.71×10^{-1}	7.80×10^{-1}	7.88×10^{-1}	7.96×10^{-1}	8.03×10^{-1}	8.10×10^{-1}
8	7.21×10^{-1}	7.34×10^{-1}	7.45×10^{-1}	7.55×10^{-1}	7.64×10^{-1}	7.72×10^{-1}	7.80×10^{-1}	7.88×10^{-1}
9	6.95×10^{-1}	7.09×10^{-1}	7.21×10^{-1}	7.32×10^{-1}	7.41×10^{-1}	7.50×10^{-1}	7.59×10^{-1}	7.67×10^{-1}
10	6.71×10^{-1}	6.86×10^{-1}	6.98×10^{-1}	7.09×10^{-1}	7.19×10^{-1}	7.29×10^{-1}	7.38×10^{-1}	7.47×10^{-1}
11	6.48×10^{-1}	6.63×10^{-1}	6.76×10^{-1}	6.88×10^{-1}	6.98×10^{-1}	7.08×10^{-1}	7.18×10^{-1}	7.27×10^{-1}
12	6.26×10^{-1}	6.42×10^{-1}	6.55×10^{-1}	6.68×10^{-1}	6.79×10^{-1}	6.89×10^{-1}	6.99×10^{-1}	7.08×10^{-1}
13	6.06×10^{-1}	6.22×10^{-1}	6.36×10^{-1}	6.48×10^{-1}	6.60×10^{-1}	6.70×10^{-1}	6.80×10^{-1}	6.90×10^{-1}
14	5.86×10^{-1}	6.03×10^{-1}	6.17×10^{-1}	6.30×10^{-1}	6.41×10^{-1}	6.52×10^{-1}	6.63×10^{-1}	6.73×10^{-1}
15	5.67×10^{-1}	5.84×10^{-1}	5.99×10^{-1}	6.12×10^{-1}	6.24×10^{-1}	6.35×10^{-1}	6.46×10^{-1}	6.57×10^{-1}
16	5.50×10^{-1}	5.67×10^{-1}	5.82×10^{-1}	5.95×10^{-1}	6.07×10^{-1}	6.19×10^{-1}	6.30×10^{-1}	6.41×10^{-1}
17	5.33×10^{-1}	5.50×10^{-1}	5.65×10^{-1}	5.79×10^{-1}	5.91×10^{-1}	6.03×10^{-1}	6.14×10^{-1}	6.26×10^{-1}
18	5.17×10^{-1}	5.34×10^{-1}	5.50×10^{-1}	5.63×10^{-1}	5.76×10^{-1}	5.88×10^{-1}	6.00×10^{-1}	6.11×10^{-1}
19	5.01×10^{-1}	5.19×10^{-1}	5.34×10^{-1}	5.49×10^{-1}	5.61×10^{-1}	5.73×10^{-1}	5.85×10^{-1}	5.97×10^{-1}
20	4.87×10^{-1}	5.05×10^{-1}	5.20×10^{-1}	5.34×10^{-1}	5.47×10^{-1}	5.59×10^{-1}	5.71×10^{-1}	5.83×10^{-1}
21	4.73×10^{-1}	4.91×10^{-1}	5.06×10^{-1}	5.21×10^{-1}	5.34×10^{-1}	5.46×10^{-1}	5.58×10^{-1}	5.70×10^{-1}
22	4.59×10^{-1}	4.77×10^{-1}	4.93×10^{-1}	5.07×10^{-1}	5.21×10^{-1}	5.33×10^{-1}	5.45×10^{-1}	5.57×10^{-1}
23	4.46×10^{-1}	4.64×10^{-1}	4.80×10^{-1}	4.95×10^{-1}	5.08×10^{-1}	5.20×10^{-1}	5.33×10^{-1}	5.45×10^{-1}
24	4.34×10^{-1}	4.52×10^{-1}	4.68×10^{-1}	4.83×10^{-1}	4.96×10^{-1}	5.08×10^{-1}	5.21×10^{-1}	5.33×10^{-1}
25	4.22×10^{-1}	4.40×10^{-1}	4.56×10^{-1}	4.71×10^{-1}	4.84×10^{-1}	4.97×10^{-1}	5.09×10^{-1}	5.21×10^{-1}
26	4.11×10^{-1}	4.29×10^{-1}	4.45×10^{-1}	4.60×10^{-1}	4.73×10^{-1}	4.85×10^{-1}	4.98×10^{-1}	5.10×10^{-1}
27	4.00×10^{-1}	4.18×10^{-1}	4.34×10^{-1}	4.49×10^{-1}	4.62×10^{-1}	4.75×10^{-1}	4.87×10^{-1}	5.00×10^{-1}
28	3.90×10^{-1}	4.08×10^{-1}	4.24×10^{-1}	4.38×10^{-1}	4.51×10^{-1}	4.64×10^{-1}	4.77×10^{-1}	4.89×10^{-1}
29	3.80×10^{-1}	3.98×10^{-1}	4.13×10^{-1}	4.28×10^{-1}	4.41×10^{-1}	4.54×10^{-1}	4.67×10^{-1}	4.79×10^{-1}
30	3.70×10^{-1}	3.88×10^{-1}	4.04×10^{-1}	4.18×10^{-1}	4.31×10^{-1}	4.44×10^{-1}	4.57×10^{-1}	4.69×10^{-1}
35	3.27×10^{-1}	3.44×10^{-1}	3.59×10^{-1}	3.74×10^{-1}	3.87×10^{-1}	4.00×10^{-1}	4.12×10^{-1}	4.25×10^{-1}
40	2.90×10^{-1}	3.07×10^{-1}	3.22×10^{-1}	3.36×10^{-1}	3.49×10^{-1}	3.61×10^{-1}	3.73×10^{-1}	3.86×10^{-1}

この数値は NCRP Report No.147（2004）に基づく。

なお，石膏の密度は 0.75 g/cm³ である。

該当する値がない場合には，安全側に設定するか又は補間法により求めることができる。

表6 ガラスにおけるエックス線の空気カーマ透過率

遮蔽厚 (mm)	使用管電圧 (kV)							
	25	30	35	50	55	60	65	70
0	1.00	1.00	1.00	1.00	1.00	1.00	1.00	1.00
1	2.02×10^{-1}	2.21×10^{-1}	2.38×10^{-1}	7.67×10^{-1}	7.85×10^{-1}	8.03×10^{-1}	8.17×10^{-1}	8.30×10^{-1}
2	6.08×10^{-2}	7.69×10^{-2}	9.37×10^{-2}	6.00×10^{-1}	6.28×10^{-1}	6.54×10^{-1}	6.78×10^{-1}	6.98×10^{-1}
3	2.28×10^{-2}	3.33×10^{-2}	4.60×10^{-2}	4.77×10^{-1}	5.09×10^{-1}	5.40×10^{-1}	5.69×10^{-1}	5.94×10^{-1}
4	9.82×10^{-3}	1.64×10^{-2}	2.55×10^{-2}	3.84×10^{-1}	4.18×10^{-1}	4.51×10^{-1}	4.82×10^{-1}	5.09×10^{-1}
5	4.65×10^{-3}	8.86×10^{-3}	1.53×10^{-2}	3.13×10^{-1}	3.47×10^{-1}	3.80×10^{-1}	4.12×10^{-1}	4.41×10^{-1}
6	2.35×10^{-3}	5.07×10^{-3}	9.73×10^{-3}	2.58×10^{-1}	2.90×10^{-1}	3.23×10^{-1}	3.55×10^{-1}	3.84×10^{-1}
7	1.25×10^{-3}	3.04×10^{-3}	6.43×10^{-3}	2.14×10^{-1}	2.45×10^{-1}	2.77×10^{-1}	3.07×10^{-1}	3.37×10^{-1}
8	6.96×10^{-4}	1.88×10^{-3}	4.37×10^{-3}	1.79×10^{-1}	2.08×10^{-1}	2.38×10^{-1}	2.68×10^{-1}	2.97×10^{-1}
9	3.99×10^{-4}	1.20×10^{-3}	3.04×10^{-3}	1.51×10^{-1}	1.78×10^{-1}	2.06×10^{-1}	2.35×10^{-1}	2.63×10^{-1}
10	2.34×10^{-4}	7.08×10^{-4}	2.16×10^{-3}	1.28×10^{-1}	1.53×10^{-1}	1.80×10^{-1}	2.07×10^{-1}	2.34×10^{-1}
11	1.41×10^{-4}	5.17×10^{-4}	1.56×10^{-3}	1.09×10^{-1}	1.32×10^{-1}	1.57×10^{-1}	1.83×10^{-1}	2.09×10^{-1}
12	8.58×10^{-5}	3.48×10^{-4}	1.13×10^{-3}	9.34×10^{-2}	1.14×10^{-1}	1.38×10^{-1}	1.62×10^{-1}	1.87×10^{-1}
13	5.32×10^{-5}	2.37×10^{-4}	8.36×10^{-4}	8.03×10^{-2}	9.96×10^{-2}	1.21×10^{-1}	1.45×10^{-1}	1.68×10^{-1}
14	3.34×10^{-5}	1.63×10^{-4}	6.21×10^{-4}	6.93×10^{-2}	8.70×10^{-2}	1.07×10^{-1}	1.29×10^{-1}	1.52×10^{-1}
15	2.12×10^{-5}	1.13×10^{-4}	4.65×10^{-4}	6.00×10^{-2}	7.63×10^{-2}	9.52×10^{-2}	1.16×10^{-1}	1.37×10^{-1}
16	1.35×10^{-5}	7.89×10^{-5}	3.50×10^{-4}	5.21×10^{-2}	6.71×10^{-2}	8.47×10^{-2}	1.04×10^{-1}	1.24×10^{-1}
17	8.73×10^{-6}	5.55×10^{-5}	2.65×10^{-4}	4.54×10^{-2}	5.91×10^{-2}	7.55×10^{-2}	9.37×10^{-2}	1.13×10^{-1}
18	5.67×10^{-6}	3.92×10^{-5}	2.02×10^{-4}	3.96×10^{-2}	5.23×10^{-2}	6.75×10^{-2}	8.45×10^{-2}	1.03×10^{-1}
19	3.71×10^{-6}	2.79×10^{-5}	1.54×10^{-4}	3.47×10^{-2}	4.63×10^{-2}	6.04×10^{-2}	7.64×10^{-2}	9.39×10^{-2}
20	2.43×10^{-6}	1.99×10^{-5}	1.18×10^{-4}	3.05×10^{-2}	4.11×10^{-2}	5.42×10^{-2}	6.93×10^{-2}	8.58×10^{-2}
21	1.60×10^{-6}	1.43×10^{-5}	9.09×10^{-5}	2.68×10^{-2}	3.66×10^{-2}	4.88×10^{-2}	6.29×10^{-2}	7.85×10^{-2}
22	1.06×10^{-6}	1.02×10^{-5}	7.01×10^{-5}	2.36×10^{-2}	3.26×10^{-2}	4.39×10^{-2}	5.72×10^{-2}	7.20×10^{-2}
23	7.06×10^{-7}	7.38×10^{-6}	5.42×10^{-5}	2.08×10^{-2}	2.91×10^{-2}	3.96×10^{-2}	5.21×10^{-2}	6.61×10^{-2}
24	4.71×10^{-7}	5.33×10^{-6}	4.20×10^{-5}	1.84×10^{-2}	2.60×10^{-2}	3.58×10^{-2}	4.75×10^{-2}	6.08×10^{-2}
25	3.15×10^{-7}	3.86×10^{-6}	3.25×10^{-5}	1.63×10^{-2}	2.33×10^{-2}	3.24×10^{-2}	4.34×10^{-2}	5.59×10^{-2}
26	2.11×10^{-7}	2.80×10^{-6}	2.53×10^{-5}	1.44×10^{-2}	2.09×10^{-2}	2.93×10^{-2}	3.96×10^{-2}	5.16×10^{-2}
27	1.42×10^{-7}	2.03×10^{-6}	1.97×10^{-5}	1.28×10^{-2}	1.87×10^{-2}	2.66×10^{-2}	3.63×10^{-2}	4.76×10^{-2}
28	9.53×10^{-8}	1.48×10^{-6}	1.53×10^{-5}	1.14×10^{-2}	1.68×10^{-2}	2.42×10^{-2}	3.33×10^{-2}	4.39×10^{-2}
29	6.43×10^{-8}	1.08×10^{-6}	1.20×10^{-5}	1.01×10^{-2}	1.52×10^{-2}	2.20×10^{-2}	3.05×10^{-2}	4.06×10^{-2}
30	4.34×10^{-8}	7.86×10^{-7}	9.34×10^{-6}	9.04×10^{-3}	1.37×10^{-2}	2.00×10^{-2}	2.80×10^{-2}	3.76×10^{-2}
35	6.19×10^{-9}	1.64×10^{-7}	2.74×10^{-6}	5.14×10^{-3}	8.21×10^{-3}	1.26×10^{-2}	1.85×10^{-2}	2.58×10^{-2}
40	9.00×10^{-10}	3.49×10^{-8}	8.14×10^{-7}	2.98×10^{-3}	5.03×10^{-3}	8.14×10^{-3}	1.25×10^{-2}	1.80×10^{-2}

遮蔽厚 (mm)	使用管電圧 (kV)							
	75	80	85	90	95	100	105	110
0	1.00	1.00	1.00	1.00	1.00	1.00	1.00	1.00
1	8.40×10^{-1}	8.49×10^{-1}	8.57×10^{-1}	8.64×10^{-1}	8.70×10^{-1}	8.77×10^{-1}	8.84×10^{-1}	8.91×10^{-1}
2	7.15×10^{-1}	7.30×10^{-1}	7.43×10^{-1}	7.54×10^{-1}	7.66×10^{-1}	7.77×10^{-1}	7.88×10^{-1}	8.00×10^{-1}
3	6.15×10^{-1}	6.34×10^{-1}	6.50×10^{-1}	6.65×10^{-1}	6.80×10^{-1}	6.94×10^{-1}	7.09×10^{-1}	7.23×10^{-1}
4	5.33×10^{-1}	5.55×10^{-1}	5.74×10^{-1}	5.91×10^{-1}	6.08×10^{-1}	6.24×10^{-1}	6.41×10^{-1}	6.58×10^{-1}
5	4.66×10^{-1}	4.89×10^{-1}	5.10×10^{-1}	5.29×10^{-1}	5.47×10^{-1}	5.65×10^{-1}	5.83×10^{-1}	6.01×10^{-1}
6	4.10×10^{-1}	4.34×10^{-1}	4.56×10^{-1}	4.76×10^{-1}	4.95×10^{-1}	5.14×10^{-1}	5.33×10^{-1}	5.52×10^{-1}
7	3.63×10^{-1}	3.88×10^{-1}	4.10×10^{-1}	4.31×10^{-1}	4.51×10^{-1}	4.70×10^{-1}	4.89×10^{-1}	5.08×10^{-1}
8	3.23×10^{-1}	3.48×10^{-1}	3.70×10^{-1}	3.91×10^{-1}	4.12×10^{-1}	4.31×10^{-1}	4.51×10^{-1}	4.70×10^{-1}
9	2.89×10^{-1}	3.13×10^{-1}	3.36×10^{-1}	3.57×10^{-1}	3.77×10^{-1}	3.97×10^{-1}	4.17×10^{-1}	4.36×10^{-1}
10	2.59×10^{-1}	2.83×10^{-1}	3.06×10^{-1}	3.27×10^{-1}	3.47×10^{-1}	3.67×10^{-1}	3.86×10^{-1}	4.05×10^{-1}
11	2.34×10^{-1}	2.57×10^{-1}	2.49×10^{-1}	3.00×10^{-1}	3.20×10^{-1}	3.39×10^{-1}	3.59×10^{-1}	3.77×10^{-1}
12	2.11×10^{-1}	2.34×10^{-1}	2.56×10^{-1}	2.76×10^{-1}	2.96×10^{-1}	3.15×10^{-1}	3.34×10^{-1}	3.52×10^{-1}
13	1.91×10^{-1}	2.13×10^{-1}	2.35×10^{-1}	2.55×10^{-1}	2.74×10^{-1}	2.93×10^{-1}	3.12×10^{-1}	3.30×10^{-1}
14	1.74×10^{-1}	1.95×10^{-1}	2.16×10^{-1}	2.36×10^{-1}	2.55×10^{-1}	2.73×10^{-1}	2.91×10^{-1}	3.09×10^{-1}
15	1.58×10^{-1}	1.49×10^{-1}	1.99×10^{-1}	2.18×10^{-1}	2.37×10^{-1}	2.55×10^{-1}	2.73×10^{-1}	2.90×10^{-1}
16	1.45×10^{-1}	1.65×10^{-1}	1.84×10^{-1}	2.03×10^{-1}	2.21×10^{-1}	2.39×10^{-1}	2.56×10^{-1}	2.73×10^{-1}
17	1.32×10^{-1}	1.52×10^{-1}	1.71×10^{-1}	1.89×10^{-1}	2.06×10^{-1}	2.24×10^{-1}	2.40×10^{-1}	2.57×10^{-1}
18	1.22×10^{-1}	1.40×10^{-1}	1.57×10^{-1}	1.76×10^{-1}	1.93×10^{-1}	2.10×10^{-1}	2.26×10^{-1}	2.42×10^{-1}
19	1.12×10^{-1}	1.29×10^{-1}	1.47×10^{-1}	1.64×10^{-1}	1.81×10^{-1}	1.97×10^{-1}	2.13×10^{-1}	2.38×10^{-1}
20	1.03×10^{-1}	1.20×10^{-1}	1.37×10^{-1}	1.53×10^{-1}	1.69×10^{-1}	1.85×10^{-1}	2.01×10^{-1}	2.15×10^{-1}
21	9.47×10^{-2}	1.11×10^{-1}	1.27×10^{-1}	1.43×10^{-1}	1.59×10^{-1}	1.74×10^{-1}	1.89×10^{-1}	2.04×10^{-1}
22	8.47×10^{-2}	1.03×10^{-1}	1.19×10^{-1}	1.34×10^{-1}	1.49×10^{-1}	1.64×10^{-1}	1.79×10^{-1}	1.93×10^{-1}
23	8.08×10^{-2}	9.59×10^{-2}	1.11×10^{-1}	1.26×10^{-1}	1.41×10^{-1}	1.55×10^{-1}	1.69×10^{-1}	1.83×10^{-1}
24	7.48×10^{-2}	8.92×10^{-2}	1.04×10^{-1}	1.18×10^{-1}	1.32×10^{-1}	1.46×10^{-1}	1.60×10^{-1}	1.73×10^{-1}
25	6.93×10^{-2}	8.31×10^{-2}	9.71×10^{-2}	1.11×10^{-1}	1.25×10^{-1}	1.38×10^{-1}	1.51×10^{-1}	1.64×10^{-1}
26	6.43×10^{-2}	7.75×10^{-2}	9.10×10^{-2}	1.04×10^{-1}	1.18×10^{-1}	1.31×10^{-1}	1.43×10^{-1}	1.56×10^{-1}
27	5.97×10^{-2}	7.24×10^{-2}	8.53×10^{-2}	9.82×10^{-2}	1.11×10^{-1}	1.24×10^{-1}	1.36×10^{-1}	1.48×10^{-1}
28	5.55×10^{-2}	6.76×10^{-2}	8.00×10^{-2}	9.25×10^{-2}	1.05×10^{-1}	1.17×10^{-1}	1.29×10^{-1}	1.41×10^{-1}
29	5.16×10^{-2}	6.32×10^{-2}	7.52×10^{-2}	8.72×10^{-2}	9.91×10^{-2}	1.11×10^{-1}	1.22×10^{-1}	1.34×10^{-1}
30	4.81×10^{-2}	5.92×10^{-2}	7.07×10^{-2}	8.22×10^{-2}	9.38×10^{-2}	1.05×10^{-1}	1.16×10^{-1}	1.27×10^{-1}
35	3.41×10^{-2}	4.30×10^{-2}	5.23×10^{-2}	6.19×10^{-2}	7.15×10^{-2}	8.11×10^{-2}	9.05×10^{-2}	9.97×10^{-2}
40	2.45×10^{-2}	3.16×10^{-2}	3.92×10^{-2}	4.71×10^{-2}	5.51×10^{-2}	6.32×10^{-2}	7.11×10^{-2}	7.89×10^{-2}

遮蔽厚 (mm)	使用管電圧 (kV)							
	115	120	125	130	135	140	145	150
0	1.00	1.00	1.00	1.00	1.00	1.00	1.00	1.00
1	8.97×10^{-1}	9.03×10^{-1}	9.08×10^{-1}	9.12×10^{-1}	9.16×10^{-1}	9.20×10^{-1}	9.24×10^{-1}	9.27×10^{-1}
2	8.10×10^{-1}	8.20×10^{-1}	8.29×10^{-1}	8.37×10^{-1}	8.43×10^{-1}	8.50×10^{-1}	8.56×10^{-1}	8.62×10^{-1}
3	7.37×10^{-1}	7.49×10^{-1}	7.61×10^{-1}	7.71×10^{-1}	7.79×10^{-1}	7.88×10^{-1}	7.97×10^{-1}	8.04×10^{-1}
4	6.73×10^{-1}	6.88×10^{-1}	7.01×10^{-1}	7.12×10^{-1}	7.22×10^{-1}	7.33×10^{-1}	7.43×10^{-1}	7.52×10^{-1}
5	6.18×10^{-1}	6.34×10^{-1}	6.48×10^{-1}	6.61×10^{-1}	6.72×10^{-1}	6.83×10^{-1}	6.95×10^{-1}	7.05×10^{-1}
6	5.69×10^{-1}	5.86×10^{-1}	6.01×10^{-1}	6.14×10^{-1}	6.26×10^{-1}	6.39×10^{-1}	6.51×10^{-1}	6.62×10^{-1}
7	5.26×10^{-1}	5.43×10^{-1}	5.59×10^{-1}	5.73×10^{-1}	5.86×10^{-1}	5.99×10^{-1}	6.12×10^{-1}	6.23×10^{-1}
8	4.88×10^{-1}	5.05×10^{-1}	5.21×10^{-1}	5.36×10^{-1}	5.49×10^{-1}	5.62×10^{-1}	5.75×10^{-1}	5.88×10^{-1}
9	4.54×10^{-1}	4.71×10^{-1}	4.87×10^{-1}	5.02×10^{-1}	5.15×10^{-1}	5.29×10^{-1}	5.42×10^{-1}	5.55×10^{-1}
10	4.23×10^{-1}	4.40×10^{-1}	4.56×10^{-1}	4.71×10^{-1}	4.84×10^{-1}	4.98×10^{-1}	5.12×10^{-1}	5.25×10^{-1}
11	3.95×10^{-1}	4.12×10^{-1}	4.28×10^{-1}	4.43×10^{-1}	4.56×10^{-1}	4.70×10^{-1}	4.84×10^{-1}	4.97×10^{-1}
12	3.70×10^{-1}	3.87×10^{-1}	4.02×10^{-1}	4.17×10^{-1}	4.30×10^{-1}	4.44×10^{-1}	4.58×10^{-1}	4.71×10^{-1}
13	3.47×10^{-1}	3.63×10^{-1}	3.79×10^{-1}	3.93×10^{-1}	4.07×10^{-1}	4.20×10^{-1}	4.34×10^{-1}	4.47×10^{-1}
14	3.26×10^{-1}	3.42×10^{-1}	3.57×10^{-1}	3.71×10^{-1}	3.85×10^{-1}	3.98×10^{-1}	4.12×10^{-1}	4.25×10^{-1}
15	3.06×10^{-1}	3.22×10^{-1}	3.37×10^{-1}	3.51×10^{-1}	3.64×10^{-1}	3.78×10^{-1}	3.91×10^{-1}	4.04×10^{-1}
16	2.89×10^{-1}	3.04×10^{-1}	3.18×10^{-1}	3.22×10^{-1}	3.45×10^{-1}	3.59×10^{-1}	3.72×10^{-1}	3.85×10^{-1}
17	2.72×10^{-1}	2.87×10^{-1}	3.01×10^{-1}	3.15×10^{-1}	3.28×10^{-1}	3.41×10^{-1}	3.54×10^{-1}	3.67×10^{-1}
18	2.57×10^{-1}	2.71×10^{-1}	2.85×10^{-1}	2.99×10^{-1}	3.11×10^{-1}	3.24×10^{-1}	3.37×10^{-1}	3.50×10^{-1}
19	2.43×10^{-1}	2.57×10^{-1}	2.71×10^{-1}	2.84×10^{-1}	2.96×10^{-1}	3.09×10^{-1}	3.21×10^{-1}	3.34×10^{-1}
20	2.30×10^{-1}	2.43×10^{-1}	2.57×10^{-1}	2.69×10^{-1}	2.81×10^{-1}	2.94×10^{-1}	3.06×10^{-1}	3.19×10^{-1}
21	2.18×10^{-1}	2.31×10^{-1}	2.44×10^{-1}	2.56×10^{-1}	2.68×10^{-1}	2.80×10^{-1}	2.92×10^{-1}	3.04×10^{-1}
22	2.06×10^{-1}	2.19×10^{-1}	2.32×10^{-1}	2.44×10^{-1}	2.55×10^{-1}	2.67×10^{-1}	2.79×10^{-1}	2.91×10^{-1}
23	1.96×10^{-1}	1.98×10^{-1}	2.20×10^{-1}	2.32×10^{-1}	2.43×10^{-1}	2.55×10^{-1}	2.67×10^{-1}	2.78×10^{-1}
24	1.86×10^{-1}	1.98×10^{-1}	2.10×10^{-1}	2.21×10^{-1}	2.32×10^{-1}	2.44×10^{-1}	2.55×10^{-1}	2.67×10^{-1}
25	1.76×10^{-1}	1.88×10^{-1}	2.00×10^{-1}	2.11×10^{-1}	2.22×10^{-1}	2.33×10^{-1}	2.44×10^{-1}	2.55×10^{-1}
26	1.68×10^{-1}	1.79×10^{-1}	1.90×10^{-1}	2.01×10^{-1}	2.12×10^{-1}	2.23×10^{-1}	2.34×10^{-1}	2.45×10^{-1}
27	1.59×10^{-1}	1.71×10^{-1}	1.82×10^{-1}	1.92×10^{-1}	2.02×10^{-1}	2.13×10^{-1}	2.24×10^{-1}	2.34×10^{-1}
28	1.52×10^{-1}	1.63×10^{-1}	1.73×10^{-1}	1.84×10^{-1}	1.93×10^{-1}	2.04×10^{-1}	2.14×10^{-1}	2.25×10^{-1}
29	1.44×10^{-1}	1.55×10^{-1}	1.65×10^{-1}	1.75×10^{-1}	1.85×10^{-1}	1.95×10^{-1}	2.05×10^{-1}	2.16×10^{-1}
30	1.38×10^{-1}	1.48×10^{-1}	1.58×10^{-1}	1.68×10^{-1}	1.77×10^{-1}	1.87×10^{-1}	1.97×10^{-1}	2.07×10^{-1}
35	1.09×10^{-1}	1.17×10^{-1}	1.26×10^{-1}	1.35×10^{-1}	1.43×10^{-1}	1.52×10^{-1}	1.60×10^{-1}	1.69×10^{-1}
40	8.66×10^{-2}	9.41×10^{-2}	1.02×10^{-1}	1.09×10^{-1}	1.16×10^{-1}	1.24×10^{-1}	1.32×10^{-1}	1.40×10^{-1}

この数値はNCRP Report No.147(2004)に基づく。

なお,ガラスの密度は,2.56 g/cm³ である。

該当する値がない場合には,安全側に設定するか又は補間法により求めることができる。

表7　木材におけるX線の空気カーマ透過率

遮蔽厚 (mm)	使用管電圧 (kV)							
	25	30	35	50	55	60	65	70
0	1.00	1.00	1.00	1.00	1.00	1.00	1.00	1.00
10	5.32×10^{-1}	5.59×10^{-1}	5.83×10^{-1}	8.83×10^{-1}	8.92×10^{-1}	9.01×10^{-1}	9.08×10^{-1}	9.13×10^{-1}
20	2.96×10^{-1}	3.30×10^{-1}	3.61×10^{-1}	7.81×10^{-1}	7.97×10^{-1}	8.13×10^{-1}	8.26×10^{-1}	8.35×10^{-1}
30	1.71×10^{-1}	2.03×10^{-1}	2.34×10^{-1}	6.92×10^{-1}	7.13×10^{-1}	7.34×10^{-1}	7.51×10^{-1}	7.63×10^{-1}
40	1.02×10^{-1}	1.29×10^{-1}	1.57×10^{-1}	6.14×10^{-1}	6.39×10^{-1}	6.63×10^{-1}	6.84×10^{-1}	6.98×10^{-1}
50	6.26×10^{-2}	8.42×10^{-2}	1.08×10^{-1}	5.46×10^{-1}	5.73×10^{-1}	6.00×10^{-1}	6.23×10^{-1}	6.39×10^{-1}
60	3.93×10^{-2}	5.63×10^{-2}	7.64×10^{-2}	4.86×10^{-1}	5.15×10^{-1}	5.43×10^{-1}	5.68×10^{-1}	5.85×10^{-1}
70	2.52×10^{-2}	3.84×10^{-2}	5.49×10^{-2}	4.34×10^{-1}	4.63×10^{-1}	4.92×10^{-1}	5.17×10^{-1}	5.35×10^{-1}
80	1.64×10^{-2}	2.67×10^{-2}	4.01×10^{-2}	3.87×10^{-1}	4.16×10^{-1}	4.46×10^{-1}	4.72×10^{-1}	4.90×10^{-1}
90	1.09×10^{-2}	1.88×10^{-2}	2.97×10^{-2}	3.45×10^{-1}	3.74×10^{-1}	4.04×10^{-1}	4.30×10^{-1}	4.49×10^{-1}
100	7.33×10^{-3}	1.34×10^{-2}	2.23×10^{-2}	3.09×10^{-1}	3.37×10^{-1}	3.66×10^{-1}	3.92×10^{-1}	4.11×10^{-1}
110	4.99×10^{-3}	9.64×10^{-3}	1.68×10^{-2}	2.76×10^{-1}	3.04×10^{-1}	3.32×10^{-1}	3.58×10^{-1}	3.77×10^{-1}
120	3.44×10^{-3}	7.01×10^{-3}	1.29×10^{-2}	2.47×10^{-1}	2.74×10^{-1}	3.02×10^{-1}	3.27×10^{-1}	3.46×10^{-1}
130	2.39×10^{-3}	5.15×10^{-3}	9.88×10^{-3}	2.21×10^{-1}	2.47×10^{-1}	2.74×10^{-1}	2.98×10^{-1}	3.17×10^{-1}
140	1.68×10^{-3}	3.81×10^{-3}	7.65×10^{-3}	1.98×10^{-1}	2.22×10^{-1}	2.48×10^{-1}	2.72×10^{-1}	2.90×10^{-1}
150	1.19×10^{-3}	2.84×10^{-3}	5.96×10^{-3}	1.77×10^{-1}	2.01×10^{-1}	2.26×10^{-1}	2.49×10^{-1}	2.66×10^{-1}
160	8.49×10^{-4}	2.13×10^{-3}	4.66×10^{-3}	1.59×10^{-1}	1.81×10^{-1}	2.05×10^{-1}	2.27×10^{-1}	2.44×10^{-1}
170	6.11×10^{-4}	1.60×10^{-3}	3.67×10^{-3}	1.42×10^{-1}	1.63×10^{-1}	1.86×10^{-1}	2.07×10^{-1}	2.24×10^{-1}
180	4.42×10^{-4}	1.21×10^{-3}	2.90×10^{-3}	1.27×10^{-1}	1.47×10^{-1}	1.69×10^{-1}	1.89×10^{-1}	2.06×10^{-1}
190	3.22×10^{-4}	9.23×10^{-4}	2.30×10^{-3}	1.14×10^{-1}	1.33×10^{-1}	1.54×10^{-1}	1.73×10^{-1}	1.89×10^{-1}
200	2.36×10^{-4}	7.06×10^{-4}	1.83×10^{-3}	1.02×10^{-1}	1.20×10^{-1}	1.40×10^{-1}	1.58×10^{-1}	1.73×10^{-1}
210	1.73×10^{-4}	5.41×10^{-4}	1.46×10^{-3}	9.19×10^{-2}	1.08×10^{-1}	1.27×10^{-1}	1.44×10^{-1}	1.59×10^{-1}
220	1.28×10^{-4}	4.17×10^{-4}	1.17×10^{-3}	8.24×10^{-2}	9.80×10^{-2}	1.15×10^{-1}	1.32×10^{-1}	1.46×10^{-1}
230	9.52×10^{-5}	3.22×10^{-4}	9.37×10^{-4}	7.40×10^{-2}	8.85×10^{-2}	1.05×10^{-1}	1.21×10^{-1}	1.34×10^{-1}
240	7.10×10^{-5}	2.49×10^{-4}	7.54×10^{-4}	6.64×10^{-2}	7.99×10^{-2}	9.52×10^{-2}	1.10×10^{-1}	1.23×10^{-1}
250	5.32×10^{-5}	1.94×10^{-4}	6.08×10^{-4}	5.95×10^{-2}	7.22×10^{-2}	8.65×10^{-2}	1.01×10^{-1}	1.12×10^{-1}
260	4.00×10^{-5}	1.51×10^{-4}	4.91×10^{-4}	5.34×10^{-2}	6.52×10^{-2}	7.86×10^{-2}	9.19×10^{-2}	1.03×10^{-1}
270	3.01×10^{-5}	1.18×10^{-4}	3.97×10^{-4}	4.80×10^{-2}	5.89×10^{-2}	7.15×10^{-2}	8.40×10^{-2}	9.47×10^{-2}
280	2.28×10^{-5}	9.20×10^{-5}	3.22×10^{-4}	4.30×10^{-2}	5.32×10^{-2}	6.50×10^{-2}	7.68×10^{-2}	8.70×10^{-2}
290	1.73×10^{-5}	7.21×10^{-5}	2.61×10^{-4}	3.86×10^{-2}	4.81×10^{-2}	5.90×10^{-2}	7.02×10^{-2}	7.98×10^{-2}
300	1.32×10^{-5}	5.66×10^{-5}	2.12×10^{-4}	3.47×10^{-2}	4.34×10^{-2}	5.37×10^{-2}	6.41×10^{-2}	7.33×10^{-2}
350	3.47×10^{-6}	1.73×10^{-5}	7.67×10^{-5}	2.02×10^{-2}	2.62×10^{-2}	3.33×10^{-2}	4.09×10^{-2}	4.77×10^{-2}
400	9.62×10^{-7}	5.42×10^{-6}	2.83×10^{-5}	1.18×10^{-2}	1.58×10^{-2}	2.07×10^{-2}	2.61×10^{-2}	3.11×10^{-2}

遮蔽厚 (mm)	使用管電圧 (kV)							
	75	80	85	90	95	100	105	110
0	1.00	1.00	1.00	1.00	1.00	1.00	1.00	1.00
10	9.16×10	9.16×10	9.17×10	9.17×10	9.19×10	9.22×10	9.26×10	9.31×10
20	8.39×10	8.40×10	8.41×10	8.43×10	8.46×10	8.51×10	8.59×10	8.68×10
30	7.69×10	7.71×10	7.72×10	7.74×10	7.79×10	7.86×10	7.97×10	8.09×10
40	7.05×10	7.08×10	7.10×10	7.12×10	7.18×10	7.26×10	7.39×10	7.54×10
50	6.47×10	6.50×10	6.52×10	6.56×10	6.62×10	6.72×10	6.86×10	7.03×10
60	5.94×10	5.98×10	6.00×10	6.04×10	6.11×10	6.22×10	6.37×10	6.56×10
70	5.45×10	5.49×10	5.52×10	5.57×10	5.64×10	5.76×10	5.92×10	6.12×10
80	5.00×10	5.05×10	5.09×10	5.13×10	5.21×10	5.33×10	5.50×10	5.71×10
90	4.60×10	4.65×10	4.69×10	4.74×10	4.82×10	4.94×10	5.11×10	5.32×10
100	4.22×10	4.28×10	4.32×10	4.37×10	4.45×10	4.58×10	4.75×10	4.97×10
110	3.88×10	3.94×10	3.98×10	4.04×10	4.12×10	4.25×10	4.42×10	4.63×10
120	3.57×10	3.63×10	3.67×10	3.73×10	3.81×10	3.94×10	4.11×10	4.32×10
130	3.28×10	3.34×10	3.39×10	3.45×10	3.53×10	3.65×10	3.82×10	4.03×10
140	3.02×10	3.08×10	3.13×10	3.19×10	3.27×10	3.39×10	3.56×10	3.76×10
150	2.77×10	2.84×10	2.89×10	2.95×10	3.03×10	3.15×10	3.31×10	3.51×10
160	2.55×10	2.62×10	2.67×10	2.72×10	2.81×10	2.92×10	3.08×10	3.28×10
170	2.35×10	2.41×10	2.46×10	2.52×10	2.60×10	2.71×10	2.87×10	3.06×10
180	2.16×10	2.22×10	2.27×10	2.33×10	2.41×10	2.52×10	2.67×10	2.85×10
190	1.99×10	2.05×10	2.10×10	2.16×10	2.23×10	2.34×10	2.49×10	2.66×10
200	1.83×10	1.89×10	1.94×10	2.00×10	2.07×10	2.17×10	2.32×10	2.48×10
210	1.68×10	1.74×10	1.80×10	1.85×10	1.92×10	2.02×10	2.16×10	2.32×10
220	1.55×10	1.61×10	1.66×10	1.71×10	1.78×10	1.88×10	2.01×10	2.16×10
230	1.43×10	1.49×10	1.53×10	1.59×10	1.65×10	1.75×10	1.87×10	2.02×10
240	1.31×10	1.37×10	1.42×10	1.47×10	1.53×10	1.62×10	1.74×10	1.88×10
250	1.21×10	1.26×10	1.31×10	1.36×10	1.42×10	1.51×10	1.62×10	1.76×10
260	1.11×10	1.17×10	1.21×10	1.26×10	1.32×10	1.40×10	1.51×10	1.64×10
270	1.02×10	1.08×10	1.12×10	1.17×10	1.23×10	1.30×10	1.41×10	1.53×10
280	9.42×10^2	9.95×10^2	1.04×10	1.08×10	1.14×10	1.21×10	1.31×10	1.43×10
290	8.68×10^2	9.18×10^2	9.60×10^2	1.00×10	1.06×10	1.13×10	1.22×10	1.33×10
300	7.99×10^2	8.48×10^2	8.88×10^2	9.30×10^2	9.81×10^2	1.05×10	1.14×10	1.24×10
350	5.29×10^2	5.69×10^2	6.03×10^2	6.36×10^2	6.77×10^2	7.28×10^2	7.99×10^2	8.80×10^2
400	3.51×10^2	3.83×10^2	4.09×10^2	4.36×10^2	4.68×10^2	5.06×10^2	5.61×10^2	6.22×10^2

遮蔽厚	使用管電圧 (kV)							
(mm)	115	120	125	130	135	140	145	150
0	1.00	1.00	1.00	1.00	1.00	1.00	1.00	1.00
10	9.37×10^{-1}	9.43×10^{-1}	9.47×10^{-1}	9.51×10^{-1}	9.55×10^{-1}	9.57×10^{-1}	9.58×10^{-1}	9.58×10^{-1}
20	8.78×10^{-1}	8.88×10^{-1}	8.97×10^{-1}	9.04×10^{-1}	9.11×10^{-1}	9.15×10^{-1}	9.16×10^{-1}	9.16×10^{-1}
30	8.23×10^{-1}	8.36×10^{-1}	8.48×10^{-1}	8.59×10^{-1}	8.67×10^{-1}	8.73×10^{-1}	8.76×10^{-1}	8.76×10^{-1}
40	7.71×10^{-1}	7.87×10^{-1}	8.02×10^{-1}	8.15×10^{-1}	8.26×10^{-1}	8.33×10^{-1}	8.36×10^{-1}	8.36×10^{-1}
50	7.22×10^{-1}	7.41×10^{-1}	7.58×10^{-1}	7.73×10^{-1}	7.85×10^{-1}	7.93×10^{-1}	7.98×10^{-1}	7.97×10^{-1}
60	6.76×10^{-1}	6.96×10^{-1}	7.15×10^{-1}	7.32×10^{-1}	7.46×10^{-1}	7.55×10^{-1}	7.60×10^{-1}	7.60×10^{-1}
70	6.33×10^{-1}	6.55×10^{-1}	6.75×10^{-1}	6.93×10^{-1}	7.08×10^{-1}	7.18×10^{-1}	7.23×10^{-1}	7.24×10^{-1}
80	5.93×10^{-1}	6.15×10^{-1}	6.37×10^{-1}	6.56×10^{-1}	6.71×10^{-1}	6.82×10^{-1}	6.88×10^{-1}	6.89×10^{-1}
90	5.55×10^{-1}	5.78×10^{-1}	6.00×10^{-1}	6.20×10^{-1}	6.36×10^{-1}	6.48×10^{-1}	6.54×10^{-1}	6.55×10^{-1}
100	5.20×10^{-1}	5.43×10^{-1}	5.66×10^{-1}	5.86×10^{-1}	6.02×10^{-1}	6.14×10^{-1}	6.21×10^{-1}	6.22×10^{-1}
110	4.86×10^{-1}	5.10×10^{-1}	5.33×10^{-1}	5.53×10^{-1}	5.70×10^{-1}	5.82×10^{-1}	5.89×10^{-1}	5.91×10^{-1}
120	4.55×10^{-1}	4.79×10^{-1}	5.02×10^{-1}	5.22×10^{-1}	5.39×10^{-1}	5.52×10^{-1}	5.59×10^{-1}	5.60×10^{-1}
130	4.26×10^{-1}	4.49×10^{-1}	4.72×10^{-1}	4.92×10^{-1}	5.09×10^{-1}	5.22×10^{-1}	5.30×10^{-1}	5.31×10^{-1}
140	3.99×10^{-1}	4.22×10^{-1}	4.44×10^{-1}	4.64×10^{-1}	4.81×10^{-1}	4.94×10^{-1}	5.02×10^{-1}	5.04×10^{-1}
150	3.73×10^{-1}	3.96×10^{-1}	4.18×10^{-1}	4.38×10^{-1}	4.54×10^{-1}	4.67×10^{-1}	4.75×10^{-1}	4.77×10^{-1}
160	3.49×10^{-1}	3.71×10^{-1}	3.93×10^{-1}	4.12×10^{-1}	4.29×10^{-1}	4.42×10^{-1}	4.50×10^{-1}	4.52×10^{-1}
170	3.26×10^{-1}	3.48×10^{-1}	3.69×10^{-1}	3.88×10^{-1}	4.05×10^{-1}	4.17×10^{-1}	4.25×10^{-1}	4.28×10^{-1}
180	3.05×10^{-1}	3.26×10^{-1}	3.47×10^{-1}	3.66×10^{-1}	3.82×10^{-1}	3.94×10^{-1}	4.02×10^{-1}	4.05×10^{-1}
190	2.86×10^{-1}	3.06×10^{-1}	3.26×10^{-1}	3.44×10^{-1}	3.60×10^{-1}	3.72×10^{-1}	3.80×10^{-1}	3.83×10^{-1}
200	2.67×10^{-1}	2.87×10^{-1}	3.06×10^{-1}	3.24×10^{-1}	3.39×10^{-1}	3.51×10^{-1}	3.59×10^{-1}	3.62×10^{-1}
210	2.50×10^{-1}	2.69×10^{-1}	2.87×10^{-1}	3.05×10^{-1}	3.19×10^{-1}	3.31×10^{-1}	3.39×10^{-1}	3.42×10^{-1}
220	2.34×10^{-1}	2.52×10^{-1}	2.70×10^{-1}	2.86×10^{-1}	3.01×10^{-1}	3.12×10^{-1}	3.20×10^{-1}	3.23×10^{-1}
230	2.18×10^{-1}	2.36×10^{-1}	2.53×10^{-1}	2.69×10^{-1}	2.83×10^{-1}	2.94×10^{-1}	3.02×10^{-1}	3.05×10^{-1}
240	2.04×10^{-1}	2.21×10^{-1}	2.38×10^{-1}	2.53×10^{-1}	2.67×10^{-1}	2.77×10^{-1}	2.85×10^{-1}	2.88×10^{-1}
250	1.91×10^{-1}	2.07×10^{-1}	2.23×10^{-1}	2.38×10^{-1}	2.51×10^{-1}	2.61×10^{-1}	2.69×10^{-1}	2.72×10^{-1}
260	1.79×10^{-1}	1.94×10^{-1}	2.09×10^{-1}	2.23×10^{-1}	2.36×10^{-1}	2.46×10^{-1}	2.53×10^{-1}	2.57×10^{-1}
270	1.67×10^{-1}	1.81×10^{-1}	1.96×10^{-1}	2.10×10^{-1}	2.22×10^{-1}	2.32×10^{-1}	2.39×10^{-1}	2.42×10^{-1}
280	1.56×10^{-1}	1.70×10^{-1}	1.84×10^{-1}	1.97×10^{-1}	2.09×10^{-1}	2.19×10^{-1}	2.25×10^{-1}	2.29×10^{-1}
290	1.46×10^{-1}	1.59×10^{-1}	1.72×10^{-1}	1.85×10^{-1}	1.96×10^{-1}	2.06×10^{-1}	2.12×10^{-1}	2.16×10^{-1}
300	1.36×10^{-1}	1.49×10^{-1}	1.62×10^{-1}	1.74×10^{-1}	1.85×10^{-1}	1.94×10^{-1}	2.00×10^{-1}	2.03×10^{-1}
350	9.72×10^{-2}	1.07×10^{-1}	1.17×10^{-1}	1.27×10^{-1}	1.36×10^{-1}	1.43×10^{-1}	1.48×10^{-1}	1.52×10^{-1}
400	6.92×10^{-2}	7.66×10^{-2}	8.45×10^{-2}	9.20×10^{-2}	9.93×10^{-2}	1.05×10^{-1}	1.10×10^{-1}	1.13×10^{-1}

この数値はNCRP Report No.147（2004）に基づく。

なお，木材の密度は，$0.55 \, \text{g/cm}^3$である。

該当する値がない場合には，安全側に設定するか又は補間法により求めることができる。

表8 照射野 400 cm² の組織類似ファントムから 1 m の距離における空気カーマ率の百分率
(散乱角 90°について求めた値。)

使用管電圧（kV）	空気カーマ率の百分率
25	0.14
30	0.15
35	0.15
50	0.16
55	0.16
60	0.17
65	0.17
70	0.17
75	0.18
80	0.18
85	0.18
90	0.18
95	0.19
100	0.19
105	0.19
110	0.20
115	0.20
120	0.20
125	0.21
130	0.21
135	0.21
140	0.22
145	0.22
150	0.22

この数値は NRCP Report No.147 に基づく。

なお，25 kV〜35 kV はモリブデン陽極とモリブデンフィルタを有する乳房撮影用エックス線装置に対する散乱係数である。

該当する値がない場合には，安全側に設定するか又は補間法により求めることができる。

表9 大幅に減衰したエックス線の広いビームに対する半価層（$t_{1/2}$）及び1/10価層（$t_{1/10}$）

使用管電圧 (kV)	鉛 (mm) $t_{1/2}$	鉛 (mm) $t_{1/10}$	コンクリート (mm) $t_{1/2}$	コンクリート (mm) $t_{1/10}$	鉄 (mm) $t_{1/2}$	鉄 (mm) $t_{1/10}$
25	0.0115	0.0397	1.36	4.74	0.0613	0.212
30	0.0153	0.0526	1.86	6.41	0.0829	0.284
35	0.0208	0.0711	2.53	8.59	0.113	0.383
50	0.0665	0.228	6.36	21.8	0.361	1.22
55	0.0792	0.269	7.66	26.3	0.442	1.49
60	0.0936	0.316	9.25	31.7	0.560	1.88
65	0.110	0.367	11.0	37.5	0.727	2.44
70	0.127	0.424	12.6	42.6	0.940	3.15
75	0.147	0.491	13.8	46.4	1.17	3.92
80	0.171	0.568	14.7	49.2	1.39	4.63
85	0.197	0.655	15.3	51.4	1.58	5.25
90	0.225	0.749	15.9	53.3	1.73	5.77
95	0.253	0.841	16.5	55.2	1.87	6.23
100	0.276	0.919	17.0	57.1	2.02	6.72
105	0.292	0.971	17.7	59.1	2.20	7.33
110	0.300	1.00	18.3	61.0	2.42	8.06
115	0.303	1.01	18.8	62.8	2.68	8.91
120	0.304	1.02	19.3	64.3	2.96	9.84
125	0.306	1.02	19.7	65.6	3.24	10.8
130	0.310	1.04	20.1	66.8	3.51	11.7
135	0.316	1.06	20.4	67.8	3.76	12.5
140	0.324	1.09	20.7	68.8	4.01	13.3
145	0.334	1.13	21.0	69.9	4.28	14.2
150	0.345	1.18	21.4	71.0	4.61	15.3

使用管電圧 (kV)	石膏 (mm) $t_{1/2}$	石膏 (mm) $t_{1/10}$	ガラス (mm) $t_{1/2}$	ガラス (mm) $t_{1/10}$	木材 (mm) $t_{1/2}$	木材 (mm) $t_{1/10}$
25	3.53	12.2	1.44	5.00	23.8	81.8
30	4.84	16.7	1.96	6.74	28.5	96.8
35	6.87	23.6	2.68	9.09	34.5	116
50	17.6	58.6	7.01	23.4	64.4	214
55	20.0	66.8	7.99	26.7	68.5	228
60	23.1	76.8	9.18	30.6	72.9	242
65	26.4	88.0	10.5	35.1	77.1	256
70	30.0	100	11.9	39.6	81.1	269
75	33.5	111	13.0	43.4	84.5	281
80	36.7	122	13.9	46.4	87.7	291
85	39.7	132	14.7	48.7	90.2	300
90	42.4	141	15.2	50.6	92.3	307
95	44.9	149	15.7	52.2	94.4	313
100	47.3	157	16.2	53.8	95.9	318
105	49.6	165	16.7	55.6	98.3	327
110	51.9	172	17.3	57.4	100	333
115	54.0	179	17.9	59.4	101	335
120	56.1	186	18.4	61.3	103	342
125	58.1	193	19.0	63.0	105	350
130	60.0	199	19.5	64.7	107	356
135	61.8	205	19.9	66.1	110	365
140	63.7	212	20.3	67.6	112	372
145	65.6	218	20.8	69.0	113	377
150	67.3	224	21.2	70.5	115	382

この数値は，NCRP Report No.147（2004）に基づく。

なお，コンクリートの密度は 2.35 g/cm³ である。

コンクリートの密度の違いによる補正は，概ねコンクリートの厚さの間で比例の関係にある。我が国の画壁等に用いられているコンクリート建材の密度は 2.10 g/cm³ であるので，この遮蔽におけるしゃへい体の透過厚さを計算し，その厚さにおける透過率を求める（詳細は，「放射線施設のしゃへい計算実務マニュアル 2007 原子力安全技術センター発刊」を参照されたい。）。

該当する値がない場合には，安全側に設定するか又は補完法により求めることができる。

表10 空気カーマから実効線量への換算係数 (E/Ka)

光子エネルギー (keV)	換算係数 (E/Ka)
10	0.00653
15	0.0402
20	0.122
30	0.416
40	0.788
50	1.106
60	1.308
70	1.407
80	1.433
100	1.394 (1.433)[注4]
150	1.256 (1.433)[注4]
200	1.173 (1.433)[注4]

　エックス線装置の使用管電圧(kV)によるエックス線のエネルギーは，吸収又は散乱後のエックス線スペクトルは，発生時のものと異なっているが，換算係数の選択に当たって，光子エネルギー(keV)＝使用管電圧(kV)とし，対応する換算係数の値を用いるものとする。

　なお，該当する値がない場合には，安全側に設定するか又は補間法により求めることができる。

　注4) 使用管電圧が80 kVを超える場合には，換算係数の最大値1.433を用いること。

付録3. 放射線管理用測定機器

電離箱式サーベイメータ

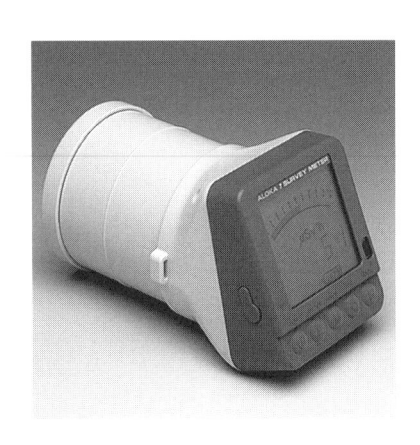

■ 仕様

測定線種	X線，γ線及びβ線（β線は，検出器先端のキャップを外して検出）
検出器	円筒形電離箱　電離箱有効体積：約400cm³　β線検出窓：約5mg/cm² マイラフィルム　有効窓面積：約45cm²　β線遮蔽：厚さ約500mg/cm²
エネルギー特性	30KeV～2MeVのX線，γ線にて ¹³⁷Csの校正定数に対する比が0.85～1.15
測定範囲	1cm線量当率：1μSv/h～10mSv/h 積算1cm線量当量：0.3～10μSv
指示誤差	基準線量率に対する許容差±10% ±1digit以下
測定レンジ	アナログ表示：0～10，100，1,000μSv/h，10mSv/h，自動レンジ切換，0～10μSv デジタル表示：0.0～99.9，100～999μSv/h，1.00～9.99mSv/h，0.0～9.9μSv
データ出力	レコーダ用アナログ出力（0～+100mV/F.S.） 対数4デカード出力（1μSv/h～10mSv/h） 赤外線通信（パソコンへデータ転送）
電源	単3形乾電池×4本
使用温湿度範囲	0～+40℃，90%RH以下（結露なきこと）

GM サーベイメータ

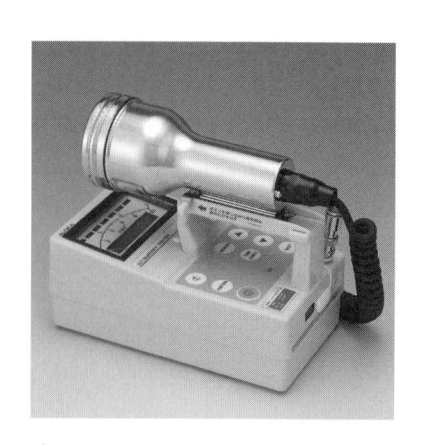

■ 仕様

測定線種	$\beta(\gamma)$ 線
検出器	大面積端窓形有機 GM 管　窓径：ϕ50mm　入射窓面積：19.6cm^2　窓厚：約 2.5mg/cm^2　開口率：約 85％(保護メッシュ付)
機器効率	40％/2π（20％/4π）以上(^{36}Cl 線源にて）距離 5mm
測定レンジ	アナログ表示：0〜100, 300, 1k, 3k, 10k, 30k, 100kmin^{-1}（7 段切換　リニア目盛） デジタル表示：計数率；0〜999min^{-1}, 1.00〜9.99kmin^{-1}, 10.0〜99.9kmin^{-1} 計数；0〜999999 counts
指示誤差	アナログ表示：最大目盛に対する許容差 ±3％以下，または指示値に対する許容差 ±10％以内のいずれか デジタル表示：指示値に対する許容差 ±3％ ±1digit 以内
時定数	3, 10, 30 秒
データ出力	レコーダ用アナログ出力(0〜+10mV/F.S.) 赤外線通信(パソコンへデータ転送)
電源	単 2 形アルカリ乾電池×4 本 Li イオン二次電池(二次電池には専用充電器が必要) AC アダプタ　AC100V　約 3VA(オプション)
使用温湿度範囲	+5〜+35℃，90％ RH 以内(結露なきこと)

γ線用 シンチレーションサーベイメータ

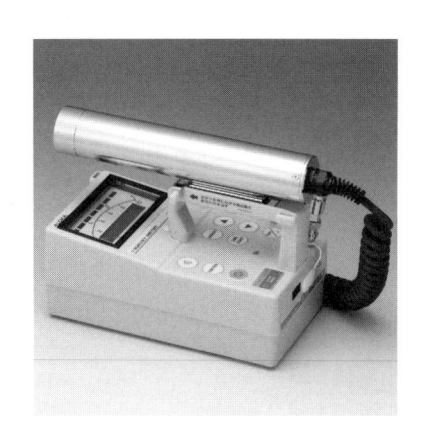

■ 仕様

測定線種	γ線
検出器	ϕ25.4×25.4mmNaI(Tl)シンチレーション検出器
測定範囲	バックグラウンド～30μSv/h　0～30ks^{-1}
測定エネルギー範囲	線量率：50keV～3MeV(3MeVカットなし)※ 計数率：50keV以上
エネルギー特性	^{137}Csに対して ±15%以下(70keV～3MeV)
指示誤差	アナログ表示(線量当量率)：各レンジとも最大目盛の ±5%以下 　または基準線量当量率に対する許容差 ±15%以下のいずれか アナログ表示(計数率)：各レンジとも最大目盛の ±3%以下 　または基準計数率に対する許容差 ±10%以下のいずれか デジタル表示(線量当量率)：基準線量当量率に対する許容差 　±15%以下 デジタル表示(計数率)：基準計数率に対する許容差 ±3%以下
測定レンジ	アナログ表示：|0～0.3, 0～1, 0～3, 0～10, 0～30| 　(5段切換　リニア目盛)　μSv/hまたはks^{-1} デジタル表示(線量率)：|0.00～9.99, 10.0～30.0|(自動 　レンジ切換)　μSv/h デジタル表示(計数率)：0～30,000s^{-1}
時定数	3, 10, 30秒
データ出力	レコーダ用アナログ出力(0～+10mV/F.S.) 赤外線通信(パソコンへデータ転送)
電源	一次電池：アルカリ単2形乾電池×4本 二次電池：Liイオン二次電池(専用充電器が必要) ACアダプタ　AC100V　約5VA(オプション)
使用温湿度範囲	0～+40℃, 90%RH以内(結露なきこと)

※3MeV以上のエネルギーはすべて3MeVのエネルギーとしてエネルギー補償している。

α線用
シンチレーションサーベイメータ

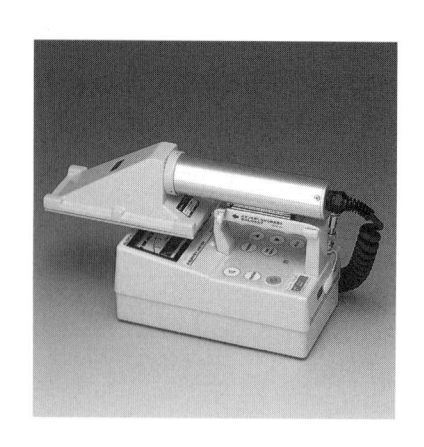

■ 仕様

測定線種	α線
シンチレータ	ZnS(Ag)シンチレータ
バックグランド	$1\,min^{-1}$ 以下
機器効率	$30\%/2\pi$ 以上($15\%/4\pi$ 以上)(^{241}Am, 10×15cm, 距離5mmにて)
測定レンジ	アナログ表示：0～100, 300, 1k, 3k, 10k, 30k, $100\,kmin^{-1}$ 　　　　　　（7段切換　リニア目盛） デジタル表示：計数率；0～$999\,min^{-1}$, 1.00～$9.99\,kmin^{-1}$, 　　　　　　　10.0～$99.9\,kmin^{-1}$ 　　　　　　計数；0～999999 counts
指示誤差	アナログ表示：最大目盛に対する許容差 ±3%以内または指示値に対する許容差 ±10%以内のいずれか デジタル表示：指示値に対する許容差 ±3% ±1digit 以内
時定数	3, 10, 30 秒
データ出力	レコーダ用アナログ出力(0～+10mV/F.S.) 赤外線通信(パソコンへデータ転送)
電源	一次電池：単2形アルカリ乾電池×4本 二次電池：Liイオン二次電池(専用充電器が必要) ACアダプタ　AC100V　約3VA(オプション)
使用温湿度範囲	+5～+35℃，90% RH 以内(結露なきこと)

中性子サーベイメータ

■ 仕様

検出器	^{3}He 比例計数管
測定エネルギー範囲	0.025eV～約15MeV（ICRP.51 レムレスポンス準拠）
測定範囲	1cm 線量当量率： 0.01μSv/h～10mSv/h 積算1cm 線量当量：0.01～9999μSv
測定レンジ	アナログ：0.1μSv/h～10mSv/h デジタル：(0.001～1000)×10μSv/h 　　　　　(0.001～999.9)×10μSv
方向依存症	±20％以下
中性子感度	約 1.5S^{-1}/μSv・h^{-1}
γ線感度	約 100mSv/h まで不感
使用温度範囲	－10～45℃
外部出力	パルス出力：正 TTL レベル 記録計出力：DC0～10mV
電源	リチウム電池 CR14H　2個 及び AC アダプタ AC100V

³H，¹⁴C の表面汚染検査用
³H／¹⁴C サーベイメータ

■ 仕様

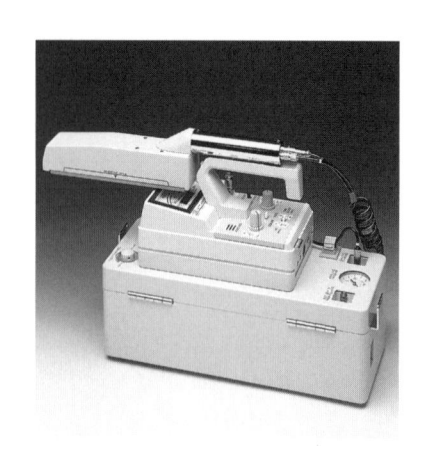

検出器	大面積薄窓形ガスフローカウンタ　窓厚：約 0.15mg/cm² 検出面積：30×150mm
検出核種	トリチウム以上のエネルギーを有する β 線核種
計数ガス	PR ガス，同 1L ボンベ約 8 気圧　連続使用 4.5 時間
検出限界	³H：約 2.2Bq/cm²　¹⁴C：約 0.2Bq/cm²
測定レンジ	アナログ：0～100kmin⁻¹ 6 段切換 デジタル：0～100kmin⁻¹ または 0～1,999k カウント
時定数	3，10，30 秒
使用温度範囲	+5℃ ～ +35℃
電源	単 2 形乾電池 ×4 または AC アダプタ（オプション）

α/β線用 シンチレーション サーベイメータ

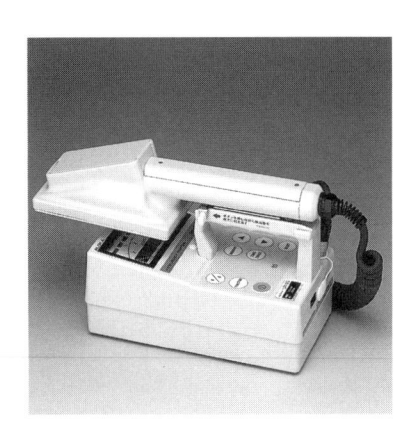

■ 仕様

測定放射線	α 線	β(γ)線
シンチレータ	ZnS シンチレータ	プラスチックシンチレータ
光電子増倍管	小型 PMT2 本による同時計数方式	
バックグラウンド	1min^{-1} 以下	約 200min^{-1}
機器効率	30%/2π 以上(15%/4π 以上) (U_3O_8, 10×10cm, 中央密着にて)	50%/2π 以上(25%/4π 以上) (U_3O_8, 10×10cm, 中央密着にて)
	30%/2π 以上(15%/4π 以上) (^{241}Am, 10×15cm, 距離 5mm にて)	25%/2π 以上(12.5%/4π 以上) (^{36}Cl, 10×15cm, 距離 5mm にて)
混入率	β → α : 0.1%以下	α → β : 5%以下
測定レンジ	アナログ表示:0〜300, 1k, 3k, 10k, 30k, 100kmin^{-1} 　　　　　　(6 段切換　リニア目盛)　α と β を切換 デジタル表示:計数率;0〜999min^{-1}, 1.00〜9.99kmin^{-1} 　　　　　　　　　　10.0〜99.9kmin^{-1} 　　　　　　計数;0〜999999 counts　α と β を同時表示	
指示誤差	アナログ表示:最大目盛に対する許容差 ±3%以内, または指示値に対する許容差 ±10%以内のいずれか デジタル表示:指示値に対する許容差 ±3% ±1digit 以内	
時定数	3, 10, 30 秒	
データ出力	レコーダ用アナログ出力(0〜+10mV/F.S.) 赤外線通信(パソコンへデータ転送)	
電源	単2形アルカリ乾電池 ×4 本 Li イオン二次電池(専用充電器が必要) AC アダプタ　AC100V　約 3VA(オプション)	
使用温湿度範囲	+5〜+35℃, 90% RH 以内(結露なきこと)	

シーベルトメータ

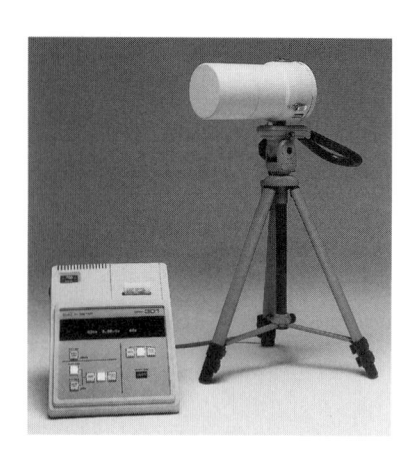

■ 仕様

測定線種	X・γ線
検出器	ABC樹脂製円筒形電離箱 電離箱有効体積：約 2,000cm³ 検出窓：1cm 線量当量測定用カバー 　　　　3mm 線量当量測定用カバー 　　　　70μm 線量当量測定用窓
エネルギー特性	10keV～2MeV の X，γ線（ただし，1cm 線量当量は 20keV～2MeV） ^{137}Cs の校正定数に対して約 0.8～1.2
測定範囲	積算線量当量：0.03～99.9μSv 線量当量率：0.3～999μSv/h
表示	3ケタ デジタル表示 積算線量当量：Lo レンジ 0.01～0.99 ⎫ μSv 　　　　　　　Hi レンジ 0.1～99.9 ⎭ 線量当量率：0.1～99.9 ⎫ μSv/h 　　　　　　100～999 ⎭ 自動切換え表示
プリセットタイム	積算線量当量測定時：1～9999 秒
時定数	線量当量率測定時：約 3～30 秒，自動切換え
プリントアウト 印字内容	積算線量当量測定時： 　年・月・日，測定時刻，積算時間，線量当量の種類，積算線量当量，線量当量率 線量当量率測定時： 　年・月・日，測定時刻，線量当量の種類，線量当量率
使用温度・湿度範囲	0～40℃，90% RH 以下
電源	AC100V，50/60Hz，約 20VA

パーソナル放射線測定器

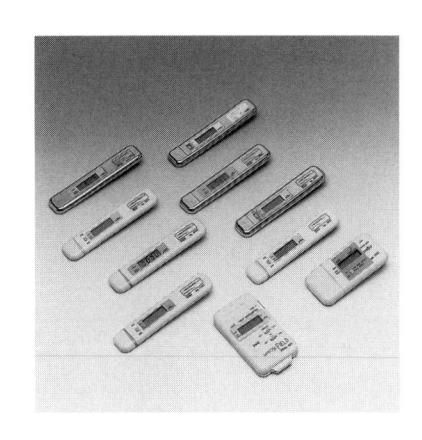

■ 仕様

	形 名	検出器	表示単位	表示範囲	備 考
マイドーズ	TH-C2114 (PDM-101)	シリコン半導体	μSv	0.01～99.99μSv	●60KeV～のγ(X)線を測定 ●高感度測定用
	TH-C2115 (PDM-102)	シリコン半導体	μSv	1～9.999μSv	●40KeV～のγ(X)線を測定 ●一般用
	TH-C2116 (PDM-107)	シリコン半導体	μSv	1～9.999μSv	●20KeV～のγ(X)線を測定 ●医療用，X線検査用等
	TH-C2124 (PDM-172)	シリコン半導体	μSv	1～9999μSv	●40KeV～のγ(X)線を測定 ●保管ケース(別売)から出してすぐ装着できるスイッチレス
マイレート	TH-C2118 (PDR-101)	CsIシンチレータ	μSv/h	0.001～1.999 2.00～19.99μSv/h 自動切換え表示	●50KeV～のγ線を測定 ●高感度測定用 ●AEM^{TM}機能
	TH-C2119 (PDR-102)	シリコン半導体	mSv/h	0.001～19.99mSv/h	●60KeV～のγ線を測定 ●AEM^{TM}機能
	TH-C2120 (PDR-103)	シリコン半導体	mSv/h	0.01～199.9mSv/h	●60KeV～のγ線を測定 ●AEM^{TM}機能

TLD（放射線熱蛍光線量計）

■ 仕様

表示	デジタル式 8 桁，4 レンジ自動切換，レンジオーバー表示付
表示範囲	0.0001mSv ～ 9990Sv（使用素子により測定範囲は異なる）
測定時間	標準 10 秒（熱風加熱方式）
校正	内蔵校正光源（CAL）による自動補正
データ処理	データの記憶………999 データ 素子感度補正係数…999 データ 出力補正係数………1 点
プリンタ	17 桁放電式プリンタ内蔵
外部出力	伝送出力…………RS-232C グロー出力………5V フルスケール
電源	AC100V 50/60Hz 最大 350W
寸法	493W×237H×366Dmm（突起部を除く）
重量	約 24kg

TLD 用素子

型式	蛍光材料	寸法	エネルギー	測定範囲	測定線種	用途
UD-200S	$CaSO_4:Tm$	11φ×60mm	±40% >30KeV	1μSv～200mSv	X・γ	個人線量モニタ 環境測定用
UD-110S	$CaSO_4:Tm$	2φ×12mm	±20% >200KeV	1μSv～200mSv	X・γ	高感度，実験用
UD-100M8	$CaSO_4:Tm$	8φ×0.06mm	±20% >200KeV	100μSv～20Sv	X・γ・β	β線検出用
UD-170A	BeO	2φ×12mm	±35% >15KeV	20μSv～2Sv	X・γ	治療線量測定用 中低線量測定用
UD-170L	BeO	1.2φ×8mm	±35% >15KeV	200μSv～20Sv	X・γ	治療線量測定用 中高線量測定用
UD-136N	$CaSO_4:Tm$ + ^6LiF	2φ×12mm	±20%＞200KeV	3μSv～200mSv	X・γ	中性子測定用
			———	0.1μSv～200mSv	熱中性子	
UD-137N	$CaSO_4:Tm$ + ^7LiF	2φ×12mm	±20% >200KeV	3μSv～200mSv	X・γ	

オートウェル ガンマシステム

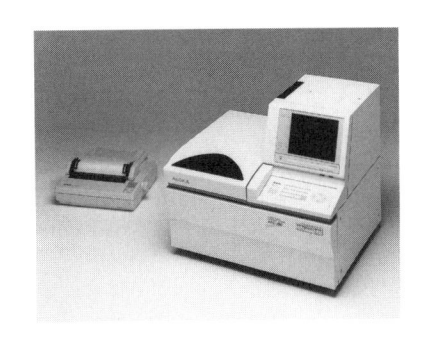

■ 仕様

サンプル数	300本（標準バイアルの場合） 600本（ミニバイアル及び試験管の場合）
検出器	NaI(Tℓ) 2φ×2in ウェル型シンチレータ
電源	AC100V, 50/60Hz, 約300VA

液体シンチレーション
システム

■ 仕様

基本性能	^{3}H の計数効率 60％以上，^{14}C の計数効率 90％以上（ただし LSC-6101 の性能）
クエンチング補正法	レベルメソッド法（ESCR, SCCR, OFF） 効率トレーサ法（オプション）
サンプル交換方法	ラック式
分析方法	4,000ch マルチチャンネルアナライザーのゲイン切換による高分解能スペクトル分析
分析ウインドウ	3 ウインドウ
核種ウインドウ 　自動設定	^{3}H, ^{14}C, ^{32}P, ^{125}I, ^{32}P-Cerenkov, ^{3}H + ^{14}C, ^{3}H + ^{14}C + ^{32}P, Free（single, double, triple）
プリセットタイム	0.1～999.9min
リピート	1～9
サイクル	1～9, ∞
使用温・湿度範囲	5～35℃　30～80％ RH（結露しないこと）
出力装置	ドットマトリックスプリンタ
電源	AC100V, 50/60Hz, 約 200VA

索　引

【あ】

ICRP 勧告 …………………………………… 11
ICRU ………………………………………… 2
ICRU 球 ……………………………………… 20
アフターローディング ……………………… 44
アラームメータ ……………………………… 68
ALARA ……………………………………… 35
RI 装備診療機器 …………………………… 85
RI 装備診療機器使用室 …………………… 91
α 線 ………………………………………… 47
安全ピペッタ ………………………………… 38

【い】

医学的健康管理 ……………………………… 66
一般環境管理 ………………………………… 72
遺伝的影響 …………………………………… 3
医療被ばく ……………………………… 5, 31
医療法施行規則 ……………………………… 84
医療放射線 …………………………………… 30
インターロック ……………………………… 41
インビトロ（in vitro）検査 ………… 31, 45
インビボ（in vivo）検査 …………… 31, 45

【う】

宇宙線 ………………………………………… 28
運搬容器 ……………………………………… 93

【え】

液体廃棄物処理 ……………………………… 55
X 線，γ 線 …………………………………… 48
X 線診療室 …………………………………… 90
X 線診療室等の構造設備 …………………… 90

X 線装置 ……………………………………… 40
X 線装置等の防護 …………………………… 88
X 線装置の届出 ……………………………… 85
X 線装置の防護 ……………………………… 88
エプロン ……………………………………… 41

【お】

OSL 線量計 ………………………………… 68
汚染管理区域 ………………………………… 70
汚染事故 ……………………………………… 74
汚染除去 ……………………………………… 51
汚染モニタ …………………………………… 38

【か】

外部被ばく …………………………………… 37
外部被ばくモニタリング …………………… 67
確定的影響 ………………………… 3, 4, 15
確率的影響 ………………………… 3, 4, 13
下限数量 …………………………………… 42, 84
火災・爆発事故 ……………………………… 74
ガスクロマトグラフ用 ECD ……………… 45
画像診断装置 ………………………………… 81
可燃性廃棄物 ………………………………… 64
可搬形エリアモニタ ………………………… 70
顆粒球 ………………………………………… 8
環境管理 ……………………………………… 66
鉗子 …………………………………………… 38
ガンマナイフ ………………………………… 42
管理区域 ………………………………… 70, 97

【き】

器官形成期 …………………………………… 9

技師籍 ………………………… 76, 80
気体廃棄物処理 ………………… 54
記帳 …………………………… 99
急性障害 ……………………… 6
教育訓練 ……………………… 37, 106
胸部集検用間接撮影X線装置 ………… 89
禁止行為 ……………………… 78

【く】

腔内照射 ……………………… 43
グローブボックス ……………… 39
グロー放電管 …………………… 33

【け】

経口 …………………………… 38
蛍光ガラス線量計 ……………… 68
経呼吸器 ……………………… 38
経皮膚 ………………………… 38
血液像 ………………………… 8
欠格事由 ……………………… 76
血小板 ………………………… 8
決定器官 ……………………… 11
煙感知器 ……………………… 33
健康診断 ……………………… 66, 103, 106
原子力発電 …………………… 30
原爆被爆 ……………………… 5
原発事故 ……………………… 5

【こ】

公衆被ばく …………………… 6
高性能エアフィルタ …………… 54
骨塩定量分析装置 ……………… 45
国連科学委員会 ………………… 27
個人管理 ……………………… 66
個人警報線量計 ………………… 68
個人モニタ …………………… 68
固体廃棄物処理 ………………… 55
コンクリート ………………… 51

【さ】

再生係数 ……………………… 48
最大許容線量 …………………… 11
最適化 ………………………… 13
作業環境管理 …………………… 70
撮影用X線装置 ………………… 89
サーベイメータ ………………… 39, 47
サーベイメータ法 ……………… 53
3Cの原則 ……………………… 37

【し】

GM計数管式サーベイメータ ………… 70
歯科用X線装置 ………………… 41
しきい値 ……………………… 3
事故の場合の措置 ……………… 100
地震 …………………………… 74
施設検査 ……………………… 106
自然放射線源 …………………… 27, 29
実効線量 ……………………… 15, 102
自発光製品 …………………… 33
集団実効線量預託 ……………… 30
重篤度 ………………………… 3
収納容器 ……………………… 42
1/10価層 ……………………… 49
周辺線量当量 …………………… 21
守秘義務 ……………………… 79
焼却設備 ……………………… 94
照射管理区域 …………………… 70
照射録 ………………………… 79, 83
職業被ばく …………………… 5
除染係数 ……………………… 53
除染指数 ……………………… 53
除染の方法 …………………… 51
除染率 ………………………… 53
人工放射線源 …………………… 29
身体的影響 …………………… 3
シンチレーション式サーベイメータ …… 70
診療の補助行為 ………………… 83

診療放射線技師法……………………… 76
診療用 RI 使用室 ………………………… 91
診療用 RI 又は陽電子断層撮影診療用
　RI の届出 ……………………………… 87
診療用高エネルギー放射線発生装置…… 84
診療用高エネルギー放射線発生装置
　使用室…………………………………… 91
診療用高エネルギー放射線発生装置の
　届出 …………………………………… 85
診療用高エネルギー放射線発生装置の
　防護……………………………………… 90
診療用放射性同位元素…………………… 45
診療用放射線照射器具……………… 43, 84
診療用放射線照射器具使用室…………… 91
診療用放射線照射器具の届出…………… 86
診療用放射線照射装置……………… 42, 84
診療用放射線照射装置使用室…………… 91
診療用放射線照射装置の届出…………… 86
診療用放射線照射装置の防護…………… 90
診療用粒子線照射装置…………………… 84
診療用粒子線照射装置使用室…………… 91
診療用粒子線照射装置の届出…………… 86
診療用粒子線照射装置の防護…………… 90

【す】
水晶体……………………………………… 8
スミア法………………………………… 51
スラリー廃棄物………………………… 64

【せ】
生殖腺……………………………………… 8
生殖腺障害………………………………… 9
生殖腺線量………………………………… 9
正当化…………………………………… 13
赤血球……………………………………… 8
1958 年 ICRP 勧告 ……………………… 11
1965 年 ICRP 勧告 ……………………… 12
1977 年 ICRP 勧告 ……………………… 13

1990 年 ICRP 勧告 ……………………… 14
前駆期……………………………………… 6
全身計測法……………………………… 69
全身被ばく………………………………… 5
潜伏期……………………………………… 6
線量限度………………………… 16, 101
線量効果関係……………………………… 3
線量拘束値……………………………… 14
線量制限体系…………………………… 13
線量当量限度…………………………… 13
線量預託………………………………… 27

【そ】
造影検査………………………………… 41
早期効果…………………………………… 3
造血組織…………………………………… 8
組織加重係数…………………………… 17
組織内照射……………………………… 43

【た】
体幹部…………………………………… 25
胎児………………………………………… 9
胎児期……………………………………… 9
耐容線量…………………………………… 1

【ち】
チェルノブイリ原子力発電所事故……… 6
着床前期…………………………………… 9
チャコールフィルタ…………………… 54
中性子線………………………………… 49
直読式ポケット線量計………………… 68
貯蔵施設………………………………… 92
治療用 X 線装置 ………………………… 90

【て】
定期確認………………………………… 106
定期検査………………………………… 106
定期講習………………………………… 107

テレコバルト……………………………… 42
電気・電子機器…………………………… 34
電離箱式サーベイメータ………………… 70
電離放射線障害防止規則………………… 103

【と】

等価線量………………………………… 15, 102
透視用 X 線装置 ………………………… 88
動物性廃棄物……………………………… 64
10 日規則 ………………………………… 10
特殊不燃物………………………………… 64
とれにくい（固着性）汚染……………… 51
とれやすい（非固着性または遊離性）
　汚染…………………………………… 51
トロトラスト……………………………… 5
トング……………………………………… 38

【な】

内部被ばく………………………………… 37
内部被ばくモニタリング………………… 69
鉛当量……………………………………… 49

【に】

二次電子濾過板…………………………… 42
2007 年 ICRP 勧告 ……………………… 17
日常生活用品……………………………… 33

【ね】

熱中性子…………………………………… 42
熱ルミネセンス線量計…………………… 68

【の】

濃度限度等………………………………… 100

【は】

バイオアッセイ法………………………… 69
廃棄施設…………………………………… 93
排気設備……………………………… 54, 93

廃棄物処理………………………………… 54
廃止後の措置……………………………… 100
排水設備…………………………………… 93
白内障……………………………………… 4
発癌………………………………………… 4
白血球……………………………………… 8
発症期……………………………………… 6
パラフィン………………………………… 51
半価層……………………………………… 49
半導体式サーベイメータ………………… 70
ハンドフットクロスモニタ……………… 47
晩発効果…………………………………… 3
晩発障害…………………………………… 7

【ひ】

非確率的影響……………………………… 13
光核反応…………………………………… 41
被ばく事故………………………………… 74
皮膚紅斑量………………………………… 2
皮膚障害…………………………………… 8
皮膚線量…………………………………… 9
非密封 RI ………………………………… 45
表面密度…………………………………… 53
表面密度限度……………………………… 101
広い線束…………………………………… 48
ピンセット………………………………… 38

【ふ】

フィルムバッジ…………………………… 68
フォールアウト…………………………… 29
福島第一原子力発電所事故……………… 6
物理的被ばく管理………………………… 67
フード……………………………………… 39
不妊………………………………………… 9
不燃性廃棄物……………………………… 64
プレフィルタ……………………………… 54
紛失・盗難事故…………………………… 73

【へ】

- β 線 …………………………………… 48
- ベータトロン………………………………… 41
- ヘパタイテス廃棄物………………………… 64
- HEPA フィルタ ……………………………… 54
- 変更等の届出………………………………… 87

【ほ】

- 方向性線量当量……………………………… 21
- 放射性同位元素……………………………… 84
- 放射性同位元素装備診療機器……………… 45
- 放射性同位元素装備診療機器の届出……… 87
- 放射性同位元素等による放射線障害の
  防止に関する法律………………………… 105
- 放射線加重係数……………………………… 16
- 放射線感受性………………………………… 8
- 放射線管理…………………………………… 65
- 放射線事故の分類…………………………… 73
- 放射線障害…………………………………… 3
- 放射線障害予防規定………………………… 106
- 放射線治療病室……………………………… 95
- 放射線取扱主任者…………………………… 107
- 放射線ホルミシス…………………………… 35
- 保管廃棄設備…………………………… 55, 94
- ポジトロン…………………………………… 48
- 細い平行線束………………………………… 48

【ま】

- マイクロトロン……………………………… 41
- 慢性皮膚障害………………………………… 9

【み】

- 密封大線源…………………………………… 42

【め】

- 名目確率係数………………………………… 15
- 迷路…………………………………………… 50
- 免許…………………………………………… 76

【ゆ】

- 有機廃液……………………………………… 55
- 有機廃液燃焼装置…………………………… 55
- 輸血用血液照射装置………………………… 45

【よ】

- 陽電子断層撮影診療………………………… 85
- 陽電子断層撮影診療用 RI …… 46, 64, 85
- 陽電子断層撮影診療用 RI 使用室 ……… 92
- 陽電子放射断層撮影装置…………………… 85
- 預託線量……………………………………… 26
- 預託等価線量………………………………… 15

【ら】

- Ra ……………………………………………… 5
- ラジウム……………………………………… 5
- RALS ………………………………………… 43

【り】

- リスク係数…………………………………… 13
- リニアック（ライナック）………………… 41
- リモートアフターローダ…………………… 43
- リンパ球……………………………………… 8

放射線安全管理学　第2版
〈付録〉関係法規・測定機器

　　　2008年2月20日　第一版 第1刷 発行
　　　2017年3月13日　第二版 第1刷 発行

価格はカバーに表示してあります

著　者　福士　政広・井上　一雅 ⓒ
　　　　ふくし　まさひろ　いのうえ　かずまさ
発行人　古屋敷　信一
発行所　株式会社 医療科学社
　　　　〒113-0033　東京都文京区本郷3-11-9
　　　　TEL 03(3818)9821　FAX 03(3818)9371
　　　　ホームページ　http://www.iryokagaku.co.jp
　　　　郵便振替　00170-7-656570

ISBN978-4-86003-484-9　　　　　（乱丁・落丁はお取り替えいたします）

本書の複製権・翻訳権・上映権・譲渡権・公衆送信権（送信可能化権を含む）は（株）医療科学社が保有します。

JCOPY ＜(社)出版者著作権管理機構 委託出版物＞

本書の無断複写は著作権法上での例外を除き，禁じられています。複写される場合は，そのつど事前に(社)出版者著作権管理機構（電話 03-3513-6969，FAX 03-3513-6979，e-mail: info@jcopy.or.jp）の許諾を得てください。